霍桑探案

 程小青作品

霍桑探案

程小青 著
DETECTIVE
HUO SANG

雨夜 枪声

3

海南出版社
·海口·

图书在版编目（CIP）数据

霍桑探案. 3，雨夜枪声 / 程小青著. -- 海口：海
南出版社，2025. 1. -- ISBN 978-7-5730-2064-2

Ⅰ. I247.7

中国国家版本馆 CIP 数据核字第 20243T5U84 号

霍桑探案 3　雨夜枪声

HUO SANG TAN' AN 3　YUYE QIANGSHENG

作　　　者	程小青
策 划 人	彭明哲
责任编辑	高婷婷
插　　画	杨冬梅
封面设计	张　军
责任印制	郄亚喃
印刷装订	河北盛世彩捷印刷有限公司
读者服务	张西贝佳
出版发行	海南出版社
总社地址	海口市金盘开发区建设三横路 2 号
邮　　编	570216
北京地址	北京市朝阳区黄厂路 3 号院 7 号楼 101 室
电　　话	0898-66812392　010-87336670
电子邮箱	hnbook@263.net
经　　销	全国新华书店
版　　次	2025 年 1 月第 1 版
印　　次	2025 年 1 月第 1 次印刷
开　　本	880 mm × 1 230 mm　1/32
印　　张	10.125
字　　数	228 千字
书　　号	ISBN 978-7-5730-2064-2
定　　价	46.00 元

· 目录 ·

一个绅士

雨夜枪声

一位挺漂亮的小姐

第一句话，我须得先向读者们郑重地表示歉意。在最近的二三年中间，除了口头的不算，我所接到的读者们的函件，不但可以说"积纸盈寸"，简直是"盈尺"而有余。这些来函的方式虽不一律——有些是询问的，有些是催促的，有些甚至责我故卖关子而诅咒谩骂——可是他们的目标是相同的，就是要我把我的老友霍桑最近所经历的奇案发表几件出来。因为我——包朗——是唯一的记录人，历年来所记录霍桑的案绩已不下五六十起。他们显然都是霍桑的知己——"霍迷"，故而他们的态度虽有应加修正之处，我相信他们动机都不坏，我当然可以原谅。可是我也有不能自主的苦衷。

这三年来，我虽因着种种关系眼前还留在上海，霍桑却正在内地负着重要的职责，和我隔离已久。我不得到他的允许，不能将他的案绩随便发表，这一点读者们当然是早就知道的。霍桑因着我屡次转达读者们的要求，最近才给我一个许可的答复——让我将"雨夜枪声"① 一案公开发表。

这件案子发生的时间，还是在暴风雨的前夕——一个春末夏初的清晨，我恰巧住在他的爱文路七十七号寓所里，因为每

---

① 又名"舞后的归宿"。

隔几时他总要留我住几天的。案子发轫之初，好像含着些喜剧意味，可是因着案情的逐步发展，我们所经历的惊惶，悬疑和危险，也可算得极尽"波谲云诡"的能事。霍桑在开端时对于那请求的女子，似乎带些厌憎的神气，但他着手以后，他的好奇心却随着案情的进展而成比例地增高，甚至到了"欲罢不能"的地步。他的敏锐的观察，健全的推理，勇敢的精神和那种"百折不挠"不得最后胜利不止的毅力，也都在这案子里表现无遗。

这天早晨，是一种衬衫里面还缺不了一件卫生衫的天气。天空中已经放晴。一片片或深或浅的白云，运行很速，衬着最美丽的蔚蓝的背景，幻出种种奇兽怪岩的景状，那景状随着它的运行而变化不定。我们门外人行道上的法国梧桐上的新叶，因着上夜里的雨水，被洗涤得越发肥润，青翠欲滴，如果有方法可以估量的话，这一夜的滋长的速度，一定比往日加增若干。

我一个人正在楼下办公室中进简单的早餐——稀饭。霍桑的清晨时的户外运动还没有完毕，这是他数十年如一日的老习惯，也是我所赞同而始终没有勇气实行的一种好习惯。忽而一阵清脆的门铃，冲破了清晨的静寂，不禁使我停住了筷。这不是霍桑回来，他是用不着按门铃的。但访问的来客又怎么会这样早？接着施桂已开了门回进来了。

他向我报告说："包先生，一位小姐。"他又放低了些声音补充："一位挺漂亮的小姐！"

施桂——霍桑的老仆，也是我们的老仆——已上了些年纪，可是他对于美的欣赏力，分明还没有丧失或减退。他这一句报告倒使我有些发窘。因为我这时还没有穿好衣服，只披着一件蓝条白地儿的棉织品的梳洗袍，足上也赤裸着，趿着一双棕色牛皮的拖鞋。这样子似乎不便见客，尤其是女客。可是事实上绝对不容许我犹豫，那女客的高跟鞋已"得得"地走进这权充餐室的霍桑的办公室来。

那女客有五尺多高，在我国东南一带普遍低矮的女性中，已可算得"长身玉立"。伊上身披着一件淡青色细哔叽的短披，下面露出红白相间条子绸的顾袍，一直盖到伊的银皮镂孔的鞋背上面。伊有一个瓜子形的脸儿，颊骨部分红得刺目，一双灵活乌黑的眼睛，上面两条细长的人工眉——原来伊的天然眉毛，时时遭受理发匠的摧毁，已不留丝毫影踪！那鼻子的部位生得很恰当，鼻梁也邰直而并不低陷，这也是构成伊的美的重要元素。那张小嘴本来是伊的美的主因之一，可是因着涂了过量的口红，使我见了觉得有些"凛然"。伊脸上的皮肤固然是白嫩细腻到了最高度，可是我不敢相信，大半定是借重了"铅粉"的力。因此伊的芳龄究竟是十八九，还是二十三四，也不容易判断。

"你……你不是霍桑……"伊一边疑讶似的瞧着我，一边举起伊的指甲上涂着粉红色蔻丹的尖细的手指，掠着伊的烫卷的近乎赭红的头发。伊的手指上还戴一只相当大的钻戒。

我答道："霍先生马上就回来。要不要坐一坐？"我说这句话委实有些勉强，因为伊的那种不自然的矜贵之态——傲气，和那种无礼貌的称呼，已露出了伊的身份或教育程度。

伊将那披肩卸了下来，露出两条也经过人工装点的"玉臂"。伊的衣服很单薄，因着成衣匠的精致的技巧，那顾袍和伊的肌肉特别熨帖，越显得不足以抗御这暮春的晓寒。但伊似乎并不觉得，使我不能不佩服都会女性的抗寒力的高强。

伊坐在靠书桌的那张沙发上，把一条腿叠了起来，我的眼睛便又增加一种色彩。伊的脚也和我一样是赤裸的，那银皮的镂孔中露出了猩红的趾爪。伊坐时的那种姿势似乎非常熟练，翘起了一只脚，把一只红白相间的皮夹搁在大腿上，眼睛向我瞟了一瞟，仿佛等我去奉承的样子。

这时我先前感觉的窘意反消失了大半。我开始猜度到伊的社会地位。伊也许还够不上出于布尔乔亚阶级，可是装摆着那种贵族气焰，反而丧失了伊的本来面目，这是非常可怜的。伊见我不理会伊，便自己开了手夹，拿出一只银质的小烟盒来。伊拿了一支纸烟，却没有火柴——伊分明是照例不带火柴的。伊的眼光又瞟到我的脸上。我忽不自觉地拿了一盒火柴给伊，但仍让伊自己擦着。这一度接近，我的鼻管里沾染了一阵迷人的香气。

"霍桑什么时候来？"伊露出怨恨的神气，吐了一口烟。

"大概快了吧……唉，你有什么事？"

"我得对他本人说。"

伊是霍桑的朋友吗？不是。是有什么疑难事件来请教霍桑吗？那种神气又不像。我的疑问还没有解答，霍桑忽已出现在办公室的门口。

那女子见霍桑进来，并不起立，只微微点一点头：

"霍桑……霍桑先生。"

霍桑听了伊这句"先生"二字十分勉强的称呼，向伊瞅了一眼，又把视线移到我的脸上。我冷冰冰的没有反应，但自顾自把我的半碗粥吃完。

霍桑在另一只安乐椅上坐下，一边问："我很荣幸，竟得到姑娘的认识。请问尊姓？"

"安娜。"

"安娜？包朗，我有些糊涂了。'百家姓'上可是有复姓安娜的吗？"

我冷冷地答道："这不是姓。这是外国女子的闺名 Anna 的译音。"

霍桑也装作恍然大悟地点了点头："唔。原来如此。那么，我委实不应当用'姑娘'或'小姐'，我应得称呼'密司'才是。对不对？"

安娜的眉毛略略向上一抬，眼角里好像露出一小块眼白，却并不答复。

霍桑又说："密司安娜——唉——对不起，我本来不应当这样称呼，可是没有法子——请问密司尊姓？"

伊不高兴地说："姜！"

"哎哟，请恕我唐突，这个姓似乎不大称配。这'姜'姓是我们'百家姓'上本来有的中国姓啊！"

安娜有些不安起来了，伊的眼角里不但露白，而且眼黑部分也露出近乎恼怒的光彩。

"我不是来请你批评我的姓跟名字的，我是来托你办一件案子的。"伊随手将大半支纸烟丢在书桌上的烟灰盆里。

霍桑瞧着伊的头发，自顾自地说："这头发染得正好，真像外国人的勃朗色，要是有方法可以把黑眸子染得煤油蓝的话，密司姜，我倒劝你试一试！"

苏妈走进来收拾碗碟，才把霍桑的讽刺话打断。可是安娜并不羞窘，还只是露着那种怨恨之色：

"霍先生，我是为了一件命案来请教你的。你怎么拿我开玩笑？"

伊的语调已显然有了变异，神态上的那股"火气"也消退了不少。霍桑也点了点头。

他说："抱歉得很，我怎敢玩笑？这是我的一种贡献。……唉，你说是一件命案？死的谁？"

"一个朋友。"

"是男朋友？"

"不，是我在快乐舞厅时的同伴——好朋友。"

我先前的料想总算差不太远。伊是个舞女，伊的这种装扮也许是被迫而然的，平心说来，那只有可怜的成分。可是我不懂社会上尽多那些并没有"可怜"因素，而自甘"可怜"的密司们，究竟又为着什么呢？

"伊是谁？"霍桑的注意似乎渐渐转入正轨了。

安娜回答说："王丽兰。"

"哈，又是个外国名字。"

我不禁插口说："唉，王丽兰是个大名鼎鼎的红舞女，前年不是曾被选为舞后吗？"我暗忖这女子的死，事情也许会闹大。

安娜接口说："是的，可是从去年起，伊不再伴舞。"

霍桑说："那么，伊是个卸任的舞后，是不是？现在伊怎么样死的？"

"被人谋杀而死的——被一个什么人用手枪打死的！"伊的语声中开始有些悲哽。

霍桑的脸色越发庄重了。他瞧着那舞女点点头。他说："真可惜。近来被人打死的舞女已有好几个。上月里光明舞厅的胡玲玲，不是也被人打死在汽车中的吗？"

姜安娜的眼眶上似乎泛出了一圈红晕：

"原是啊。我们做舞女的，实在太苦了！太吃亏了！这一次我所以来请教你，一则为丽兰报仇，二则也为着我自己。人家高兴时随便玩弄我们，玩厌了就随便处死！我们委实太没有保障了！"

霍桑已摸出纸烟来烧着，把头仰靠着椅背，似在瞧着上面的承尘出神。我这时不禁产生了相当的同情。

安娜又说："霍先生，你如果能把那个凶手捉住了，那我情愿重重地酬谢你。我听说你是个万能的大侦探——"

霍桑忙着把头回到了正常状态："什么话！万能？人谁是万能？对不起，我可受不住。"霍桑连连摇着头，脸上浮出不自在的愠色，嘴里仍吐吸着纸烟。

霍桑从来不喜欢人家不合理的恭维，何况这"万能"两个字，更超越了恭维的限度。

安娜颤声说："霍先生，我不大会说话，请原谅，可是人家都这样称赞你。丽兰死得很苦，又十分奇怪。你就是不为酬报，为着一个可怜女子的惨死，也得费一些心力，把这件案子的真相查个明白。"

伊的声音近乎哀求了，而且"奇怪"的字样也分明打动了霍桑的好奇心。

霍桑正色答道："好，我去看一看。伊在哪里？"

"伊死在伊的家里——青蒲路二十七号。伊家里本来没有一个亲人……眼前有一个伊的姑父，叫李芝范。"

"是这个姑父告诉你的吗？"

"不，先是金梅打电话通报我——金梅是丽兰的女佣人——我不曾接到伊的电话。后来看门的老毛在光明舞厅里找着我，我就赶得去。伊死得真凄惨啊！"

霍桑把身子坐直了，两指夹着纸烟，向我瞧瞧，似乎暗示我如果有意一块儿去，必须立刻去换衣裳了。我觉得没有向这姜安娜做什么告退表示的必要，便自顾自走出办公室的门，到楼上去。我在上楼梯的时候，听得安娜又在说话：

"霍先生，现在我不能陪你去，别的话等你去查看过了再说。我还没有睡过哩。"

我暗暗叹了一口气。做舞女的也够可怜。我走进卧室的时候，又听得电话铃声在楼下响，霍桑接电话的声音，也似乎很紧张而响亮，因此我的更衣的动作，也加紧了速度。

我穿好了一身灰色国产淡灰花呢的西装，并拿了些应用东西下楼的时候，那舞女已经走了。霍桑正在将放大镜、软尺、铅粉、骆驼毛帚、纸片等物放在他的外衣袋中。因为这几天在清晨和傍晚，他出外时总穿着那件鼠色薄呢的大衣。他见了我并不多说，脸色很紧张，这是我在上楼以前不曾瞧见的。

我问道："谁来的电话？"

霍桑沉着脸答道："倪探长。"

倪金寿是霍桑多年的朋友，凡知道霍桑的人，总也会连带熟悉他的姓名。他在警界中服务已经二十多年，因着历年来勤恳努力而获得的劳绩，升迁到了现在的地位。不过若使能够适用定量分析的话，他的劳绩里面大概有若干成分是属于霍桑的。倪金寿倒也并不像一般不识时务的人，"一朝得志，尽忘故旧"。他对于霍桑仍保持相当的敬意，每逢有疑难或关系比较重大的案子，依旧和霍桑保持着联系。这一次的电话是他打来的，可见又发生了什么棘手的疑案。

我又问道："什么事？"

霍桑答道："再巧没有，就是这件舞后王丽兰的血案。不过这情报的来由和刚才的不同。"

"谁去报警的？"

"有一个陆健笙。"

"陆健笙？是不是那华大银行的经理？"

霍桑一边扣着他那身藏青哔叽便服的衣纽，一边向我瞟了一眼："你也认识这个人吗？倪金寿为了这个人，口气里有些着急。我想不到银行家的权势，竟也会波及你这个弄笔头的人的身上。"

我呆了一呆："怎见得？"

"你的语调和面容的表现，都给予我这样的印象。"

"唉，我并不是因着他是银行家。他在社会上的确有相当地位。他是妇孺救济院的院董，银行联谊会的执行委员，又是平民工场的创办人——"

霍桑忽摇着手阻止我道："好啦，好啦。你且慢着盲目地崇拜，仔细瞧瞧他的人再说。你难道不知道社会上尽多那些套着'名流''闻人'的面具，暗地里干着丧良无耻勾当的人吗？……好啦，别空谈。倪金寿似乎很着急，正焦急地等我们。走吧！"

这时刚交七点三十分钟，四月十九日的早晨，星期一。从霍桑寓所到青蒲路，汽车的途程，只有七分钟。霍桑的汽车在二十七号门前煞住的时候，有一个派在尸屋门口看守的九十九号警士，忙走过来开车厢的门。他是熟识霍桑的。

他把手在帽檐上触了一触，招呼说："霍先生，倪探长等候好久啦。"

霍桑点点头，跳下车去。我也跟着下车，随手将车厢门关上。

这发案的二十七号屋子是一宅半新的小洋房，共有三层，

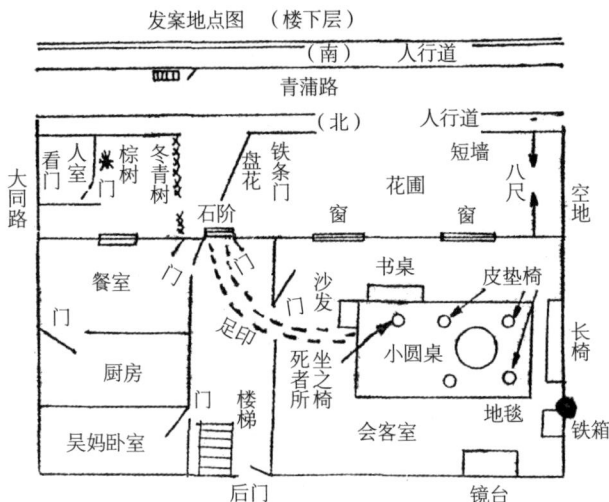

发案地点图 （楼下层）

外面用水泥涂刷，上下都是钢条框子的玻璃窗，窗内衬着淡黄色的窗帘，外观很精致。这时楼窗的一角受了太阳，正闪闪射光。这屋子是孤立的，门面向青蒲路，是朝南的；东侧临大同路的转角；西边是一小方空地。

屋子前面有一垛短墙，墙上装着尖刺的短铁栅。那门是盘花的铁条做的，上端也有尖刺，都漆着淡绿色。我们刚踏进这铁条门，便瞧见左手里有个小小的花圃，约有八九尺深一丈半以上阔。圃中种着些草花，内中几朵浅红的月季，瘦小异常，受了夜雨的欺诱，嫣然开放，可爱又觉可怜。有几只瓷盆倒很精细，但随便放在地上，瓷面的四周已溅满了泥水，显得屋主人对于莳花的工作并不感到怎样的兴趣。右侧里也有一小方空地，有短冬青树隔着，不过已被那看门人的小小的门房占去了一大半，加着另有一株棕树，实际上已所"空"无多。

我跟着霍桑走上那条阳光初照还没有干透的水泥狭径时，那瘦长身材穿一件玄细呢夹袍子的倪金寿探长，早已从里面迎了出来：

"霍先生，包先生，劳驾了。这件事很奇怪——似乎有些麻烦。"

霍桑微笑着答道："那么，我不能不先向你致谢，你又让我有一个广开眼界的机会。"

倪金寿又跟我们握了握手，领导着走上那三级水泥阶。霍桑的目光在地上和左右两旁流转着，显见他已在施展他的优越的观察力。我瞧见这水泥径上浮着一些泥，显见是从旁边花圃上经雨水冲过来的。花圃的泥地上，经雨水冲刷得非常平整。

倪金寿忽向我做多余的警告："包先生，小心，请从木板上走，地板上有着重要的足印呢。"

那正门口铺着两三块旧木板，转接到左手边一个开着的门口里去，掩护着木板下面的足印。霍桑忽站住在门口外的一小方棕垫上面，蹲下身子，将木板移过一边，两行很显明的男子皮鞋的泥印，和一行女子的高跟鞋印，便赫然可见。倪金寿也跟着霍桑偻下了身子细瞧：

"霍先生，这两行男子皮鞋的足印很清楚。"

"真清楚。"霍桑跟着足印伛偻着一步步走向里面的门口去，似乎他正全神贯注，故而只随便应了一句。

"这西面深的一组是进入时留的，东面一组比较淡的是出去的。不过女鞋的印，只有进入而没有出去，分明就是死者的足印。"

"正是。这男鞋印一进一出，深淡的相差也不多。"

倪金寿又说道："这进出两组竟没有错乱交践。"

霍桑忽旋转身子，指着近正门处，摇头道："不，那边不是有交踏的男鞋印子吗？"

我回头细瞧，果然在门口里面有几个男子足印是复叠的，不过一行很深，一行较浅，而且将近里面门口越加浅淡，故而粗看便不觉得交叠，好像只有一行。

倪金寿也说道："是的，我倒没有细瞧。不过这交叠的两行同样是进入的印。奇怪！"

霍桑点头道："那也容易解释，昨夜里有两个男人进来过。"

倪金寿惊异道："两个男人？那更麻烦了！"

霍桑淡淡地说："这交叠的男鞋印子尺寸不同，显然属于两个人。包朗，你最好把这两行足印用纸勾摹下来，把深的一行定作甲，浅的一行定作乙。"他随手将应用品授给我。

我就蹲下身子，拿了铅笔纸片，依照着绘那足印的图。倪金寿也陪着我用软尺量。霍桑却向后面楼梯边望了一望，便先走入左手的门口里去。我把印绘好以后，觉得霍桑眼光果然不错，甲印是十一英寸六，乙印是十英寸四，显然是不同的。不过乙印不但较浅，而且一出一入，互相混乱，也不像甲印那么分别清楚，譬如在西边进入一行中和中间空处，也都隐约有几个出去的乙印。接着我就也和倪金寿向里面的门口走去。

那左手的一室是个会客室而兼书室，面积很宽大。我和倪金寿一走到门口，便有一种惨怖的景状接触眼帘。原来这就是发案的所在。

那惨怖景状的中心点，自然是那被害的退职舞后王丽兰。伊正坐在靠窗的书桌面前的一张直背皮垫椅上。伊坐的姿势是向窗口的，但伊的头仰搁在椅子的背端，脸儿便像在瞧上面的承尘，仿佛一个哲学家对于宇宙之谜突然发现了新的概念，运思出神，一时间便成了呆木。

伊的脸儿很丰腴，五官的位置很匀整，生前当然是非常美丽而足以颠倒男子们的。不过这时候伊所给予我的印象，却是"恐怖"代替了美感。伊的眼睛张开，两粒没光的眸子不但呆木地向上面凝视，还含着惨痛惊恐的样子，仿佛伊临死时曾受到一种意外的惊恐。嘴唇也开而不闭，露出编贝似的两行白齿，衬着唇上殷红的色素，更觉得可怖。脸色仍是白的，却白得有些教人寒凛。右耳朵上有一丝血痕，不知是怎样伤的。我猜度伊的年纪，也和那个姜安娜相仿。

当我的眼睛瞧到最可怕的一点——伊的致命伤的部分，霍桑已开始在动手了。他将那件闪光细花月白色短袖丝顾袍的钮子解了开来，胸襟前一摊干凝的血迹，见了最觉刺目。里面的白纺绸衬衣上，有着同样的血渍，显见那伤处就在伊的左乳之下。倪金寿已拿出一把小刀，将衬衣割破了前襟；贴肉还有一件白麻纱汗衫，也给随手割破了。伊的足上也是白色高跟鞋，丝袜却是肉色的。

我瞧见那伤痕果在左乳下的一角，依着肋骨作横斜形，约有一英寸宽，伤口上有血液凝结着。

我不禁轻轻地说："看起来好像是刀伤。"

倪金寿摇摇头，答道："不，是枪伤。"

霍桑也仰起头来瞧着倪探长。倪金寿用手在面前的那张柚木大书桌上的一方玻璃的边际指一指，答复霍桑的无言的问句：

"这就是致命的枪弹。不过没有手枪。"

我果然瞧见一粒小小的枪弹，贴近在那方厚玻璃的边缘，不留意当然瞧不见。霍桑伸手将子弹拿起，放在手掌中瞧了一

瞧，重新放在桌上。

他问道："这是 .45 口径。你在哪里检得的？"

倪金寿说："就在那面墙壁上。"他旋转身子，又向后面的墙壁指了一指。

霍桑顺着所指的直线，偻下了身子，从死者胸部做一个出发点，用眼睛测量了一下，随即点了点头。他又偻着查验那椅子的背，在椅背的皮套上摸了一摸。

他说道："是的。枪弹还穿过椅背。不过粗看却看不出，要借重你的触觉来辨别了。……金寿兄，伊的背部应当有个弹孔。"

倪金寿点点头："当然。"他说着，又着手割那顾袍和衬衣等的背襟，同时将尸体扶住，使其向前面偻侧些。

我看见那女子的背上果然有一个弹孔，不过很小，好像已卷缩的样子，也没有多量的血，只约略有些红色。霍桑又走到墙壁旁边瞧瞧那着弹处所，再度从那里用眼光测量这枪弹的直线。接着他又回到尸体旁来，低着头把直线测量到窗外去。那钢窗这时正开着，淡黄色镂孔的纱窗帘，也都拉开。霍桑又伸着头瞧瞧窗口外面的花圃。

他喃喃地说："真奇怪。金寿兄，你怎么就想到检寻枪弹？"

倪答道："这屋子里的人都说昨夜夜半后听得了枪声，才发觉这件凶案。我依着这致命伤的直线一瞧，便在墙壁上发现了这粒子弹。你们到的时候，我刚才把它钳出来呢。"

霍桑道："这屋子里有几个人？你查问过没有？"

"我只约略地谈过几句，还没有仔细问。这屋子里的人不多，有个老头儿叫李芝范，是死者的姑丈。一个女仆叫金梅，还有一个老妈子和一个看门的老毛。"

"我想最好先跟那个姑丈谈一谈——唉，慢来。这烟嘴放在这书桌上，似乎有些不大相称。"霍桑说时踏前一步，用白巾裹着手指，从书桌的一边，拿起一枚假象牙的烟嘴来。

我乘势瞧到书桌上面。桌上的东西很简单，但都很精致。一只涂金的刻花墨水盂，有红蓝两盂，盂盖都盖着，两盂之间有两个插笔管，都空无所有，显见这东西除了权充书案上的点缀品以外，不作别用。一个银质花瓶也是道地的来路货，瓶中也没有一朵花。右手里有几本书，都是《舞星小志》《电影月刊》一类的图书刊物。正中有一块绿绒衬垫的厚玻璃，玻璃下面排列了好几个男女明星的照片。

霍桑拿起来的那只烟嘴，本放在书桌左端的边上，那烟嘴的口部露出在书桌边缘的外面。原来那烟嘴里还装着没有烧完的烟尾。那放烟嘴的人，分明是防烧坏书桌，故而这样让烟嘴口露在外边。

霍桑的目光注视着手中的烟嘴，一边向我说道："包朗，你估量一下，这烟嘴值多少钱？"

我凑近去瞧瞧："两三毛钱，至多也不出半元。"

霍桑点点头："对。这是一只廉价的烟嘴，可是用得很仔细。你瞧这东西的颜色，可见已被用过相当的时间，但烟嘴的本身并无擦伤痕迹，尾端也没有牙齿的蚀痕，就是那管口上镶着的铜圈，里圈虽已烧黑，外面却仍擦得很亮。"

我应道："是的，这烟嘴的主人似乎很重视这东西。"

倪金寿也接嘴说："这东西一定不是这位舞后的。"

霍桑道："那自然。因此，我觉得似乎有注意的必要。"

倪金寿问道："这烟嘴可能给你什么线索？"

霍桑微笑着应道："那还谈不到。不过可以窥见一斑烟嘴主人的个性。这个人很谨慎，而且用钱很省俭。你瞧，这残余的烟尾已烧进了铜圈的范围以内。"他把烟嘴凑到鼻孔上嗅了一嗅："这纸烟也一定是廉价品。"

倪金寿问道："这上面会有指印吗？"

"也许有的，但不见得有什么用。我们得先问一问这烟嘴究竟是谁的。这屋子里也许有人会知道。"他说时重新将烟嘴放在书桌边的原处，那块白巾仍拿回来放在他的袋中。

倪金寿道："我去叫那李芝范下楼来吧。"

霍桑道："好，唉，且慢。这书桌抽屉上留着钥匙呢。你瞧见了没有？"

倪金寿答道："没有——还没有。我一到这里，向那李老头儿谈了几句，觉得这案子很复杂，我就叫他上楼去等着。我又把三个仆人分派在三处，就先打电话给你。接着我又打到警厅里去，叫他们放载尸车来。因着电话线的阻隔，耽搁了好一会儿。随后我在这墙壁上发现了那粒枪弹，就着手钳取。因此，我还没有工夫细瞧。"他说完了便匆匆走出室去。

倪金寿解释的时候，霍桑早已伸手去开那抽屉。抽屉的锁孔上果然留着一枚小钥匙，钥匙柄上并没附着什么环子，的确很容易忽过。霍桑开抽屉时，没有旋动那钥匙，抽屉便应手而开，显见不会下锁。

抽屉里的东西似乎很值得注意。最触目的，就是三大叠用麻线系着的法币，估量起来，每叠大概是一千。还有几张男子的照片，尺寸虽不一律，却都是"时代青年"。此外还有一个钢质涂镍的铁箱钥匙。霍桑把几张照片约略瞧了一瞧，又在许多请帖纸件里翻了一翻，单把那枚钥匙从抽屉里拿出来。

他说道："这钥匙就是那边铁箱上的吧。"他斜侧着身子，向这会客室的西北角指了一指。

我开始向这室中做一度迅速地巡礼。涂蜡的狭条麻栗地板上，铺着一大方蓝地白花高价的厚地毯，那室外的泥足印就接到这地毯为止。在死者座位背后的右边，有一只白石面的小圆桌，同着四只精致的皮垫短背椅子。圆桌上除了一个舶来品的铜花瓶以外，有一只银质盘花的烟灰盆，盆中有好几个烟尾。还有两只玻璃杯，一只杯子里，还剩着些残余的香槟酒。在这小圆桌的更右，靠壁放着一只紫色丝绒的长椅，椅上有三个圆形的锦垫，也并不例外地都是舶来品。长椅一端的靠手上，放着一件浅蓝色丝绒的短大衣，分明是死者身上脱下来的。

霍桑所说的那只铁箱，就在这长椅的左手里。这箱形是长方的，外面的喷漆是浅蓝色，就式样和色泽方面说，很像是一架落地收音机。靠窗的一角，有一个书架。其实称它书架，未免犯着"砌词诬陷"的语病。因为架上并没有书，除了几本像书桌面上一类的图书刊物和报纸以外，大半是虚空的。靠后面壁上，另有一张立体式的镜台，台上的杯碟酒瓶等类，也一律是外国货。镜台东边的壁上，挂一幅镶阔金框的油画，约有三尺长，二尺高，画的也是外国风景。总之，这室中一切器物所给予我的印象，只有忘了时代忘了国家的极端的"奢靡"和"浪费"！

霍桑拿了钥匙走到铁箱面前，小心地将铁箱门上圆形的钥匙孔盖移开，将钥匙插入，完全吻合。他索性将钥匙一旋，把箱门柄同样旋动，随手拉了开来。里面也有三四叠扎缚的法币。他还没有动手检查这铁箱的内容，忽听得一阵子咳嗽声音。他连忙将铁箱的门关上，旋转身来，迎接这位把咳嗽声音做前驱的来人。

这时倪金寿已领了死者的姑父李芝范走进来了。

一页往史

李芝范是个五十左右的人，走路时虽弯着背，而且一路咳嗽，略略有些老态，他的脸色和眼睛神气都很健旺。他的个子不高，肌肉也比较瘦削，头发花白，剪着圆顶头，也不曾留须。他身上穿一件深青旧绉纱的骆驼绒袍子，足上还是旧式的双梁玄缎面的布底鞋，朴素中显出端谨大方的模样。后来我知道他是吴县乡下吴塔镇上做私塾先生的，这种打扮，和他职业的确相称。

霍桑向他招呼以后，由倪金寿从中介绍了彼此的姓名，便都在小圆桌周围坐下来。我也就坐在长椅的一端。因着霍桑的询问，似先着重在死者往史，老人就说明了他和死者的关系，和死者从事搂抱生活以前的景况。

李芝范说道："丽兰在乡下时的小名叫阿宝。伊的父亲就是我的内兄，也是在乡间教书的。丽兰在七岁时克了娘，九岁时又遭父丧，以后便由我抚养，并且在我私塾里念了好几年书。"

"阿宝——丽兰小时倒很安分，但在十七岁时，因着有一个同镇的招弟从上海回乡，才变了卦。据招弟说，伊在什么工厂里做工，进账很不错。丽兰听招弟说得天花乱坠，又看见招弟打扮得像公馆人家的小姐模样，便眼红起来啦。伊吵着要跟招弟到上海来。我再三地劝阻，毫无效果，便也只得听伊。伊一到上海，便不曾回过乡下去一次。我还以为伊在工厂里做工，却不知道伊在干这个跳舞的玩意儿！到如今到底送了伊的性命！唉！真是犯不着！"他连着叹了一口气，又咳了两声。

霍桑缓缓问道："你什么时候知道伊在干跳舞的事？"

那老头儿想了一想，说道："在前年的秋天，伊写信到乡间去，又寄给我五十块钱，叫我到上海来玩一趟。我到了这里，才知伊一到上海，并没有进什么工厂，就跟着招弟学跳舞。招弟本来也是在当舞女，做工的话，完全是骗骗我们乡下人。那时候丽兰刚交二十岁，被选了什么舞国皇后，上海的一班轻薄少年都发疯似的捧伊。伊高兴得了不得，因此特地叫我到上海来玩。"

霍桑道："你从那时一直住到现在吗？"

李芝范摇摇头："不，我过不惯这样的生活——也许我没有福气。那时我住了十天光景，就回乡下去。这一次伊又带信叫我到上海来，我还是十一那天到的，到今天已有八天。这里的房子比以前宽大多了，伊的场面也阔绰得多，可是我总过不惯。我本来打算再过两三天就要回乡下去，谁想到昨夜里会闹出这一件事来。"

霍桑点着头，寻思了一下，说道："现在请你把昨夜的事说一说。"

李芝范道："我也不大明白。昨夜丽兰是在外面吃夜饭的——其实这一次我到了这里八天，只有一次伊在家里陪我一块儿吃夜饭。我一个人吃过了夜饭，在这室中看了一张报，又把那些图画书翻了一翻，到了十点钟光景，天下雨了，我就上楼去睡——唉，我的烟嘴还忘记在这里呢。"他说时他的眼睛瞧着书桌边上的那枚廉价烟嘴："我的卧室在三层楼，就在金梅的隔室。我睡到床上不久，便睡着了，直到被枪声惊醒，才知已过半夜。"

"你怎样知道这个时间？"

"我听得了枪声，还是迷迷糊糊，以为是什么黄包车胎的爆裂，因为我已听得过几次了。可是不多一会儿，金梅已急促地来敲我的房门。我才爬起来，看看妆台上的小钟，已是十二点二十分。我就跟着伊下来，一走进这里，便瞧见丽兰这个样子。那时真几乎把我吓死！"他说到这里，语声有些战栗，那双有神的黑眼向死者瞟了一瞟，也露出惊异的光彩。

霍桑问道："你可知道你的内侄女昨夜什么时候回来的？"

那老头儿摇摇头："不知道。伊每夜回家，最早总在半夜，有时甚至全夜不归。"

"往日里伊回来的时间，你是知道的吗？"

"也并不。有时候我偶然醒着，听得伊开门进来的声响。如果我在睡熟的当儿，那就听不见。我已说过，我住在三层楼上，伊的房间在二层楼。"

霍桑点点头，又问道："那么，除你以外，那两个仆人可知道伊昨夜回来的时间？"

李芝范踌躇了一下，答道："我也不知道。我不曾问过他们。不过据金梅说，伊也没有听得丽兰回来。我们下楼时，大门却没有锁。"

倪金寿忽插口说："我想那看门的老毛总知道的。要不要叫他马上进来？"

霍桑摇摇头："等一等，我还有几句话要问李先生。"他摸出纸烟盒来，敬了一支给那老头儿，自己也烧着了："李先生，我们为侦查这件案子的真相起见，不能不注意到各方面。现在有一句关于你内侄女的私生活的话，希望你能够据实答复。"

李芝范忽把身子抬一抬，谦逊似的答道："那自然。我所知道的，一定据实奉告。霍先生，你要问什么事？"

霍桑答非所问似的说道："据我所知道的，王小姐现在已不做舞女。是吗？"

"是的，从去年秋天起，伊就退出舞场。"

"看伊这样的场面，每月的生活费用似乎也相当地大。"

李芝范忙着点头，应道："大得很哪！也许要千把块钱一个月呢！霍先生，不是我眼孔小，在我们乡下人看来，委实觉得太浪费。我也曾向丽兰说过几次，可是有什么用？"

霍桑点头道："那当然。那么，你可知道伊这种费用从哪里来的？"

这问句把这死者的姑父难住了。他低垂了目光，像有些发窘。他并不是回答不出，只是说不出口，顿了一顿，他终于勉强回答了：

"这个我也不很仔细。一方面伊在做舞女时的收入很大，也许有些积蓄，另一方面……这个……这个……"

"另一方面怎么样？"

"有一个姓陆的，似乎每月也供给伊若干。"

"那个华大银行的经理陆健笙吗？"

"正是，他似乎还有些别的职司，很有几个钱。"

"这陆健笙跟你内侄女有什么样的关系？"

一层羞窘的神色，又在这老人的脸上显现了。他倒还像是个旧式文人的典型，至少还懂得羞耻。因为霍桑这一个问句，对于旧式头脑的亲长，的确有些难于回答。他迟疑了一会儿，才吞吞吐吐地说话：

"这个……这个我很难说。他们在名义上算不得什么——总算是朋友。"

霍桑只微微点点头，唇角上却露出一丝微笑。这一笑分明又加深了那老先生的窘态。老人又向着他的已死的内侄女瞧瞧，摇摇头叹气。

他又说："霍先生，你总也知道，这样的朋友，并不在我们数千年来尊重的五伦之内的。我是极端不赞成的。可是丽兰年纪大了，究竟不是我的亲生女儿，我哪里管得住伊？"

霍桑微微叹一口气，作安慰声道："那当然不能怪你。其实在这上海地方，像这种方式的所谓朋友，早已普遍地被认作五伦之外的第六伦！"

李芝范连连晃头叹道："唉，'放僻邪侈，无不为已'，上海真是个万恶的地方！不过在我陈腐的脑筋看来，这样的朋友，说出口来总有些惭愧。"

霍桑向他瞟了一眼，点头道："李先生，你真是个端谨的君子人。……除了这陆健笙以外，可还有别的'朋友'供给伊？"

"这个我不仔细。不过伊的朋友的确不少。"

"那么，伊是不是还有另外的收入，你也不知道？"

"我不知道。我难得到这里来，现在跟伊也很客气，关于伊的行径，当然不便仔细查问伊。"

"不错，那么伊的许多朋友里面，你所知道的有几个？"

李芝范又迟疑地说："这个我也说不出什么。我到上海的那天，看见有两个穿西装的少年跟丽兰在这里吵嘴。一个年纪轻些，据说姓余。另外一个个子高一些，这几天常在这里出进，可是我不知道他的姓名。"

霍桑立起身来，走到书桌前面，又将抽屉拉开，从抽屉里拿出刚才发现的几张男子照片。李芝范跟着霍桑走近书桌。他一瞧见抽屉的内容，仿佛怔了一怔。

他作惊讶声道："唉，这里有这许多钱！丽兰真糊涂，钱竟会随便放在抽屉里。"

霍桑不答，但把那几张照片给李芝范瞧。李芝范瞧了一瞧，便抽出两张半身西装的来。

他指着一张说："这个就是姓余的。"又指一张二英寸的小照片："这个就是这几天常在这里出进的，个子高些的一个。"

我凑近去瞧，那姓余的年纪只二十左右，面貌很漂亮，还有较小的一张，年事较大，下颔方阔，一双眼睛特别有神。

霍桑点点头，就把这两张照片放在胸口袋里，其余的重新放在抽屉里，将抽屉关好。

霍桑向李芝范说："李先生，现在你可以回楼上去歇一歇吧。关于昨夜的事，我想先问问这里的仆人们。如果有什么借重你的地方，再来请教。我想你总不会讨厌。"

李芝范急忙答道："这算什么话？丽兰死得这样惨，只要能够给伊申冤，我的能力办得到，什么事我都肯做。"

霍桑鞠了一个躬："谢谢你。"接着他就目送那老人弯着背带着咳嗽踱出去。

倪金寿立起来问道："可要把那老毛叫进来？他在外面门房里。"

霍桑道："不，你先把那个女仆叫来。"

倪金寿应了一声，刚才走出会客室的门，那李芝范忽又退回来。

他说道："霍先生，对不起，我真粗心，我的烟嘴又忘了。"他走到书桌面前，从桌边上拿起了那枚假象牙烟嘴，重新鞠个躬走出去。

我向霍桑说道："我刚才就猜想这烟嘴不像是凶手遗留的。因为凶手走进来行刺，决不会这样从从容容地衔着纸烟。"

霍桑只点点头，似乎也赞成我的见解。

我又说："刚才你从烟嘴上推测它的主人的个性，省俭而谨慎，现在看来，的确是符合的。"

霍桑似乎没有听得我这句欣赏他的推断力的话。他忽自言自语地答复我的先前的见解。

他说："其实那凶手也用不着走到这里面来。"

我惊异地问道："何以见得？"

"要是枪弹致命的理论能够成立的话，据我估量，那开枪的人实在用不着进来。"他的视线直射着外面的短墙。

我又问道："你可是说凶手是从短墙外面开枪吗？"

"是啊，窗外的小天井中并无足印，但这小天井只有八九尺宽，凶手靠在短墙外面，从墙上的短铁栅中间发枪，这女子坐在这里，就尽有被打中的可能。不过一枪便中要害，那人的发枪技术确很熟练。"

我觉得霍桑的推理在事实上的确可能，但我忽然想起了进门时瞧见的地板上的泥足印，便将我绘好的足印图片授给霍桑。

我说道："那么，这甲乙两个人的足印又怎样解释？那一出一进的痕迹，显然是有两个男人在伊回来后从外面进来过的。"

霍桑在图上看了一看，把图纸放入袋中。他答道："原是啊。这一点眼前真觉得无从解释——"

霍桑的意见还没有发表完毕，倪金寿已领了那女仆金梅走进来了。

金梅的年纪有二十六七，穿一件黑毛葛的旗袍，做工也很匀贴；脚上一双玄缎鞋和一双灰色的丝袜，委实不像人家的仆役。从这女仆相当奢侈的装饰上，也可瞧见死者生活的富丽。伊的头发也经过电烫，皮肤白嫩，面貌也很端正，尤其是那一双眼睛，伶俐中似乎带些狡猾。伊走进来后，在地毯角上站住了，两只眼睛先瞧瞧伊的死主人。接着便在霍桑和我两个人的身上打转，脸上却毫无表示。我瞧伊那种镇静的神态，料知伊绝不是初出茅庐的女仆。

霍桑向伊点点头，婉声问道："你是金梅？"

伊也点点头："是的。"

"在这里已有多少时候？"

"到这个月底，恰巧九个月。"

"那么，你在王小姐退出舞场以后才来服侍伊的。是吗？"

"是的。那时伊刚搬到这里来，我就被荐来服侍伊。"

"你可是介绍所里荐来的？"

金梅摇摇头："不，是胡小姐荐我来的——胡玲玲小姐。"

"唔，胡玲玲？可是光明舞厅的胡玲玲，新近给人打死的吗？"

"是的，上月里给人打死在汽车中。"

"好，现在你把昨夜的事情仔细说一遍。"

霍桑和倪金寿又坐在圆桌旁边的皮垫椅上。倪金寿拿出了他的记事册。霍桑却缓缓摸出纸烟盒来。金梅立在他们面前。我也恢复了长椅一端的原座。

金梅的眼光又向死者一瞥，开始说道："王小姐在昨天傍晚六点半光景出去的——"

霍桑突然喊住伊问道："一个人出去的？"

"不，又是陆经理用汽车来接伊去的。"

"又是？那么，这位陆经理可是天天来接伊的吗？"

金梅有些迟疑的样子："虽不是天天，十天中总有五六次。"

霍桑已烧着了纸烟，点点头："说下去。"

金梅继续说道："王小姐出外以后，在什么时候回来，我也不知道。我侍候姑老爷——李老爷吃过了夜饭，就同吴妈一起吃夜饭。吃过夜饭，我就到楼上去，因为我有一件新做的衬衣袖子太长，自己去修改一下。"

霍桑又问道："你上楼时楼下的情形怎样？"

"李老爷在这会客室里看报。吴妈在厨房里洗袜子。老毛却没有吃夜饭就出去看戏。"

霍桑的眼光一闪，喷了一口烟，略略惊异地问道："看戏？看什么戏？"

"听说是京戏。我不大仔细。"

"好，你上楼时是什么时候？"

"约在八点半。我上楼以后，便不会再下楼来。那件衬衣做了一个多钟头就完工了。那时我有些倦，就上床睡了。我上床不久，还没有睡着，听得李老爷也进他的房去。以后，我睡得很熟，一直到半夜后，才被枪声惊醒。那枪声在半夜听得，响得厉害，我不由得立刻从床上跳起来——"

霍桑又插口说："你只听得一声枪响吗？或是还有其他声音，譬如喊叫等类？"

金梅踌躇地答道："没有。我被那枪声惊醒以后，不曾听得第二次，也没有别的声音。但在我醒之前有没有其他枪声，我不能说。"

霍桑又点点头："你从床上起来以后又怎么样？"

"我马上披了一件衣裳，就去敲隔壁李老爷的门。他也惊醒了。他开了门，我就陪着他下楼来。我们一走进这会客室，便瞧见王小姐这种可怕的样子。"伊的视线又一度接触那尸体。

霍桑从嘴里拿下了纸烟，问道："那时候这会客室的门开着，还是关着？"

"开着。因为我记得一走下楼梯，便瞧见这里的灯光照在外面的甬道中。"

"这窗呢？"他用手向书桌面前的钢条窗指了一指。

"也开着，还是这个样子。"

"好，以后怎么样？"

"李老爷着了慌，说要打电话报告警署。我也没有主意。那时看门的老毛也披了一件衣裳从外面进来。他站在正门口，忽而大声呼叫。"

"呼叫什么？"

"他喊着'脚印！脚印！'，我跟着李老爷去到外面甬道中，瞧见老毛已把正门口的电灯开亮，正指着门里面地板上的泥脚印发怔。李老爷叫老毛进来。他先摇摇头不肯，接着他回进门房中去拿了几块铺板，铺盖在足印上面，才从木板上小心地一步一步走进来。"

倪金寿本来拿了记事册在默默地记写，听到这里，仿佛已耐不住静默。他停了笔自言自语地说："奇怪，这老毛怎么会把这泥脚印看得这样重要？"

金梅忽自动地回答："他大概已经知道王小姐已被人打死。因为李老爷走进来的时候，惊惶地乱叫：'哎哟！谁打死伊的？谁打死伊的？'老毛一定在外面听得了。"

霍桑并不下什么批评，只催促金梅说下去。

金梅继续道："老毛向这室中望了一望，便主张先打电话通报陆经理。李老爷也赞成的。就由我打电话到他的公馆里去，陆经理还没有回家。我就说不如再通知王小姐的好朋友姜安娜小姐，不料伊也不在快乐舞场里。我们的意思，想找一个可以作主的人来，再想办法。因为李老爷难得来的，像个客人。他也不很熟悉王小姐的情形，故而不肯出什么主张。后来我们商量了一下，就差老毛出去找陆经理跟姜小姐，直到天已亮了，老毛方才陪了姜小姐到这里来。接着陆经理也从扬子旅社结束了雀局回家，知道了这个消息，就先打电话到这里来询问。我将王小姐被枪杀的事告诉了他，他说由他去报告警署。但他自己至今还不曾来过。"金梅说完了又瞧瞧伊的已死的主人，旋又注视着那条蓝地儿白花的厚地毯，以等待其他的问句。

霍桑又问道："姜小姐到了这里做过什么事？"

"伊一瞧见王小姐那个模样，眼眶里溢满了眼泪，分明很悲伤。伊向我们问明了经过的情形，便说这件事很蹊跷，一定要查个明白。"

"唉，伊说很蹊跷？伊可有什么表示？"

金梅的眼角仿佛向霍桑和金寿瞅了一瞅。伊踌躇了一下，方才侧过了头回答：

"没有，只说要去请一个姓霍的侦探来查究这一件事——"

倪金寿忽又停了铅笔，插嘴道："这一位就是霍桑先生，全国闻名的大侦——"

霍桑皱着眉峰挥一挥手，阻止倪金寿的不必要的介绍。

他继续问道："姜小姐当真没有什么表示吗？"

金梅略略向霍桑瞧瞧，仍低垂着头，吞吐地说："没有。"

倪金寿似乎觉察到这女仆的态度不很自然。据我的经验，也瞧得出伊明明隐藏着什么。

倪金寿说："你小心着！你如果想在我们面前弄什么乖巧，那你要自己讨苦吃啦！我劝你还是实说的好。"

那女仆的头好像重得厉害，依然抬不起来。霍桑的有力的眼光仍毫不转瞬地注视着伊。伊虽不仰视，但一定也感觉到这两道严肃的眼光，正在向伊做无形的进攻。但伊的神态仍很宁静，并没有什么战栗恐惧的表示。

倪金寿又催促着说："你如果不肯在这里说，那么，只好让你到警署里去说了！"

霍桑仍婉声说："你如果有什么顾忌，我们可以给你保证。你不用害怕。"

金梅才低声答道："不是这个。伊说……其实姜小姐也只是随便猜猜，算不得准。最好你们自己去问伊，我不愿意搬嘴。"

霍桑说："这不是搬嘴的话。你所瞧见和听见的，应当完完全全告诉我们。这是你对于法律的义务。"

伊顿了一顿，才说："姜小姐说……这件事也许是……余少爷干的。"

倪金寿的眼光一闪，瞧瞧霍桑，似表示这案子已有了一线曙光。霍桑却并不理会他，只伸手从衣袋中摸出刚才放进去的两张照片来。他抽出较大的一张，竖了起来给金梅瞧：

"是这个人吗？"

金梅略略抬起些目光，在照片上瞧了一瞧，便点点头。

霍桑道："他叫什么？"

"甘棠——余甘棠。"

霍桑将照片重新放入衣袋中："唉，姜小姐说你的主人是这余甘棠打死的？那么，伊可曾说什么理由？"

"没有，伊只说要去看你。"

倪金寿瞧着霍桑问道："这姓姜的女子已来看过你吗？"

霍桑道："见过的，在你打电话给我以前。伊只叫我马上到这里来察勘，绝不曾发表什么意见。不过伊曾答应我，别的话再细谈。"

倪金寿点点头："那也好，我们等一会儿尽可以直接问伊。"

霍桑不答。他的眼光依旧注射在那女仆脸上。

他又说："金梅，据你看，姜小姐这句话究竟有没有意思？"

金梅又迟疑了一下。伊的右手在玩弄那件毛葛旗袍的腰部以下的纽扣，一会儿解开，一会儿又系上：

"我说不出什么。我不知道。"

霍桑将纸烟凑到那只银质盘花的烟灰盆边，弹去了些烟灰。他的态度仍很从容。不过倪金寿的神态已有显著的不同。他的脸儿沉下了，眼睛里冒着怒火，分明在憎恶这女仆的狡猾。

他大声说："霍先生，我们不必虚费什么口舌。伊既然不肯老实说，我们就带着伊走吧。"他随即立起身来，两手叉住了腰。

他这一种示威姿态，的确有些小小的收获。因为金梅的眼睛向倪探长一瞥，伊先前那种看似不可摇撼的镇静态度，显然已打了一个折扣。

霍桑排解似的挥一挥手，仍温柔地说："倪探长，请坐下。我想金梅不是傻子，决不会傻得'敬酒不吃吃罚酒'。……金梅，你不要慌。现在你但把所知道的实实在在地告诉我，那便没有你的事。我问你，这余甘棠是你主人的朋友。是吗？"

金梅起初只点点头，顿了一顿，忽又自动地补充说："我想姜小姐的话，也只是随便猜想罢了。"

霍桑应道："对。伊的话当然不能就算数。现在你先回答我。我想他们俩的交情一定不错。他也一定常在这里过夜的。对不对？"

"不是常常的。陆经理不在的时候，王小姐才留他住在这里。"

"那么，陆经理总是常住在这里的。我瞧见这长椅底下那双男拖鞋，和壁角里的那根镶金头的手杖，大概都是陆经理的东西。"

我本坐在长椅的一端，长椅底下的拖鞋，我倒不曾瞧见。我低头瞧瞧，果然有一双酱色丝绒的软底男拖鞋，和一双粉红丝绒条子胡屐式的女拖鞋。那根手杖就直立在书架旁边的壁角。

金梅点头道："是的。不过陆经理也不常住，一星期至多一两次。"

霍桑喷了一口烟，点头说："唔，我明白了。我猜想近来这姓余的跟你主人总有什么事情不大合意。对不对。"

那女子又像经过了一度考虑："他们俩曾吵过嘴。"

这句话一出，倪金寿的脸色也跟着变动了。他分明抱着高度的希望，希望这案子的秘密会立即揭露。我也得老实承认，我和他有着同样的倾向。不过霍桑脸上依旧没有任何表示。

他只顺着伊的语气问道："吵过嘴？在几时？"

金梅道："吵过好几次。最后一次，就在李姑老爷到这里的那天。"

"唉，那么到今天已有八九天了。他以后可曾来过？"

金梅的嘴唇动了一动，好像要说什么，但终于忍住了，只垂着目光摇了摇头。

霍桑道："他没来过吗？好，你总知道他们的争吵，为的是什么？"

"我不知道……也许……"

"也许什么？"

"为着那个赵伯雄。"

"赵伯雄？"霍桑说时又急忙伸手到衣袋里去。他拿出第二张二英寸的小照片来："是不是这个人？"

那女子的眼睛抬了一抬，又点点头。

霍桑一边把照片收回胸口袋里，一边说道："我猜想这赵伯雄又是你主人的朋友，大概也常在这里出进。因着陆经理不是天天住在这里，你主人也尽有机会留这赵伯雄在这里过夜。对不对？"

金梅摇头说："不，他不会在这里住过，不过在这里进出得很多。这还是最近半个月的事。昨天夜里他也来过。"

倪金寿的头突然一昂，分明又耐不住了。他放了笔问道："这赵伯雄昨夜也来过吗？什么时候？"

"七点半光景。"

倪金寿似乎因着既已夺得了发话的机会，不肯再放松一步。他索性搁住了记事册和笔，继续发问："他来做什么？"

金梅道："自然是来找王小姐。他听得王小姐不在，很发火。他好像要找伊为难的样子，模样很可疑。"

霍桑的眼光闪了一闪，又恢复了发话地位，连连点头说："对，对，他有这样的事，那当然是很可疑的。不过我们还得言归正传，先把这余甘棠跟你主人争吵的原因弄一弄明白。他们怎样争吵起来的？"

霍桑虽然设法把话题重新牵进了港门，却又引起了金梅的踌躇。伊顿一顿，才说："我不知道究竟为什么缘故。"

"你刚才不是说为了赵伯雄吗？"

"这是……这是我的猜想。"

"好，就说说你的猜想也不妨。"

伊吞吐地说："那一天……那就是李姑老爷来的那天，赵伯雄在这室中跟王小姐谈话。余少爷忽然来了，两个人就吵起来。后来幸亏李老爷从楼上下来，方才把余少爷解劝出去，从那天以后，余少爷不曾来过。"

霍桑道："这余少爷跟赵伯雄闹吗？"

"是的。"

"你刚才说他和王小姐吵嘴啊。"

"他先和赵伯雄闹，后来又和王小姐吵。"

"这倒奇怪。为什么？"

"因为……因为王小姐好像帮姓赵的说话。"伊又向伊的死主人瞧了一瞧。

"唔，你总听得他们闹的时候说些什么吧？"

"我不仔细——我不在旁边。"

霍桑缓缓把烟尾丢到了圆桌上的银质烟灰盆里去。他的眼光在掠过桌面上的那两只酒杯的时候，忽而做一度小小的停顿，似在欣赏玻璃杯上镌刻的花纹。

他突然问道："余少爷也喝酒吗？"

金梅也抬头向桌上的酒杯瞥了一眼，摇头说："他不喝酒。……那赵伯雄倒喝。"

"喔，你怎么知道的？"

"我好几次瞧见赵伯雄跟王小姐一块儿喝酒。"

我对于金梅的心事已有相当的了解。伊的口气分明要把嫌疑归在赵伯雄身上，同时又竭力给余甘棠洗刷。其实只听伊对于这两个人的不同的称呼，便可洞烛伊的心理上的爱憎。但伊为什么如此呢？

我不禁插口说："王小姐在他们俩争闹时既然帮赵伯雄说话，分明伊对于姓赵的感情，比姓余的更密切。那么，这姓赵的昨晚上为什么又有要找伊为难的样子？"

金梅只向我斜睨了一下，低垂了头，目光凝视着地毯，不理会我。

倪金寿也赞附我的见解，接续说："对！这有些说不通。金梅，你说啊。"

伊简单地回答："我不知道。"

霍桑对于我和倪金寿的问句似乎不感兴趣。他仍自顾自地继续问道："金梅，昨天余甘棠到底来过没有？"

伊仍摇摇头说："没有。"伊依旧在看着地毯上的图画。

霍桑注视着伊，语气也加重了些："你要说实话才好。"

金梅勉强道："我不知道。"

"那才对。余甘棠昨天也许来过，不过你没有知道。对吗？……好，余甘棠做什么生意的？"

"他不做生意。他在江南大学里读书。"

"唔，一个大学生！"他沉默了一下，似乎在暗暗叹气。接着他忽似想起了一个新的话题："唉，我忘记了，昨夜里你跟李老爷听得了枪声下楼的时候，那个老妈子怎么样？"

金梅答道："伊还在房里没有出来。"

"伊也住在三层楼上吗？"

"不，伊睡在楼下，在厨房后面。"

"伊难道不会听得枪声？"

"伊说没有听得，直到老毛出去找陆经理跟姜小姐以后，我才进吴妈的房里去叫醒伊。"

对立的情报

这时候大门外突然起了一阵喧闹的声音——汽车声，人语声，皮鞋声，顿时阻断了金梅的语声。霍桑和倪金寿也都从皮垫椅上站起来。我觉得这室中的空气，霎时间也有些紧张起来。

一分钟后那门外喧扰声音的来由便被查明。原来是警厅里的载尸车到了。倪金寿带好了笔册，抢在霍桑的前面，走出去接洽。不多一会儿，有一个穿制服的警官，带了四个穿白衣的抬扛夫，抬着一只扁狭的异床，跟倪金寿走进这会客室来。这警官叫作秦默斋，生就一副上得镜头的滑稽嘴脸，跟我们早就认识。

他向我们招呼了一下，便微笑着说："霍先生，已有些线索了吗？"

霍桑微微一摇头："还早。"

"我相信一经你的法眼，什么秘密，总会给你揭穿。不是我恭维你，那凶手一定跑不了。"秦默斋还向霍桑嘻了一嘻。

霍桑笑着答道："秦警长，别说笑话。你吃法律饭，你的眼才是法眼。凶手跑不了跑得了，我可没有把握。这件事太复杂了。"

"别客气，你总有办法。"

"真的，我的工作必须等你们的工作完毕以后，才能开始。"

"这话什么意思？"

霍桑不再回答，从他的衣袋里摸出他的烟盒来。

倪金寿说道："秦警长，别发老脾气。你快把尸体抬出去。我们还要问话哩。"他向站在镜台面前的金梅投射了一眼。

秦默斋走到王丽兰的尸体面前细细地瞧了一瞧，摇了摇头，自言自语地说："唉！真可惜！这样一位粉雕玉琢似的美人，竟得了这样子下场！咳，那凶手真是太狠心了！"他又旋转头来："喂，霍先生，倪探长，你们得着力些，这个人决不能让他漏网。"

我暗忖秦默斋固然还保持着多嘴的脾气，但同时也显得这个已死的舞后，在生前确有着若干迷人的魔力。

霍桑冷冷地讽刺说："你倒是这位王小姐的知音，只可惜迟一些了！"

那警官想了一想，忽申辩似的说："不，我是为着你们两位啊。这是一位大名鼎鼎的交际花，现在给人家谋杀了，报纸上准会有大篇的记载。你们两位既然参与这件案子，要是拿不到凶手，那不单扫兴，还是'盛名之累'哪！"

霍桑微微弯了弯腰："谢谢你忠告和鼓励。"他烧着了纸烟，慢慢地坐下来。

倪金寿也感觉到霍桑的不耐烦，便沉着脸说："秦警长，你要发表高论，也得找个相当的时间。别耽误公事。"

秦默斋闭紧了嘴唇，把头颈缩了一缩，才举起手来，向站在门口的四个抬扛夫招一招手。

那四个身体结实的男子走进来以后，先将异床放在地毯上，两个人就动手搬移王丽兰的尸体。那身体已经有些僵硬，放到异床上时，已不怎样平直，尤其是伊的头向下倒挂着。霍桑重新站起来，又向这尸体做一度最后的端视。我有一种奇怪的感觉，这样一个浪费的堕落女性身上，怎么没有一件首饰。我这感觉却让倪金寿发表出来。

他作诧异声道："奇怪，怎么两条光光的膀子，连手表都不戴一只？"

霍桑吐了一口烟，慢吞吞说："这又是复杂问题的一环。"

倪金寿似不了解："这话什么意思？"

霍桑道："本来是有的。你瞧，伊的左腕上不是有一条痕子吗？不过不像是手表，也许是手镯。还有伊的左手的无名指上和耳朵上，都有戴过指环耳环的痕迹。伊身上虽没有挣扎的伤痕，但右耳朵孔上的血痕，却明明是取耳环时所留下的。"

这时那两个扛夫正要把一条白单被掩盖到尸体上去。倪金寿挥挥手阻止他们，蹲下了身子，向霍桑所说的几处细瞧。我才明白刚才所瞧见的伊的耳朵上的血痕的来由。

倪金寿点点头说："不错，这的确又多了一重麻烦。凶手行凶以后还劫取过首饰。"

那单被盖好以后，另外两个扛夫便抬着舁床走出去。秦默斋跟在后面，走到门口，又回过头来补充一句：

"霍先生，倪探长，我希望你们得到最后胜利！"

霍桑答道："谢谢你，等到检验法医的工作完毕，我也希望你早些报告倪探长。"

秦默斋点点头："好，不过白医官今天天一亮有公事上真茹去了，不知什么时候回来。一有结果，我决不耽搁。"他走出去了。

这一度小小的纷扰结束以后，室中惨怖的空气仿佛减少了些。霍桑又向金梅招招手，叫伊走近些。他和倪金寿也各回到了原座。倪金寿重新摸出他的记事小册来。

霍桑问道："金梅，王小姐昨夜里出去时戴的什么首饰？"

那女仆好像思索了一下，答道："我不曾留意，不过伊出去时常戴一只镶细钻的金镯，昨夜里也许戴出去的。"

"伊平日常戴一只什么戒指？"

"钻戒，那粒钻石有黄豆那么大。"

"耳环呢？"

"伊有好几副耳环，一副翡翠的，一副钻石的，还有一副牛奶珠的。不过伊出去时不一定戴耳环。"

霍桑道："我相信昨夜里伊一定戴耳环的。"

金梅道："我倒不留心伊戴的是哪一副。"

倪金寿忽插口问道："你们昨夜里最初发现伊时，伊的手上和耳朵上都没有首饰了吗？"

金梅疑迟道："我……我不曾想到这个，没有细瞧，大概是没有了。因为从那时以后，除了姜小姐跟陆老爷以外，没有别的人来过。后来就是这位……"伊的眼光瞧着倪金寿。

倪金寿接口道："后来就是我来了，是不是？那么，伊昨夜回来以后，会不会自己将首饰卸下来呢？"他这最后一句，好像在自己问自己。

霍桑忽自动答道："我想不会。伊回来以后，连沾了泥的高跟鞋都没有换掉，决不会先卸首饰。你瞧，伊的一双胡屉式拖鞋也本来在长椅底下啊。"

倪金寿向我坐的方向随意瞧了一瞧，又问金梅说："伊的首饰放在什么地方？我们只要检点一下，就可以明白。"

金梅向那浅蓝色喷漆的铁箱指了一指："这铁箱里有一只小小的首饰盒子。"

倪金寿把铅笔放了，身子向前一倾，正想立起来的样子，却又意外地来了一个小小的打岔。

会客室的门口突然出现一个短衣的老人。那人的年龄在五十上下，头发已花白，不曾留须。他的瘦黄的面颊上，配上一双小而圆的鼠耳，身上穿一身黑洋缎的夹袄裤，脚上倒是一双圆头黄皮鞋，不过已经敝旧而且染满了污泥。他站立在门口，想要走进来，又像有什么顾忌。他的嘴张开了，露着几个残缺零落的牙齿，一双小眼也睁得圆圆的，兀自向倪金寿直视着。倪金寿本来要站起来，突然瞧见了这个人，显然出乎他的意料，便又坐了下去。这时候他定了定神，索性站直了身子。

他大声道："老毛，你来干什么？我叫你等在门房里。谁叫你进来？"

那看门人神气越发尴尬了。他的两手忽前忽后，像是没处安放，额角上分泌着细粒的汗珠，呼吸也显然加增了速度。

他吞吐地说："我……我……侦探先生……我……"

霍桑忙解围地说："金寿兄，请坐下来，让他走进来说。"他旋转去瞧着门口："老毛，走进来，不要慌。你有什么话告诉我们？"

老毛把两只脚在地上拖着，一英寸一英寸地拖近，直到地毯的边缘为止，眼光在室中的四个人身上绕圈子。

他吞吐地说道："先生……侦探先生，……我……我本来不应该进来，可是我……我有……"

霍桑从嘴唇边拿下了纸烟，婉声道："说啊。有什么？"

"有一句话要报告。"他的嘴唇颤动，身上也像有些站不稳。

"你不用害怕，你说，你要报告什么？"

"凶手！"

这两个字一出那老人的口，好像这室中顿时起了一阵北冰洋吹来的冷风。我身不由主地怔了一怔。倪金寿和那女仆金梅吃惊的神气，也许比我更厉害些，只有霍桑仍保持着镇静，不过也掩不住他眼睛里的突然注意的光彩。

霍桑仍柔声问道："你要报告凶手？谁？"

"余甘棠——就是余少爷！"

霍桑虽也射出惊异的目光，但比较倪金寿那种突出了眼珠，张开了嘴的状态，在百分比上似乎相差还远。可是这时候最紧张的还不是倪金寿，却要算站在旁边的金梅。伊也张大了眼睛，直视在看门人的身上，又像发怒，又像惊恐。伊不但失却了伊的镇静的常态，简直身不由主地忘了伊所处的地位。

伊忽不顾一切地抢着发话："老毛，你怎么乱说？"

"我看见的！"

倪金寿不等金梅再开口，突然用手一挥，大声喝阻："金梅，这算什么，谁叫你干涉他？"

金梅瞧见了倪金寿那副吓人的面目，才退后了些，呆住了发怔。霍桑起先处于旁观的地位，只是默默地吸烟，这时他揉熄了烟尾，慢慢地站起来解围。

他走到金梅面前，婉声说："金梅，你不用着急，谁是凶手，我们当然细细地调查事实，老毛的一句话，决不会就算铁证。现在你到楼上房里去歇一歇，我们要问话时，再叫你下来。走吧。"他说完了用手执着金梅的肩膊，像护送的样子，将伊送出这会客室的门口。他又站住在门口，眼望着楼梯的方向，直等到金梅走上了楼梯以后，才回身进来。这时倪金寿已利用这个机会，先向那老毛发问。霍桑也不干涉，自顾自地回到圆桌旁边的椅上去。

倪金寿道："老毛，说下去。你说你看见的。看见什么？"

老毛道："看见那姓余的。"

"什么时候看见他？"

"此刻——一两分钟以前。"

倪金寿作诧异声道："一两分钟以前？"他显得莫名其妙。

"是的，我亲眼看见。"

霍桑好像比倪金寿更了解老毛的语意。他接着问道："你刚才在门口看见他的吗？"

老毛的视线移到了霍桑脸上，点头道："是的，这位侦探先生叫我等在门房里，不许出来。我闷得很，开了窗向外面随便瞧瞧。我忽见余少爷从大同路那边转过来，先向停着的那辆载尸汽车瞧了一瞧，又向铁门里张望，却不走进来。他的模样有些鬼鬼祟祟。正在这时，王小姐的尸体恰巧从大门里抬出去。他的行动更叫人可疑。"

"有什么行动？"

"他走到抬床的旁边，揭起那条白单被来，向王小姐的脸瞧了一瞧。他一瞧之后，不等那后面的警官走出门口，便飞也似的跑去了。"

霍桑思索似的静止了一下，不即回答。倪金寿便利用着马上接续下去。

他向老毛说："你擅自跑进来报告，只是这回事吗？"

老毛舐了舐嘴唇，答道："先生，我看他的模样很可疑。"

"可疑？这样子的可疑，你就说他是凶手？"

倪金寿的语气中表示出十二分的失望。其实他刚才的兴奋，也未免太过度了，霍桑仍婉声排解。

他说："金寿兄，别心急哪，坐下来。老毛还有话说哩。"

老毛点点头道："先生，是的，昨夜他也来过，我也看见的。"

我一听这话，不能不承认这局势更有进展了。刚才金梅一再说，余甘棠从十一那天吵嘴以后不曾来过，我就觉得伊好像故意为他掩饰，现在果然证实了。但伊为什么如此呢？

霍桑点点头说："我从金梅的口气里，已猜到那余甘棠昨夜来过。老毛，他昨夜什么时候来的？你怎么会看见他？你昨夜不是出去看戏的吗？"

老毛道："就在我出门看戏的当儿看见他的。那时大约在七点钟光景，我才刚走出门口，忽见他站在门外。"

"他可曾招呼你？"

"他问我：'王小姐在家吗？'我回答他不在。他又问：'赵伯雄今天来过没有？'我又回答他不曾，又问他有什么事。他却不理睬我，回头就走。"

霍桑沉吟了一下，又道："你说他是凶手，可是就为着这两件事？"

老毛摇摇头道："不，还有……还有更可疑的事。"

"还有更可疑的事？什么？"

"昨天早晨，我在楼梯上洗抹的时候，他来了一个电话——先生，那电话箱就在楼梯的转弯处。"

"是你接听的吗？"

"是，他没有说姓名，不过我听得出是他的声音。他要王小姐接谈，我就上楼去报告伊。"

"王小姐可曾接谈？"

老毛点点头："接谈的，可是谈了不多几句，便在电话中吵起来。"

霍桑增加了注意的神色，又道："吵起来？你可曾听得什么？"

老毛道："那姓余的话，我当然听不见，但王小姐说的，我却听得几句。"

"伊说些什么？"

"伊说：'是的，有这事。'……'你配管我？'……'你有这个胆！'……'放屁！……'那时姑老爷恰巧从外面回进来，便劝王小姐不要发火，王小姐才把听筒用力一搁，怒气冲冲地上楼去。"

霍桑的眼光越显得庄肃了，自言自语地说："这个人的确不能轻视。……金寿兄，我们有找他来谈一谈的必要。"

老毛不等倪金寿发表意见，又抢着说："还有呢。就是那天他跟王小姐在这会客室里闹的时候，有几句话听了也很可怕。"

霍桑道："什么话？"

老毛道："他在这里跟王小姐和姓赵的吵，我虽然没有完全听得，但他们的声音很响，拍着桌子，形势很可怕。后来姑老爷劝着姓余的出去，他一路走，一路嘴里还在骂人：'无情无义的东西！好，我教你便宜！'先生，你想想看，他明明跟王小姐过不去。现在王小姐这样被人打死，不是他打的是谁？"

霍桑又低垂了头，好像在估量老毛的见解有没有成立的可能。倪金寿又接替着问：

"你的话都是真实的吗？"

老毛坚决地说："没有半句假。"

"那么，刚才金梅怎么说你乱说？"

老毛忽把嘴唇一努，那双鼠目霎了几霎，鼻子里哼了一声："那还不是钞票作怪？他每次来过夜，金梅总有进账，二十块十块。那自然会把伊的嘴塞住啦。"

"你却没有进账，是不是？"

"我不要他的钱。我虽穷，却不愿做奸细！我不愿意用这样的钱！我不是因为没进账才瞎说他。那姓赵的有一次曾给我两块钱，我也没有拿。"

霍桑忽又抬头接嘴说："唉，这个姓赵的你觉得怎样？"

老毛紧蹙着眉毛，仿佛一时回答不出。顿了一顿，他才说："这……这个人我也说不出什么。他在这里出进，还不过半个多月的事，好像是王小姐的新朋友，不过交情却像比老朋友还厚。"

"你怎么知道？"

"他在陆经理不在的时候出进得很忙，有时一天会跑两三次。他一来，王小姐总是眉开眼笑地欢迎他。并且那一次王小姐跟姓余的大闹，也就为的他。"他忽伸一伸舌头，耸一耸肩，扮了一个鬼脸，"醋罐打翻，王小姐却回护着他！"

"他在这里歇过夜吗？"

老毛摇头道："这倒没有，不过……"

"不过什么？"

老毛又舐着嘴唇，忽现出一种忸怩的神气，好像有什么话说不出口，不过不像先前那么害怕。

霍桑又催逼着道："说啊，不过什么？"

老毛低声道："有时候王小姐也许……也许会送上门去。"

霍桑的眼睛忽向窗口边的淡黄镂孔纱的窗帘凝视了一下，好像在想什么，又像在听什么。接着，他把右腿搁在左膝上，把身子靠着椅背，继续向老毛发问：

"噢，有这事？你怎么知道的？"

老毛又放低了声音，答道："伊在最近的两星期中，有两夜住在外面。第一夜——我已记不得日子，大概是一礼拜多了吧？——风平浪静。王小姐在早晨九点钟回来，当然不会告诉我们伊上夜在哪里过夜。可是我们已猜想到八九分，因为这赵伯雄正跟伊搅得火一般热呢。"他舐了舐嘴唇，又用手在额角上抹了一抹："可是第二次就不很太平啦。"他继续了一句，忽又顿住了。

霍桑催促着说："怎样不太平？"

老毛忽走近一步，弯了些腰：

"这一次险些弄僵！那天——我想想看，是大前天十六日，礼拜五晚上，伊又一夜没有回来。到了十七日早上八点钟时，陆经理忽然来了一个电话，听说王小姐不在，便发起火来——"

霍桑忽止住他道："慢！这电话谁接的？"

老毛道："金梅接的，但我在这里扫地，听得很清楚。金梅还掉过一个枪花，可是没有用。"

"掉过枪花？"

"金梅先回答他王小姐还没有起来。但陆经理逼着要王小姐接谈，金梅还假装上楼去唤叫，停一会儿，又回答他叫不醒。那陆经理分明更起了疑心，一定要伊亲自接话。金梅给逼得没法，才不得不说实话，所以这个枪花反而坏事。"

"以后怎么样？"

"到了八点一刻光景，陆经理气呼呼地赶来了，可是王小姐还没有回来，害得我们都着急起来。幸巧陆经理还没有上楼，门口又有汽车声音，王小姐回来了。接着他们俩见了面，就在这一间里闹起来。"

"怎样闹？你可曾听得什么？"

老毛摇摇头："我听得不很仔细，只有一句两句。那陆经理曾说什么'你太对不起我……一定是这姓赵的流氓……那天电影院里我就看出他不是好路道'。我听了这几句话，肚子里当然雪亮，陆经理委实不曾冤枉伊——"

这时霍桑忽有一种出我意料的动作。他忽然立起身来，放步窜到会客室的门口，向门外迅速地探望。原来他的听觉同时负担着两种任务，一面听老毛的动人报告，一面又在留意那门外的声音，分明在防什么人偷听。他在门口停留了一下，好像要奔上楼去，他略略疑迟，忽又停止了，慢慢回进来，把会客室的门关上，重新坐下。

霍桑继续问道："当时王小姐说些什么？"

老毛道："伊的声音低得很，我听不出。不过我相信伊一定不曾发火。因为我好几次听得伊的咯咯的笑声。哼，王小姐的笑，真够厉害哪！因着伊的一笑再笑，便把陆经理的百丈怒火化作了一团和气。不到半个钟头，陆经理退出去时，七煞神已经变作了弥陀佛哩！"

霍桑又低着头静止了，我听到这里，觉得这案情的确复杂，因着一步一步地开展，越见得它的内容的错综纠纷。因为这案子的主角既然是一位声名赫赫的红舞星，自然免不掉有着色情的牵缠。就眼前我们所知道的事实而论，已经有了三个男角——余甘棠，赵伯雄，陆健笙。这三个人彼此还有相互的关系。譬如余甘棠跟赵伯雄有过冲突；赵伯雄又跟陆健笙发生间接的瓜葛；而且三个人的纠纷的主因，又都集中在这个迷人的舞后身上。这件事要爬梳清楚，的确要费些脑筋。我这一种推想，在当时原只一刹那工夫，但这一刹那的机会，早就被倪金寿利用着。

他向老毛说："照你这样说，这姓赵的跟你主人的交情真是密切不过的。那么，他不像会有打死你主人的嫌疑了。"

老毛点头道："是，我想也不会的……不过……"他忽顿住了。

霍桑突然抬起头来："什么？还有一个'不过'？"

老毛好像有些吞吐的样子："他好像也有一次不高兴。"

"为了什么事？"

"那是前天十七日下午的事。王小姐在这会客室里跟表少爷谈话——"

"什么？表少爷？"

"是的，他是李老爷的儿子，也是王小姐的表哥。前天十七日那天吃中饭时，他从苏州来，过了一夜，昨天一清早就回去。李老爷曾亲自送他上火车。"

霍桑停了目光，点点头："好，你说下去，那时王小姐跟伊的表哥在这里谈话。怎么样？"

老毛道："那个姓赵的忽然来了。王小姐从窗口里瞧见了他，连忙从这会客室里出去，不让赵伯雄进来。接着伊将正门关住，又将这里的窗帘扯满，分明不让姓赵的看见什么。姓赵的吃了这个没趣，在门口站了一站，才沉着脸走开。"

我暗暗自忖道："唉！三个还不够，又加上了一个表哥！这女子生前迷人的魔力真可怕啊！"

室中静寂了不过一两秒钟的光景，老毛又自动开口了：

"先生，你们不要误会，这个姓赵的无论怎样，总不会打死王小姐的，打死伊的，一定是余甘棠——"

霍桑又第二次跳起来，这一次他的行动比先前更快。他奔到门口，施展着闪电似的手段，一手将门拉开。门外直僵僵地站着一个人，就是那女仆金梅。

霍桑大声说："金梅，做什么？"

金梅的脸色灰白，两片嘴唇有些颤动，伊先前的镇静态度，此刻已完全消逝。

伊讷讷地说："我……我来报告……"

"报告什么？"

"我知道凶手一定是赵伯雄，绝不是余少爷。"

"你怎么知道？"

"因为王小姐失掉了这许多首饰，一定是……是……有人看中伊的钱。这定是谋财害命。余少爷家里有钱，怎么会干这样的事——？"

倪金寿早也跟到门口，咆哮地向伊申斥："谁要你发表意见？你竟敢来偷听！还不滚上去！"

那女子一言不发，旋转身子就走向楼梯方面去。老毛仿佛有什么顾忌，便也向室门走去，带笑地向倪金寿说：

"侦探先生，我的话完了，我……我到门房里去哩。"

霍桑忽挥挥手阻止他："慢来，我还有话问你。"

那看门的只得站住了，旋转身来。霍桑重新坐了下来，他一边摸出烟盒，一边从容地说话：

"老毛，还有关于你自己的事，你还没有告诉我们哩。"

老毛又伸出舌子来舔舔他的嘴唇，一双鼠目连连霎了几霎，接着他的眼光便集中在霍桑的脸上，仿佛一时间不能了解霍桑这一句话的含义。

他反问说："关于我的事？什么意思？难道……难道说是我打死的？"

霍桑烧着了纸烟，呼吸了一口，缓缓答道："不是这个意思。我们要查问的，就是你昨夜里的行动和你所听见的瞧见的事实。"

那老头儿似乎宽怀了些，点点头说："这当然可以。我本来要告诉你们的。昨夜里的事也很奇怪——"

霍桑忽剪住他说："奇怪不奇怪，你且慢下批评。你先把你的行动挨着次序告诉我们。"

老毛皱着眉峰说："挨着次序？——我从哪里说起……"

"姑且从吃夜饭说起。"

"好，昨夜我是在外面吃夜饭的。"

"什么地方？"

"正兴馆——汉口路的一家小饭铺。"

"几个人？"

"我一个人啊——先生，你为什么问得这样仔细？莫非当真疑心我……"

霍桑仍自顾自地问："你为什么昨天一个人到外面去吃夜饭？"

老毛理直气壮地答道："这自然有缘故的。昨夜我因为要去看戏，这里的夜饭总要八点钟光景，戏院里开场很早，我自然等不及。所以我在七点钟光景就出去，先到正兴馆吃了夜饭，接着便到天声舞台去。昨夜里天声舞台演的全本《铁公鸡》，那布景和机关精彩得很。你如果不相信，我的房里还有一张戏目单，我去拿来。"他旋转身子就要走出去。

霍桑止住他道："慢来，你暂时不要去拿。我问你，你昨夜里怎么兴致这样高，竟会一个人去看戏？"

老毛吞吐地道："这不关我的兴致高不高，王小姐送给我一张戏票，我才去看的。"

霍桑的眼光忽又闪了一闪，似乎又在无意中发现了什么线索。他吸了两口烟，定了定神，仍保持着常态，继续发问：

"这戏票是王小姐送给你的吗？伊可是常常有戏票送给你的？"

老毛道："不能说常常，昨夜是第二次。上礼拜天夜里，伊也送过我一张。"

"你可知道伊的戏票哪里来的？是不是人家送给伊的？"

老毛又皱着眉峰，像又难于回答的样子："这个我不仔细。不过昨天的一张，好像……"

"好像什么？"

"好像伊特地买来的。因为在昨天下午三点钟光景，有一个人骑了脚踏车送一封信来，那是我接进去的，信封里硬硬的像是一张戏票。"

"可曾付钱？"

"没有。伊什么戏馆里都有熟人，打电话买戏票，向来用不着马上付钱。那封信送到了半个钟头后，王小姐就下楼来把戏票给我。"

"那时伊向你说什么？"

老毛摇头道："伊只说：'今夜里家里没有事，你出去散散吧。'我当然也很高兴地接受了。"

霍桑喷出了一口烟，旋转头来向我和倪金寿瞅了一眼。倪金寿点点头，似表示他已领会霍桑的暗示。我也体味到王丽兰对老毛所说的"没有事"，恰巧是"有事"的注脚，伊分明故意要把老毛差开去。

霍桑又向老毛问道："好，你说下去。昨夜你什么时候从戏院里回来？"

老毛道："我回来得很早，十二点光景就到这里——"

霍桑插口道："什么？戏院里散得这样早？"

"不是，昨夜里很闷热，戏院里的人又挤得满满的。我坐了不到两个钟头，头便觉得发昏，后来越看越昏，像是发痧。到了十一点半光景，我再也熬不住，所以等不到完戏，就跑出来。"

霍桑点点头："以后怎样？"

老毛道："我回来以后，涂了一些万金油，喝了一杯冷茶，头昏就好得多——"

"且慢。你进门的时候，这屋子里的情形怎样？"

老毛一听这句，谈话的兴致似乎又提高了。他低声说："我要告诉你们的奇怪情形，就是这个。我是从大同路那面转过来的。在大同路相近转角的地方，停着一辆黑色汽车，汽车中却没有人。当时我也不在意，所以不曾留心汽车的号码。进大门的时候，我瞧见楼上二层窗上都已没有灯光。只有这会客室里的灯光依旧亮着。那时雨下得很大。我进大门时，门虚掩着没有锁。我走进来以后，照样轻轻把门合上，就进我自己的门房里去。"

"你没有把大门下锁吗？"

老毛摇摇头："没有。"

霍桑又问道："为什么？难道这大门每夜不下锁的吗？"

"不，下锁的，而且大半是我锁的，除非王小姐回来时太晚，那才由伊自己下锁。伊也有大门上的钥匙。不过昨夜里我瞧见王小姐还在会客室里，客人还没有去，故而我不曾下锁。"

倪金寿分明听得了重要的关子，再也耐不住静默。他放了笔，竖直了身子，抢着发问："有客人吗？几个？谁？"

倪金寿一连串充满着热烈希望的问句，却只换得老毛张一张鼠目，摇一摇头，接连着的是一句："我不知道。"

倪金寿忽发火似的说："什么？不知道？你一会儿说有客人，一会儿又不知道？你可是想在我们面前放刁？"

霍桑在这僵局又一度展开之下，从嘴里拿下了纸烟，乘势将手向倪金寿摇一摇。

他问道："老毛，你说得明白些。你怎样知道王小姐那时候有客人？"

老毛答道："我进门时曾向这窗口望一望，里面灯光很亮，窗帘却拉满。我瞧不见什么，但听得里面有谈话声音，我自然猜想得到有客。"

"可曾听得什么说话？"

"没有，只听得一个是男子的声音，一个是王小姐。他们说话的声音不高，雨声又大，我也因着头昏，没有仔细听。"

"他们的说话你虽听不清楚，但那男子的声音，你也许听得出来是谁的吧？"

老毛一边又用手抹他的额角，一边又摇头道："听不出。我在轻轻关大门时，听得那男子的笑声比较高一些，可是我也辨不出是谁。"

倪金寿忽又禁不住插口说："可会是余甘棠？"

老毛向那侦探长瞧了一瞧，疑迟地说："这个我不敢乱说——我想不像是他。我想他和王小姐既然闹过，见面时也笑不出来。"

霍桑点点头道："对，这推想很有意思——唉，你说上礼拜天夜里也去看过戏。那时候你回家时的情形怎么样？"

老毛道："那可和昨夜的情形大不相同。那天戏散场时已经半夜后一点钟。我回到这里时，楼上楼下已没有灯光，大门也已锁上。我开门进来，回房去睡。没有一点儿异样。"

霍桑丢了烟尾，又道："好，昨夜里你进了大门，就回你的门房里去，不曾到这会客室里来过吗？"

老毛道："没有——先生，你总也明白，我不便进来啊。"

"那么，回房以后，你又怎样？"

"我已告诉你了啊。我涂了一些万金油，喝了一杯冷茶，马上就睡，一睡下去就睡着了。"

"这样说，那个客人什么时候去的，你也不知道吗？"

"当真不知。我睡着以后，直到那枪声发动，才被惊醒。等到我穿好衣服皮鞋走出来时，瞧瞧大门，依旧虚掩着没有下锁。那时李老爷跟金梅也已下楼。我听得李老爷在会客室中乱叫：'谁打死伊的？谁打死伊的？'我才知道王小姐已出了毛病。我走上石阶，看见正门开着。我把门口的电灯开亮了，发现门口里面的地板上，有几个奇怪的脚印，我就喊起来。李老爷跟金梅也出来了。"

"那时你就用木板将足印盖起来吗？"

"是的，因为我既然知道半夜里有一个奇怪的客人，天又下着雨，这地板上的足印，当然很有关系，就回到房里，抽了几块铺板，盖在足印上面，才走进来。"

霍桑点点头。这点头的动作仿佛有传染性，影响到了倪探长。我记得倪金寿刚才听金梅报告时，曾怀疑老毛何以特别重视这个足印，现在听了他的解释，分明也认为合理，故而不期然而然地点点头。

霍桑又问道："你说下去。以后又有什么动作？"

老毛道："我们商量了一会儿。金梅主张打电话报告陆经理跟姜小姐。因为姜小姐是王小姐最好的朋友，常在这里出进，昨天下午也来过的。当金梅打电话的时候，我曾陪李老爷到二层楼上王小姐的房间里去瞧过一瞧，一点儿异样没有。伊的床上的被褥铺得整整的，没有睡过，好像王小姐回来以后，不曾上楼去过。"

"你们怎么能够进房里去？可是有房门钥匙的吗？"

"不是，房门没有锁。王小姐要让金梅进去收拾房间，故而伊出去时房间往往不锁的。"

"以后你就出去找陆经理和姜小姐吗？"

"是的。金梅的电话都打不通，我就到快乐舞厅去找姜小姐，没有碰见。他们告诉我，伊陪了舞客到仙宫去了。我赶到仙宫，又扑了一个空。我跑痛了腿，才在光明舞厅里找着姜小姐。伊听得了这个消息，主张应得先报告陆经理。陆经理既然不曾回家，伊料想他总在什么旅馆里赌钱，就陪我走了好几个旅馆，却总没有找着，接着我就陪姜小姐回来。那时天已亮了。"

霍桑立起身来，伸了一个懒腰，向老毛挥挥手："好了，你回门房去吧，如果有什么别的话，再来叫你。"

老毛点点头，向倪探长偷了一眼，见没有什么反应，便马上回身走出去。

倪金寿也站起来向霍桑说："这屋子里的四个人，已查问过三个，还剩一个老妈子吴妈，也许更有重要的情报。要不要去叫伊进来？"

霍桑点点头。倪金寿就走出会客室去。霍桑走到那低矮的钢条窗面前，站住了不动。他好像要吸收些新鲜空气，可是他的眼睛注视着窗外的那棵在阳光里颤动的瘦细的月季。他的眉毛也紧蹙着，显见他对于这疑难的问题正在绞滤他的脑汁。

几种推想

倪金寿的希望并没有实现。他希望那老妈子有什么更重要的情报，结果却等于零。吴妈是个四十岁以外的扬州人，圆胖胖的脸儿，配着一副不相称的小嘴小眼，正中央还耸起了一个朝天鼻孔，如果摄在胶片上面，只要这尊相映上银幕，不开口也够使观众们发笑。不但伊的嘴脸告诉我伊的脑筋不会十分灵敏，因为伊身体上脂肪的过剩，伊的动作也很笨拙。当伊蹒跚地走进来后，两只狭缝的眼睛只向我们三个人乱瞧，两只手也没有安放的场所，拉住了那件深蓝色的海昌布老式短衫的角，不住地捻卷。

伊的答语里面十句里倒有七八句"不知道"。其实伊只来了两个月，对于伊主人的复杂的生活方式，的确不能够领会。伊所知道的事实，也是我们早知道的；比较有价值的，就是伊证实了上一天十八日晚上，伊和金梅吃夜饭时，那赵伯雄的确来过。伊对于赵伯雄的状态，有过这样几句描摹：

"他的眼睛突出了，脸儿也铁板板的，问话时怪声怪气，说话又不多。他听说王小姐不在，鼻子里哼了一声，便气冲冲出去。我给他一吓，一根鱼骨险些鲠在喉咙里！"

此外伊对于余甘棠的行动也补充一种新的证明：

伊说道："在大前天十六日晚上吃过夜饭，我出去买洋火回来时，看见余少爷在门口偷偷地张望。我招呼了他。他好像吃了一吓，忙叫我不要声张。他还给我一张钞票，我没有拿——我不敢拿。"

霍桑问道："他可曾向你说什么话？"

吴妈道："他问我王小姐在不在。我告诉他不在。他又问赵少爷这几天来不来。我说常来。他点点头，便又悄悄地走开。"

关于上夜凶案发作的事，伊简直莫名其妙。伊自己承认一睡下去就像死去的一般，连枪声都不曾听得，直到金梅打发老毛出去以后，才到伊房里去叫醒伊。故而伊对于昨夜的一切经过情形，实在没有什么有意思的情报。倪金寿在失望之余，将吴妈打发了出去，就把笔记册放在衣袋里，要求和霍桑开始讨论这一件疑案的案情。

霍桑在发表他的意见以前，又把长椅上的浅蓝色丝绒短大衣提起来瞧一瞧。他在这短大衣里面的夹袋中，捡出一块白麻纱小手帕，一只银丝穿的小手袋，袋里面并无重要东西，只有几件化妆品：一只金质的小粉盒，盒盖里面附着镜子，一小段铅笔那样的唇膏，一小根画眉的墨条，近百元的钞票大半是十元一张的，一只小手表和两枚钥匙。霍桑重新开了那只铁箱，跟倪金寿一块儿检查它的内容，铁箱里果真有一只小小的首饰盒，内中还有不少珠钻翡翠宝石的饰物：像金镯，珠项圈，耳环，戒指等类，估计它们的价值，至少要万数以上。不过金梅所说的牛奶珠的耳环，却不在里面。

霍桑在会客室中踱了一会儿，缓缓说道："金寿兄，这件事的确很复杂，而且矛盾和冲突点也不少，眼前还不容易有什么合理的解释。"

倪金寿说："那么，我们姑且做一个假定。据我们所知道的事实看来，那姓余的嫌疑似乎最重。"

霍桑忽立停了脚步，摇摇手说："还早，还早。我们决不能就这样武断。我们所搜查的事实，还不够充分，决不能就假定谁的嫌疑最重。我们现在所能讨论的，只能在死者的行动方面推想。"

"好，怎样推想？"

"第一，这个女子是一个受了环境的支配而流于极端放浪的人物。据眼前我们知道的，分明有四个男子同时跟伊发生关系。"

倪金寿忽辩驳道："只有三个啊——陆健笙，余甘棠，赵伯雄。还有谁？"

霍桑重新走到圆桌旁边的椅子上坐下："还有李芝范的儿子，就是伊的表兄。"

"这个人似乎关系很小。据老毛说，他前天十七日来的，昨天早晨就去，似乎不会有多大关系。"

"对，不过在前天下午王丽兰跟他谈话的时候，伊不让赵伯雄和这位表兄见面，可见伊和这表兄也有某种关系。此外也许还有第五，第六个人，我们还不知道。因为根据昨夜半夜时的情形，说不定还有一个不知谁何的关系人。"

倪金寿问道："你可是根据着老毛的说话，他说听不出这男客的声音？"

霍桑点头道："是的，这是一个根据。伊昨天明明是故意将老毛差开去看戏的。假使伊昨夜约会的人，就是我们所知道的四个人中的一个，伊也用不着避老毛的眼睛。对不对？"

倪金寿果然点点头："对，这倒尴尬。这第五个人眼前还没有一些头绪。"

霍桑继续说："第二，我们再推想昨夜伊回来的时间。昨夜有些像初夏时的闷热，十点钟光景，天下雨了。到了十一点半以后，雨势更大。看那泥鞋印，伊是在十一点半大雨以后回来的。第三，我们再推想伊回来后的行动。伊进来以后，分明直接进这会客室来，既然不曾上楼，也没有再到外面去：这是从伊的单程的高跟鞋印上可以知道的。同时从三个——甲，乙和伊自己——泥印的层次上看，伊最先进来，其次是乙印客，又次是甲印客。所以伊是第一个进来，进来时一定不曾将大门锁好，分明伊要等候什么预约的人来。"

倪金寿连连点头道："不错，如果锁了门，那客人进来时，伊又须出去开门，那么，伊自己也应当有两行进入的足印了。"

霍桑自顾自说："伊回来不久，那个预约的客人大概也就到了。这可以从伊的不曾上楼和高跟鞋都没换掉的两点上推想而知。那客人来了以后，伊就竭意招待，但瞧桌子上酒杯中的香槟余酒和烟灰盆中的烟尾，也就可见一斑。据老毛说，他们谈话时窗帘下着。昨夜气候很闷热，伊所以关窗遮帘，也可证实这来客不但不是四个人中之一，还有严格的秘密性。"

倪金寿忽想起了什么似的接嘴说："可是发案以后，这窗和窗帘都是开着的。"

"是的，那也许是伊在来客离去后开的。或是客虽没去，伊知道老毛已睡，安全无疑，才把窗推开。因为那时伊已在这室中闷了一会儿；我料想他们的谈话性质，一定也很费脑筋，所以伊开窗透透气，原是很自然的举动。我又知道这个客人在这室中曾勾留相当的时间，因此他出去时的足印，真是微乎其微了。"

我也插口说："是的，这个人的脚印，就是我们定作'乙'的。还有清楚的两行，我们定它为'甲'。就印的层次上看，乙印进入的时间确在甲印之前。这乙印在进入时虽曾和甲印交叠，我还找得几个完整的，出去时的乙印，却只找着一个完整的，而且十二分浅淡。"

倪金寿点头道："是的，不过那甲印的进和出都很清楚。你可是说在那乙印的人出去以后，又有第二个甲印的人进来过吗？"

霍桑忽皱着眉峰应道："是的，不过这里面就有先决的难题发生了。这甲印客可也是死者所预约的吗？还是他的到来出于伊的意料的？还有一点，乙印的人既然在这一室中耽搁了好久，王丽兰又像很奉承他，那么，这个人走时伊为什么不送出去？进一步说，伊即使不送客，又不便惊动老毛，也应当自己出去锁门。但伊的皮鞋脚印明明告诉我们，伊昨夜进了这屋子以后，不曾再走出去。为什么呢？可是伊让那乙印客离去以后，果真还等待第二个甲印客人，故而还不必急急出去锁门吗？还是乙印客出去的当儿，甲印客恰巧进来，故而伊已用不着出去？"

我插口说："也许那乙印客就是凶手，他出去时伊已经不能送客了。"

霍桑并不答话，只瞧着地毯，紧蹙着眉峰，显得在烦恼地深思。倪金寿也显着同样的神气。一会儿，他也建议说："也许这个甲印客才是凶手，他一走进来就开枪将王丽兰打死，然后拿了伊的首饰逃出去。霍先生，你看这推想可能不可能？"

霍桑摇摇头，缓缓说："我不能接受。这里面有两个矛盾点：第一，那手枪是从窗口里打进来的，不像是进了这会客室打的。那尸体坐的姿态，椅背上的枪洞，和壁上的枪弹，都是浅显的明证。第二，我们已知道发枪以后不多时，屋子里的三个人便都惊醒起来。从情势上推想，金梅跟李芝范从听得枪声以后，爬起来披了衣裳，走下两层楼梯赶到这里，不过三四分钟。就算凶手在里面开枪，这短时间中那人要藏好手枪，拿取死者的腕上的手镯，指上的戒指，和耳朵上的耳环，还要逃出去，而且逃出时不曾给老毛听得脚声，可见步子也一定不能怎样快，那么时间上不会太局促吗？"

倪金寿暗暗点着头，说道："从死者的伤势上看，那打枪的人也许果真是站在外面短墙边打的。"

霍桑点头道："对了，这是无疑的，第一个矛盾点可以解释了。可是首饰的不见，又怎样解释？"

倪金寿搔着头皮吞吐地说："也许……也许他开了枪就奔

进来偷伊的首饰。"

霍桑连连摇头道："不对，不对。你太糊涂了！我刚才说过第二个矛盾点，就是时间问题。这个人假定在室中开了枪，随手窃取首饰，在时间上还嫌局促，你怎么说他能在外面开了枪再奔进来？并且但瞧那两行足印整齐不乱，又没有声响，也决不像是奔的，却像是一步一步走的。"

倪金寿用手拍着他自己的额角，懊丧地说："真要命！这样的案子真是太复杂了！"

这时我忽然又想得一种见解："霍桑，你想会不会开枪的人和甲印的人是两个人？那甲印的人刚才进来，外面的人恰巧发枪，这甲印的人就匆匆拿了东西逃走？"

霍桑抬起头来向我瞧瞧，仍不表示意见。不过这不表示中，分明已有几分近情，因为他也并不曾驳斥。

他又自言自语地说："这问题的确困人的脑筋，从情势上看，很像妒杀，同时又像谋财。我现在委实找不出什么合理的解释。此外还有抽屉上的钥匙，抽屉中的钞票，现在都不能明白。……金寿兄，我想与其坐着空谈理论，还不如再寻求些实际的事实。"

倪金寿道："你打算怎样进行？"

霍桑道："我想先去瞧瞧我的委托人姜安娜，把我们所知道的事实证实一下。你既然怀疑着那余甘棠，不妨先去瞧瞧他。"

倪金寿点点头道："好，他在江南大学里读书，我想总容易找。"

"还有一点，你可以查一查夜里派在这里守岗的是谁，关于那辆老毛瞧见的黑色汽车和这里进出的人，也许可以有些情报。"

倪金寿答应了，便走出会客室去，和那楼上的李芝范谈了一会儿，才回进会客室来。接着霍桑将铁箱和书桌抽屉锁好，把钥匙都交给了倪金寿。我们走出王家大门时，我见那个九十九号警士还站在那里。霍桑叫倪金寿把这警士撤去，又问那警士刚才尸体抬出来时，曾否有一个少年揭开覆尸的单被的事。

那警士说："有的，刚才真有一个穿西装的家伙，站在载尸汽车的面前。我以为他是瞧热闹的闲人，不很注意。不过我不曾看见他把单被揭开来。"

霍桑不再多问，便向倪金寿附耳说了几句，又彼此约定如果有什么发展的消息，互相通告。当我们上汽车的时候，倪金寿同了那九十九号警士也走到大同路方面上车去。

霍桑坐在驾驶盘前把汽车开动以后，态度很沉默，好像凝神一志的模样。他的驾驶相当熟练，从前他也曾在内地经历过险峻盘旋的山路，并不曾出过什么岔子。此刻他在平坦光滑的马路上驶行，而且路上的车辆也不怎样拥挤，似乎不需要这样子紧张。我料想他的神思显然仍集中在这件疑案上面。我把车窗旋开了，吸收了些给阳光蒸滤过的新鲜空气。因为在那惨怖的尸体旁边羁留了两个多钟头，又加上这复杂纠纷的案情，我的脑子也有些昏沉沉了。

一会儿，我问道："我们去看姜安娜吗？"

霍桑点点头，并不答话。

"你知道伊的住所吗？"

"是的，伊说在嵩山路康宁公寓。"他说完了这简单的答话，又静默无言。

我总觉得有些不耐，隔了一会儿，又禁不住发问："你见了安娜打算要证实哪几个问题？

霍桑仍简单道："问题很多。"

我仍企图逗开他的话盒："那四个男子的切实的关系，当然是你要调查的主题。对不对？"

"对，可是还有其他。"

"什么？请举一个例。"

霍桑好像受了我的诱引，果真举出了一点。他道："这女子怎么会有这许多钱，我也得向安娜问一问。"

我道："这也算要点？伊的钱不是有那个冤桶陆健笙抱腰吗？"

霍桑等了一等，微微摇一摇头："我不相信这个冤桶会冤到如此程度。"

"何以见得？"

"他最近不是已知道了赵伯雄跟王丽兰有勾搭吗？我猜想伊和余甘棠的关系，他也未必会全然不知。"

我不禁笑道："霍桑，你的心理研究固然是很精深的，可是据我看来，却还像'万宝全书缺只角'。"

这时霍桑突然把汽车刹住。我抬头一瞧，才知车路中心的红灯亮了。等到汽车继续进行的当儿，他的谈话也居然有继续的余兴。

他问我道："这话什么意思？"他的头不住向马路的两旁瞭望。

我答道："你对于'冤桶心理'的研究，似乎还欠透彻。上海尽多这样的大人物。他们一方面伸出了魔爪，压榨平民的汗血，一方面却把榨来的钱去尽力挥霍在女人身上。他们明知他们的外室或不合法的同居者在外面勾勾搭搭，他们却仍能保持着那种眼开眼闭的'绅士风度'而鞠躬尽瘁地报效。这才是彻底的冤桶心理，这也就是'悖入悖出'的定律！"

霍桑好像没有听得我这番议论，忽自言自语地说："唉，这就是嵩山路……那高房子大概就是康宁公寓吧？"

两秒钟后，我们汽车已在那宅八层高的巨厦面前停住。霍桑先跳下车去，一直进那公寓的门房里去。等我将车门关好，走上石阶，他已从门房里出来，领我走进电梯间去。

他说道："我已问过，姜安娜住在三层楼。"

我道："此刻伊总在楼上吧。"

"那是当然的。伊不是说过昨夜伊一夜没睡吗？"

电梯升到三层楼上，我们跨出电梯间时，我忽然想起了一件事，举起手来瞧瞧我的手表：

"霍桑，这时还只九点半钟。姜安娜回来不过睡了两个钟头，我们去叫醒伊，未免不近情理。"

霍桑皱了皱眉："那也顾不得，事情很紧急，不能耽搁太久。我只希望跟伊谈十五分钟，伊尽可以再睡。"

我们已找到三〇六号室的门前。霍桑略一疑迟，就曲了他右手的食指，在门上叩了三下。里面没有回音。我瞧门旁也没有电铃，我也就举起拳头帮助他敲了两下。回音果然来了：

"谁？——谁敲门？"

那声音洪亮而急促，明明含着些惊恐意味。

我诧异地低声说："这是男子声音啊！不会弄错吗？"

霍桑摇摇头："这也值得诧异？你听不出这是从睡梦中惊醒的声音吗——倒霉！"他说完了旋转身子，预备向后转了。

里面又有第二种声音："是谁？什么事？"这是女子声音了。

我又说："是安娜啊。你为什么走？"

霍桑突然沉下了脸："我们进去做什么？……唉，糜烂的上海，可诅咒的第六伦！"他迅速地向电梯间走去，脸上浮出一种恼恨和凄悲，嘴里吐出一阵深长的叹息。

霍桑再没有下文，但我也已领会到。我真觉得扫兴，也不禁暗暗地叹息着："可诅咒的第六伦！"

当我们走下了康宁公寓的石阶，霍桑用钥匙开车门的时候，我又问他："我们回去吗？"

"不。去找赵伯雄。"

"你也知道他的住所吗？"因为刚才金梅，老毛，吴妈三个人谈话的时候，都不曾提起赵伯雄的住址，霍桑也不曾问过。

霍桑把钥匙放进了他的衣裳，另从胸口袋里摸出那张二英寸的小照片来给我瞧。那是方颏棱目的赵伯雄。我倒呆了一呆。

他道："翻过来瞧啊。"语声中似乎有些不耐烦。

我忙把照片翻转来，果然有"亚东七七四"五个铅笔字，那字迹小而且淡，写得也不大高明。

霍桑道："我猜想这五个字是王丽兰的手笔。"

"那么是亚东旅馆吗？"我说着仍将照片还给霍桑。

霍桑略点点头，又爬到了驾驶盘的座上，把汽车掉过头来，一直向北进行。

他忽问我道："你带着手枪吗？"

我暗暗一惊，想不到会这样严重。我答道："没有啊。你呢？"

霍桑点点头："我是随身带的。"

我又道："我们不是去找赵伯雄吗？怎么用得着手枪？我倒有些奇怪。"

"看赵伯雄一定用不着手枪，这话才奇怪。"他顿了一顿，让汽车转弯向东，又继续说，"你须明白，我们现在既然还不知道哪一个是凶手，哪一个是开枪打王丽兰的人，那么，我们对于任何一个嫌疑人，都得戒备着他有随时开枪的可能。"他又顿了一顿，补充说："连陆健笙也不能例外。"

这句话我又认为有些突兀："什么？陆健笙也不能例外？他也有凶手嫌疑？"

霍桑的眼睛瞧着马路的中央。这时汽车已入了闹市，驾驶上不能不加意些。我虽发了这个耐不住的问句，心里倒有些不好意思。因为这时候委实不应跟驾驶人讨论这样疑难的问题。

霍桑却仍从容地答道："谁知道呢？我常对你说，一个科学家在从事研究工作的时候，决不能先抱着某种成见，他必须凭着毫无翳障的头脑，敏锐地观察，精密地求证，和忠实地搜集一切足资研讨的材料，然后才能归纳出一个结论。"

奇怪，他竟唱起高调来了。我老实说，这陆健笙既然是个出首向警厅告发的人，实在不像有行凶的嫌疑。

霍桑忽又自动地补充："你所以把陆健笙除外，就因你对于'冤桶心理'的研究太透彻了！你须知大都会里的冤桶虽多，也并不是出于一个典型；并且心理的状态千变万化，决不能执一而论，就是同一个冤桶，在不同的环境和情势之下，也会反映出截然不同的心理状态。须知他们固然是'悖入'了，有时也未必肯随意'悖出'啊。"

汽车又因红灯而停止了。我一时不知道怎样答复霍桑的空泛的理论。霍桑忽回过头来向我微笑着：

"你怎么静默起来了？"

我答道："我在静听你的高论啊。那么，你以为陆健笙真有凶手嫌疑吗？"

他一面将汽车继续驶行，一面又笑道："包朗，我相信文学头脑跟科学头脑，这中间的确有着一条鸿沟。我告诉你，眼前我的脑子里，谁也有嫌疑，谁也没有嫌疑。……唉，亚东到了。"

我们进了旅馆，先在旅客表上找寻七七四号。这号数下面标着"金君"二字。我有些失望，霍桑却并无表示。

我低声道："莫非这赵伯雄已经搬走？"

霍桑答道："我们上去问一问再说，他尽可能化名。——且慢，让我先打一个电话给倪金寿。"

霍桑走到电话间去。我等在外面，见他拨的号码是警察总署。一会儿电线接通了。

他断续地说："我是霍桑，请倪探长接电话。还没有回来？……他有电话吗？怎么说？……今天没有上课……唔唔……他此刻到哪儿去了？……好。"他随手将听筒搁好。

我等他出来时低声问他："可是那甘棠今天没有上课？"

霍桑点头说："是的，连宿舍里都不在。倪金寿已问过几个余甘棠的同学，据说他这几天缺课很多，行踪也很飘忽。"

"这样看来，这个人的嫌疑似乎又加重了一层，是不是？"

霍桑点点头，便向电梯间走去。我一边跟随着他，一边继续发问：

"倪金寿还在找寻这姓余的吗？"

"不，这姓余的既然暂时失踪，他自然也无从着手。他曾打电话到总署里去，通知我他先要跟我谈一谈，然后再想进行的方法。"

"那么，怎么我刚才好像听得他要到扬子旅社去？"

"那是他依了我的话去调查陆健笙昨夜的行踪的。"

这时我们早已站在电梯间面前。电梯下来了。钢门拉开以后，吐出了一大群人，内中也有不少妖冶的女性。我们进了电梯，彼此不再说话。电梯一层层地上升，到了第七层时，我们便走出来。这旅馆是上海高价旅馆之一。在这里出进的人，外表上好像都是生活富丽的资产阶级，其实我相信如果剥下了他们的面具，里面也尽多"凄惨"人物，而且所干的事，也尽多"不可告人"。我们在那铺着狭长地毯的甬道中转了几个弯，才找到七七四号室。室门前那块小小的玻璃牌上，果然写着"金君"二字。霍桑在那关着的室门口站了一站，并不立即敲门。他向左右两端一望，有一个穿白号衣的侍役，正从东端走过来。霍桑把手插到衣袋里去，立即又拔出来，迎着那个茶房走去。我瞧见他有一种极敏捷的动作，仿佛把什么东西向那茶房的手里一塞。

他开口说："七十一号，我要问你一句话。"

我瞧见那茶房的号衣上果真有红线绣着 71 的号码。这是个二十多岁的少年，一双乌黑的眼睛，已充分表示出他不单灵敏，而且是"训练有素"。不过大旅馆里侍役们的训练的主要科目，并不是怎样侍应旅客，却在如何辨别旅客们钱袋口的宽紧，和如何捞"外快"。这七十一号把眼角向他的手掌里瞟了一瞟，又抬头向霍桑和我估量一下，便点点头，立即表演出他的训练有素的成绩来：

"先生，什么事？"那先生的称呼，分明是他的手掌里的东西所产生的自然反应。

霍桑道："这七十四号里住的什么样人？"

那茶房疑迟了一下，答道："一男一女，姓金。"

"那男的是不是一个穿西装的少年？"

"不，是个老头儿，穿中装的。那女的年纪倒还不过二十多岁。"

我一听这话，不能不再度失望。老头儿当然不是我们所要找寻的人。但霍桑仍没有消极的表示。

他继续问道："他们几时来的？"

七十一号答道："才到——不到一个钟头。"

霍桑的眼睛里闪了一闪："那么，昨天住的什么人？"

那灵敏的茶房好像忽然想起了什么，忙应道："是个少年——是的，穿西装的，个子很高，姓钱。"

霍桑迅速地从胸口袋里摸出那张小照片来："是这个人吗？"

那侍役把照片仔细瞧了一瞧，连连点头说："正是这个人。他昨天才搬走——不，其实是今天搬走的。"

我的希望突然恢复过来，心里当然非常高兴。

霍桑又问道："到底什么时候搬走的？"

"昨天半夜以后，大概是一点钟光景，所以就算今天也可以。先生，他是什么人？我们也觉得他很奇怪。他干了什么事？"

霍桑并不答复他的问句，只自顾自问："你觉得他怎样奇怪？"

"他昨夜冒雨回来，一回来便收拾行李，付清了账出去。我给他拿皮包，他也不要。他自己提了皮包到电梯间去。因此我觉得他的行动有些异样。"

我觉得心房的跳动增加了速度。因为那茶房不单证实了赵伯雄的面目，又证实了他昨夜里的行动的确有行凶的可能。在无意中得到了这意外的情报，我怎禁得住不暗暗欢喜？这时有一个年龄迫近半百而打扮却像十八九少女那样的女人，袅娜地从我们身旁走过。我并不理会，继续注意霍桑的问句。

霍桑又进一步地问道："他临走时的神气可有些慌张？"

那茶房张大了眼睛，点头说："是的，的确慌张！他回来以后，一言不发，只顾整理他的皮包，整理好了就走。我早就疑心他不是好路道。"

"那么，他搬到什么地方去，你也不知道吗？"

"当然不知。我问他可要叫汽车，他也只摇摇头，不说一句话。先生，他到底干的什么事？我早就疑心他。"

"喔，你早就疑心他？为什么？"

这时又有个穿长袍，戴呢帽，留黑须和戴眼镜的大腹贾模样的男子，大摇大摆地从甬道东端走过来。那茶房似乎有些顾忌，向霍桑努一努嘴，便向着西端的转弯处走去。我们当然跟随他走。那西端出口的转折处比较僻静些，他才低声回答：

"先生，有好几件事使我疑心。他虽一个人住在这里，来看他的朋友却不少……"

"都是些什么样人？"

"这个我记不清楚，穿中装的跟西装的都有，不过年纪都不很大。"

"有女朋友吗？"

"有——有一个，还曾在这里住过夜。"

霍桑的眼睛里又闪出一种光彩，分明他也按不住他心里的惊喜。至于我的情绪怎样，自然更不必说。

他继续问道："这女朋友可漂亮？"

那茶房扮了一扮鬼脸："漂亮得很！身材很长，脸儿圆胖胖的，戴着一副黑眼镜。伊的装饰也挺摩登。我想想看，伊第一次穿的是——"

霍桑点点头，忙截住他说："好，你用不着细说。伊在这里住过几夜？"

那茶房想了一想，答道："两夜。我想第一次大概是十号吧？第二夜是大前天，礼拜五，十六号。"

霍桑又点点头，分明他已确定这女朋友是王丽兰无疑："你的记性真不错。这姓钱的客人已在这里住了几天？"

那茶房受了霍桑的称赞，似乎更起劲了："好久了，快近一个月。"

"你刚才说有好几件事使你觉得奇怪。还有什么？"

"他的朋友们谈话时声音总是很低，有时候我们进去冲茶，他们的谈话便会立刻停止。"

"你说的是女朋友吗？"

"不，男朋友。那女朋友一来，那就顾及得更厉害啦，连房门都得锁上！我们都很知趣，当然不再进去了。还有一件事，就在前天晚上？有一个穿西装的少年，也曾来向我查问他。不过这少年只问起有没有一个女人在他房里过夜。我告诉他有的，他就气得什么似的。"

霍桑又急忙掏出那张余甘棠的照片来："查问的人，可是这个？"

那七十一号接过了照片细细一瞧，脸上浮出疑惑不决的神气。他缓缓地说道："好像是的，不过我瞧见那个人时，好像在发脾气，跟这个照片上的笑脸，有些不同。"

霍桑又将照片收回了，又从衣袋里拿出一张十元的法币来：

"七十一号，你真聪明。这个给你抽一包纸烟。"

那茶房又满面笑容，半推半受地说："先生，你太客气了。"实际上那张法币早已安然地过了渡。

"先生，这钱先生到底干了什么事？"

霍桑低声说："他也许杀了人！"他说时定一定神，似在倾听什么，又向甬道西口望了一望。

"杀了人？"那侍役禁不住流露出惊骇状来。

霍桑止住他说："轻声些！你可以通知你的同事们，如果在什么地方再瞧见他，或是有什么人来找他，你就应差一个人悄悄地跟着去。你如果能把他或他的朋友们的住所报告我，我准备着十张同样的法币酬谢你。"他说着掏出一张卡片来给他："这里有我的电话号数，你留着。"

那茶房一瞧见卡片，脸上忽现出惊讶的神情："唉，你是霍桑先生……我……我一定照办……不过再要瞧见他，也许不大容易。"

霍桑点头道："那不妨事，我还有别的法子找他。你只尽你的力好了。"他说完了向我点点头，回身就走。

我跟着霍桑回到电梯间面前。那梯间的钢门关着，上面的指示针正停留在楼下的第一层。我料想要等这电梯上升到顶，然后再降下来，还需要相当的时间。因为这案子的逐步开展，我委实有些按捺不住，便想利用这等候的机会，听听霍桑的见解。

恶消息

霍桑因着电梯的迟迟上升，在那钢门边的电铃上按了一按，就回身走到窗口边去。我见他的脸色沉着，眉峰也紧蹙着，眼睛瞭望着窗外密密排列的高低不一的屋顶。他伸手到袋里去摸出他的纸烟盒来。

我把肘骨靠着窗槛，乘机问道："霍桑，我看那个来这里住过两夜的女朋友，分明就是王丽兰。是吗？"

霍桑仍瞧着那些浸在阳光里的屋顶，点点头道："那当然没有疑问——不过有一点我真不懂。"

我急忙问道："哪一点？——竟值得你这样皱眉苦思？"

霍桑缓缓答道："王丽兰为什么到这里来过夜？"

我不禁失声笑道："这也用得着你费心思猜度？他们自然有他们的交情——不，说得干脆些，这原算不得交情，分明是为着一种单纯而无耻的肉欲。"

霍桑把夹着纸烟的手摇一摇："不是这个，你误会了。你想伊为什么不留赵伯雄住在伊自己的家里？那姓陆的冤桶既然很放任，姓余的又能公然在伊家里过夜，为什么伊对于这姓赵的偏偏移尊就教？"

我想了一想，当然想不出合理的答案，便含糊地说："那也许是一种另眼相看的特别交情。"

这解答当然不能使霍桑满意。他吐吸着烟，默然不答。这时电梯上升到第七层，钢门开了，放出两个一老一少的男客。霍桑向他们瞅了一眼，仍回头瞧到窗口外面。电梯又继续上升。

我又说道："那赵伯雄昨夜冒雨回来，是在一点钟光景，时间上他已和凶案发生了密切的关系。回来以后，他又匆匆地搬场。你可承认他的嫌疑最重？"

霍桑答道："就眼前而论，的确如此。不过你总也明白，和这一件案子有直接关系的，绝不止一个人。我们不能把目光偏重在他一个人身上。"

我仍抗辩说："虽不能偏重，可也不能绝不注重。"

霍桑点点头，并不回答。

我又说："那么，你对于怎样找寻这赵伯雄，可已有具体的计划？"

霍桑摇摇头："还没有，不过要找到这个人，我想也不见得怎样困难。他既然在这里住过一个月，朋友又不少，他能和王丽兰交识，一定又是常在舞场或其他交际场中出进的。此外，我们又有他的照片——唉，电梯下来了。"

电梯从八层下来，开了门，我们便走进去。它到了底层，我们离开电梯以后，霍桑又向那个玻璃面的电话间走去，说要问问倪金寿有没有回署。他走进电话间以后，让门开着，我站在外面，他的谈话也听得见。电话接通以后，他很高兴，分明倪金寿已经回警署了。

他向电话筒中说道："金寿兄，我是霍桑。……有什么消息？……什么？陆健笙昨夜不曾到过扬子旅社？……奇怪！……唉！我听不清楚。……唔，跟余甘棠同宿舍的有一个姓刘的，是不是？……唔，唔……姓刘的怎么说？……余甘棠昨夜半夜以后才回宿舍？……可曾说几点钟？……没有说定吗？……唉，他回宿舍后又重新出去？……对。就是这个时间已够可疑。……"

霍桑在电话中的问答，已足够使我觉得紧张，可是这时候竟另有一种出我意料的紧张，使这件案子得到一种急剧的开展，霍桑打电话时，他的眼光仍时常从电话间的玻璃上向外面溜转。我站立的地位，在电话间门口，面向着霍桑，背向着那旅馆出入的通道。我忽见霍桑的眼光突然一闪，接着闪电似的举起他的左手，向我的背后一指。我瞧见他这种紧张状态，当然来不及发问，急忙旋转头去，看见一个西装男子的背形，正急步向电梯间走去。我在这间不容发的时间，便放开脚步盲目地追随上去。那男子离开我有五六步路，他走到电梯间门前的时候，那两扇乳白漆的钢门刚要拉拢。他把身子一侧，插了进去，钢门便合拢了。我奔到门口时，电梯已在缓缓上升！我急急用拳头在钢门上乱敲，抬头瞧瞧，上面的指示针刚才离开了"一"，忽又停住了退回来，钢门重新开放，让我进去。

我踏进电梯的时候，暗暗地舒了一口气，心头还扑扑跳。但我的外貌上不能不装作镇静的样子。我暗忖霍桑那个紧张的信号，一定有重大的关系。他分明瞧见了什么人，自己来不及追踪，故而匆促地叫我代劳。他瞧见的是谁？不会是赵伯雄吧？

我站在电梯中，自然要充分利用我的视觉，可是我不敢利用得过分急促。我装作很自然的样子，把眼光在这不满六尺见方的电梯间中打了一个旋。电梯中一共有八九个人，男的，女的，老的，少的，当然都有。我的视线最后自然会停留在我所追踪的末了第二个进入的西装男子身上，他背向着我，穿一身豆沙色黑条纹司邦推克施的西装，簇新而笔挺，身材比我短一两寸，头上不戴帽子，乌黑的浓发，膏抹得在电灯下发光。我把身子渐渐移前一些，转到他的前面，鼻子里就接触一阵香味。我的视线射到了他的脸上，我不禁失望了。他不是赵伯雄！

电梯过了二层，三层，关门，开门，照例吐出和收进几个旅客。但我所注目的人并不出去。他有一个狭长的脸，白皙的皮肤分明一半是雪花膏的功劳；一双活泼的眼睛，配上两条浓眉，一个高梁的鼻子，的确有一种"可怕的"男子美！美字上面怎么可加上"可怕的"形容词呢？因为男子具备了这副俊秀的容貌，自然有一种吸引女性的神秘力量。大都市里的一个少

年男子，具备着这种神秘力，如果缺乏了透彻的理智和坚毅的
定力，往往会不自觉地断送掉他的事业，他的人格，甚至他的
性命！那又怎么不"可怕"？

我不认识这个人——不，我忽然想起了那七十一号茶房
的说话。当他看了霍桑给他瞧的那张余甘棠的照片时，曾说他
见那少年时，他好像在发脾气，和照片上的笑脸不同。对，此
刻站在我面前的少年，也沉着脸儿，绝对没有笑容。凭着照片
去辨别一个人的面貌，本不是一件怎样容易的事。如果喜怒各
殊，那就更觉困难。不过也有一个诀窍，你得抓住他或伊的面
部的一个特点。余甘棠自然也有他的特点，两道浓眉，一个高
鼻，无论他喜笑恼怒，这特点总不会走样。

唉，这个人就是余甘棠！

电梯已升到六层楼。他仍不走。电梯中却只剩了五六个
人。我估量他的年纪，还只二十左右。像他这样的年纪，他的
面貌上又充分显示他具有丰美的天资，却为着一个堕落的女
性，竟至蒙受杀人的嫌疑！我只有暗暗地慨叹。这时他脸色不
但沉着，还有一种惶急焦虑的神气。他的右手插在他的短褂袋
中，左手不时抚摸那条红蓝斜条纹的领带。他旋转身子向着电
梯间的门。他预备要出去了。到了七层楼开门的时候，他果真
走出去。我当然也不动声色地跟出去。

他可是来找赵伯雄的吗？在两三秒钟之间，我这个疑问立
刻便得到解答。他的急促的步子果真走进那甬道的西口里去。
我为谨慎起见，当然不便紧紧追随在他的后面。我自信在电梯
中时绝没有什么举动足以引起他的疑窦。他也绝不怀疑我。我
必须继续保持着这种可以攻人而不受人攻的优势，才能不负我
的使命。我轻轻地放开脚步，走到甬道西口，先探头向甬道中

一望。这少年还在匆匆地前进。他好像是熟门熟路的，进行时目光一直向前，并不像我们先前那么一路找寻门上的号数。这条甬道有些弧形。那少年一霎眼间便转过了弧背的角点，我和他之间便不能维持直线。我也加紧两步，赶到那角点，停步一瞧，这余甘棠又在我的视线的控制之下。

他果真站住在七七四号门前，已在举手敲门了。

我把身子靠着甬道的墙壁，头部略略探出，我可以瞧得见他，他却瞧不见我，好在他并不顾虑到有人尾随，只全神贯注地瞧着那室门。那七七四号的室门依旧关着。他又第二次叩击了。这一次叩击，当然更重，更急促。他依旧用左手，那右手还是插在他的衣袋中。我开始觉得霍桑在汽车中问我的话，并没有过度夸张的成分。因为余甘棠这样的姿态，他右边的衣袋中，明明藏着手枪；他的右手也明明始终握在枪机钮上。我不免略略有些担忧。因为我身上除了一把小小的便用刀外，没有任何武器。

不一会儿，那七七四号室门开了，里面走出一个年在五十以上的秃顶的老头儿，身上穿着一身白纺绸的睡衣。

那老头儿凶狠狠地瞧着他，问道："干什么？"

那少年道："我要找那姓赵的。"

"没有！捣鬼！"

"他昨天还在这里。"

"老子是今天来的。你做梦！"

那"做梦"的声浪还没有消逝，砰的一声，门又重新关上了。余甘棠好像很着恼。他的右边的衣裳，突然挺起了一角，显然是枪管。这家伙委实太鲁莽了，自己敲错了人家的房间，难道还想开枪？这时幸亏有一个穿白长衫的侍役，从东端走过来，看见余甘棠再要举手敲门，忙走过去阻止：

"先生，找谁！"

"姓赵的……唔，姓钱的。"

"你弄错了。这里面是姓金。"

"他昨天还在这里。"

"是的，钱先生在昨夜里搬走的。你不能这样乱敲人家的房门。"

这茶房的号数我瞧不清楚，不过不是刚才的七十一号。他的伶俐的口齿竟使余甘棠发作不出。

他向那茶房盯了一眼，问道："他搬到哪里去了？"

那老练的茶房也勇敢地回了他一眼，冷冰冰地回答："谁知道？"他就自顾自地重新回东端去了。

我这时只顾到前面的紧张局势，却忘记了自身的掩护。有一个穿西装的中年男子，正从我的背后走过来。我把眼角一侧，以为是霍桑来了。不是。那人也穿着一身深色的衣服，一顶黑色呢帽压得很低，帽檐下的目光分明注射着我。我不禁有些发窘。其实我这种姿态，的确容易引起人家的疑视。我索性弯下身子，把皮鞋带的结抽出，慢慢地重新缚结。这一种姿态竟度过了两重难关。那中年男子和余甘棠二人就在我的面前迎面擦身而过。除了那中年男子再回过头来向我瞧了一瞧，余甘棠却目不斜视地直奔西口。我重新立直身子的时候，余甘棠的背影已不见了。

我感觉到有一种左右为难的局势。我的任务在重新会见霍桑以前，至少不能让余甘棠脱离我的视线。可是我一走到甬道的西口就有些进退维谷。我看见余甘棠站在电梯间门口，他的左手按在电铃钮上。我可能走近去跟他一起乘电梯下去吗？会不会引起他的疑奇？因为上楼时我明明站在他的面前，他势不至不留一丝印象。万一被他疑心，会有什么后果？可是情势上又不容我不跟他一起下去。

电梯间的钢门拉开了，余甘棠便跨步进去，我也加紧一步。那司机看见了我，停着等我，我仍装作泰然无事的样子，低垂了目光走进去。

电梯中的乘客除了余甘棠和我，只有一个女子。这时忽产生一种又紧张又滑稽的局势。我一进电梯，我的视线绝不接触余甘棠，只瞧着那个女子。伊的年龄至少已冲出了三十大关，但衣饰上花花绿绿惹目的色彩，还像十六七岁的小姑娘。我见这女子的眼光在斜睨着余甘棠，余甘棠却明明在瞧我。三个人的目光，形成了一种滑稽的循环。我本能地感觉到他的视线不曾移动过。我心中暗暗地有些吃惊。我只恨我身上不曾带一支枪。

电梯降到第三层楼，我才得到了解救。钢门拉开以后，有两个男客进来。我让开了一些，便利用这两个人做我对于余甘棠的防御。可是他的视线却透了我的防御物，仍在向我细细打量。奇怪！他当真已在怀疑我吗？我如果再不回他一眼，情势也许会更加恶化。我转过目光，和他的视线交接了一下。唉，他的眼睛很可怕。他竟目不转瞬地注视着我啊！

电梯到了最下一层时，我故意落后，余甘棠却也让在一边，让那女子先走出去。我不知道他是否遵守着欧化的"女子第一"的规矩，还是他要"反累司"监视我的行动。可是他终于第三个走出去。我落在最后一个，走出了电梯，又站住了摸出纸烟来烧着。我在烧烟的时候，乘机运目四瞧，霍桑已不在电话间里了。

电话间前却站了四五个人，在那里喃喃地谈话，内中还像有一个旅馆的职员。我再向东面通侧门的方向瞧瞧，也不见霍桑的影踪。余甘棠却已从向南的大门里匆匆出去。我除了追踪上去，当然没有别法。

我暗自忖度道："我可能把他拘住了交给警察？这举动会不会坏事？霍桑也会赞成吗？"

可恨的，我走到了门口，依旧不见霍桑。我向转角的停车处一看，他的汽车也不见了。奇怪，他怎么放我一个人在这里？

我看见余甘棠跳上一部黄包车，把手向西面挥一挥，我才安心了些。如果他有汽车的话，我也许会被迫采取紧急处置，把他拘住了再说。这时我的最合理的行动，当然也如法炮制地跳上一部黄包车，叫车夫向西进行。我与余甘棠之间还隔着两辆其他的黄包车，那是我最好的烟幕。

车子向静安路进行的时候，我仍向街的左右瞭望，希望霍桑会突然出现。但效果当然是零。我一边吸着纸烟，一边推想霍桑突然失踪的理由。莫非他是在无意中碰见了赵伯雄，故而尾随着他去了吗？或是倪金寿还有什么其他重要的报告，霍桑才来不及等我，已赶到警察署里去了吗？或是……我的推想又到处碰壁。

黄包车进行了五六分钟，便渐渐离开闹市。等到走到河阳路时，那两辆隔在中间的烟幕车，都不别而行地岔开了。我和余甘棠的车子便发生了直接的联系。可是我仍叫车夫保持着若干距离。车子又向南转弯，进入昌明路。余甘棠曾在车上回头来瞧过一瞧，我急忙丢了烟尾，把头一低，料想他不会瞧清楚我，不过情势上却很危险。又经过了三四分钟光景，昌明路将要走尽，余甘棠的车子忽而停下来了。

我也急叫车夫停住，又叫他先调一个方向，方才停车。我在付车钱的时候，瞧见余甘棠头也不回，一直走进一条弄里去，分明他并不曾觉察我的尾随。我走到那弄口一瞧，那是昌明里一弄，里面都是一上一下的石库门住宅。这弄有相当宽度，也很清静，没有那些一宅屋子住上五六家人家的小里弄的嘈杂现象。

我瞧见余甘棠走到第三个石库门口，并不敲门，直走进去，好像那门本来开着。我急急赶到那门口，果然是三号，那黑油的门，一扇关着，一扇开着一半。我把身子掩护在关着的一扇门外，略略探头瞧到里面。里面是个客堂，布置也相当整齐。有一个瘦长的少年男子，正在方桌上写什么东西。这人下身穿一条浅色的西装裤，上身穿一件淡蓝白条纹的衬衫。这时他已搁了笔立起来，跟余甘棠招呼：

"甘棠，怎么样？"

"白走了一趟。跑了。"

"那也好，这倒是你的造化。你把那家伙还我吧。"

"不，我总要找着他。……元麒，你怎么这样小气？我用一粒算一粒钱好了。"

我只把耳朵凑在门边，为谨慎起见，不敢向里面瞧。不过从他们的谈话上，我已经很明白，所谓"家伙"，所谓"一粒"，分明是手枪和子弹。这手枪大概是余甘棠向这个叫作元麒的借用的。这时那叫作元麒的，发出一阵笑声，又接着说话：

"甘棠，你误会了。这不是钱的问题。我始终反对你的计划。我觉得太不值得。"

里面静了一静，我又偷偷把一只眼睛露出门边。余甘棠正在卸他的短褂，背向着门。他又说话了：

"元麒，你还不晓得我所受的刺激。我决不能就这样干休！"

"我懂得啦。不过这件事究竟没有意思，你犯不着，而且也太危险——"

"危险？我什么都不怕，我一定要这样干！"

"好，好，那么，你现在先应当到我楼上去躺一躺。你说你昨夜没有睡好啊。"

我忽听得里面地板上顿足的声音。接着又是一声怒喝：

"我非打死他不可！"

"喂，轻声些——怎么，大门也开着！"

我觉得我的地位危险了，事实上不能不走。我忙把身子离开门口，放开脚步，向弄口走去，我还走不到三步，听得背后关门的声音，我才坦坦地走出弄口，在人行道边站了一站，计划我进行的步骤。我可要找一个警察立即把余甘棠拘住？这似乎用不着着急。他既有了着落之所，又绝不防人家怀疑他——刚才我觉得他在电梯上向我注视，完全是我自己情虚——眼前决不会逃走，以后如何处置，反可让霍桑来作主。这时我最关切的，还在霍桑身上。他究竟到哪里去了？先回去了吗？在情势上也决不致如此。可是他也另有意外的机遇，碰见了赵伯雄，故而跟着他去吗？我经过一分钟的考虑，定意先回爱文路寓所里去一趟。霍桑就是不曾回去，也许有信息留在寓里。

我回到他的寓所的时候，已是十一点钟，问问施桂，霍桑竟毫无音信。倪金寿却来过一个电话，也是问霍桑有没有回寓。

我自言自语说："奇怪，他刚才和霍桑接过电话，怎么又来问他？"我又问施桂说："倪探长的电话什么时候打来的？"

施桂答道："大概有一刻钟了。"他似乎因着我脸上的表示，也有些着急。

我又问道："他可曾说什么话？"

施桂摇头道："没有，他听得我说霍先生没有回来，马上把电话搁断，好像很着急。包先生，你跟他在什么地方分手的？可会有什么事？"

我来不及把经过的情形告诉施桂，忙赶到电话机旁，打到警署里去，找倪金寿谈话。我得到的回音，顿时使我的神经紧张起来。

那警署中的接线员答道："倪探长出去了，大概还不到半个钟点。"

我又问："他可曾说往哪里去？"

"没有，他出去时很匆促，并且有些奇怪。"

"奇怪？怎样奇怪？"

"他好像在跟霍先生接谈，谈的时间倒不少。可是那谈话没有结局，倪探长就匆匆拿了手枪出去。"

我自己觉得我的心头跳动得很快，呼吸也加增了速度，但我仍维持着我的谈话：

"你说得明白些。怎么说没有结局？"

"倪探长向听筒中连连喂了几声，仿佛霍先生那边的电话突然中断。倪探长脸色很紧张，便搁好电话筒，急忙忙拿了一支手枪放在袋里，就赶出去。"

"以后他可曾打过电话到署里？"

"还没有，我们正等他的消息呢。"

我搁好了电话筒回到办公室中时，心里着实有些慌。难道霍桑会遭遇什么意外？施桂站在我的旁边，他的嘴里虽不说话，眼睛里却明明充满了关切的疑问。

我因作简语向他解释："我跟霍先生在亚东旅馆里分手。

我到楼上监视一个人，他在电话间中跟倪探长接谈。现在据警察署里的报告，那电话好像是突然中断的。"

施桂颤声道："包先生，你想霍先生会不会遭到什么意外？"

我简直不能回答，但瞧了施桂那副神态，又不能不答："也许不会，施桂，你别慌——"

电话的铃声突然响了。我接应以后，才知是倪金寿。

他急促地说道："包先生，霍先生还没有消息吗？"

我答道："没有，我正要问你啊。"

他又急促地说："消息很不好，他已中了枪！……好，你等一等，我马上就来。"

霍桑中了枪！这消息怎么不使我吃惊？他在哪里中枪？在亚东的电话间里吗？可是我下电梯时，在电梯间门前站过一站，也曾向电话间方向瞧过一瞧，并不曾瞧见霍桑。我记得电话间面前有几个人在那里谈话，现在想来，的确有些异样。但地上并没有受伤的人。谁打他的呢？倪金寿既然知道了这个消息，怎么反来问我？太矛盾了！这案子突然间有这样的剧变，不但出乎我的意料，委实使我失却了应付的能力。

"哎哟！霍先生会有危险吗？包先生，你得想想法子。"

我承认这时候我委实没有法子，又答不出话，只向施桂摇了摇手。我记得霍桑常说的一句话："慌乱解决不了问题，反而会增加危难的程度，而使你一误再误。"我自己忖度着："对，我得镇静下来，找一条解救的出路。"我抽了一支纸烟，坐在沙发上，慢慢地擦着火柴，将纸烟烧着了。可是施桂仍在我面前发怔。

我又安慰他说："施桂，你不用这样。我相信霍先生的机智，即使有什么意外，决不致有严重的危险。你到外面去，倪探长也许立刻会到。他来了，我们自然有进行的方法。"

我并不是空言安慰施桂，我的确有真切的信心。霍桑所遭遇的大敌，像毛狮子，江南燕一类的人物，一时间也算不清楚；弹丸的滋味，不但他尝得不少，连我身上也找得出好几个疤痕。所以我相信他一定不会有性命的危险。

倪金寿搁好了跟我接谈的电话以后，直到赶到爱文路来，相隔不过六七分钟。这六七分钟之间，我的脑细胞的消耗量，其数一定可惊。不过我的结论，到底是乐观的。在我遣出施桂以后，我的纸烟还没有烧完，呜呜的汽车声已在门口停住了。我忙丢了烟尾立起来。倪金寿便也匆匆地走进来，施桂反跟在他后面。我瞧见倪金寿的神气十二分紧张，眼睛向办公室中乱转，好像还在希望霍桑已经回来。

他问道："还没有消息吗？"

我摇摇头："还没有。你坐下来，别慌，到底怎么一回事？我还不清楚。"

倪金寿勉强在书桌旁边的沙发上坐下，自动地报告他的经过。那忠实的老仆施桂，也十二分关怀地在门口边旁听。

他说："刚才霍先生打电话给我，我恰巧回署，便将我调查余甘棠和陆健笙昨夜里的行踪的情形告诉他。接着我问他的经过情形，他也告诉我赵伯雄住在亚东七楼七七四号，不过已经搬走。他又告诉我，就在那时，无意中瞧见了余甘棠，你——包先生——已经跟他到楼上去。我正待要跟他商量一个会面的地点，预备怎样进行，又想叫他把余甘棠立刻捉住，忽然电话筒中砰的一声，好像打碎一块玻璃的样子，以后便没有他的声音了。接着嗡嗡的一阵，好像是一种纷扰，我知道一定出了什么岔子。"

我等倪金寿略停一停的机会，接续发问："以后你便赶到亚东去，是不是？"

倪金寿点头道："是的，可是不巧得很，我的汽车一路碰到红灯，耽搁了不少时候。我到旅馆时，除了电话间的玻璃门打碎了一块，此外竟并无异状，连地上的碎玻璃也都已扫去了。"

"你没有瞧见霍桑吗？"

"没有，电话间空着，门外又没有人。"

我暗忖我下电梯时电话间门口还有四五个人，大概倪金寿到亚东的时候，还在我离开以后。我当时绝对不曾想到有这一回事，所以连电话间门上的玻璃碎掉，也不曾瞧见。

我又道："你当然要向旅馆的职员们查问。"

倪金寿答道："是的，那旅馆的职员不认识霍桑，只说有一个人，手里拿着一件鼠色薄呢外衣，身上穿着藏青西装，在打电话时被什么人开了一枪。那凶手当场逃走，他们也没有瞧见是个什么样人。那中枪的人马上倒地，但一会儿就爬起来，用白手巾按着面颊走出去。他们要把他送医院去，那人不答应，便自己走出去。他们自然抱着'多一事不如少一事'的宗旨，连警署都不曾报告。我料想这中枪的人，一定是霍先生无疑。"

我点头道："当然，时间跟衣服都是铁证。他伤在面颊上吗？"

"大概如此，旅馆里的人也不很清楚。"

"以后你怎样？"

"我知道霍先生能够自己走出去，也许已经回来，便打电话到这里来问，施桂回答我不曾回来。我又料想他到邻近的医院里去，就连续跑了四个医院，都没有结果。我不知道他到哪里去了，我很着急。"

我想了一想，心理上安定了些，反而安慰倪金寿道："照这情势看，他不但没有危险，连伤也一定不十分重。你不用着急，着急也没有用。"

倪金寿道："我总觉得对他不住。那么，包先生，你想他此刻到哪里去了呢？"

"我想我们不久就可以得到他的消息。"

倪金寿沉吟了一下，又说："包先生，你想打他的人是谁？会不会就是余甘棠？"

"我不知道。不过若说余甘棠本人，我可以保证不是。"我就把我尾随余甘棠的经过情形，从追上电梯起，一直到昌明里止，简括地说了一遍。

倪金寿脸上有了些转变，已不像先前进来时那么惶急懊丧。

他说："这余甘棠有了着落，那倒是个好消息。这个人对于王丽兰的事，确有重大的嫌疑。刚才打霍先生的，说不定就是他的同党。"

他也把到江南大学去调查的事告诉我。据一个同宿舍的姓刘的学生说，余甘棠大约在昨夜十二点半过后才回宿，回去后又出外一次。姓刘的不知道余甘棠什么时候再回宿舍，但觉得他翻来覆去，好像不曾睡好。一清早余甘棠又赶出去，没有人知道他的行踪。合着我所看见和听见的情形，他的嫌疑当真很重。我们谈了一会儿，倪金寿便发表他的结论。

他说道："霍先生既然不像会有严重的危险，我们又没处去找他，不如先去将这姓余的拘住了再说。"

我点头道："好，我可以陪你去。我想他此刻还在昌明路昌明里一弄三号——慢，我要到楼上去拿一样东西。"

施桂在旁边接嘴说："拿什么？我给你去拿。"

我摇摇头，便一直上楼去。我拿的东西，主要的是一支黑钢的小手枪，还有软尺、纸片等应用物件。因为我们此刻所要找寻的人，是带着手枪的，我当然不能不戒备一下。一分钟后，我已跟着倪金寿上了他的汽车。倪金寿的汽车是有司机的，我和他并肩坐在车厢中，地位觉得很舒爽。在汽车开行以后，我问他在侦查方面有没有其他的情报。他又简括地回答了几句。

他说道："我曾到扬子旅社去，查问过那银行家陆健笙的昨夜行踪。他是那里的老主顾，茶房们都认识他，可是昨夜里他却没有去。"

我说道："金梅说，陆健笙今天曾打电话到王丽兰家去问过，他自称昨夜一夜在扬子旅社打牌，天明回家，才知道这个凶信。"

"是啊，霍先生就为着这个，在我们分别时，特地叫我去查问的。可是他昨夜里实在不曾去。"

"那么，他为什么说谎？这个人倒也有些可疑。"

倪金寿踌躇了一下，缓缓答道："不过，就是这一点还算不得什么。眼前比他嫌疑更重的人很多。我们不应就把他排进嫌疑人里去。"

我静默了一下，觉得倪金寿对于这位银行家，的确有几分顾忌，我当然不便再继续这个话题。

他又说道："我又发了一个电报到苏外警厅里去，调查李守琦的行踪。"

我诧异地问："李守琦？他是谁？"

"他是李芝范的儿子，死者的表兄，在十七日到上海，在丽兰家里过了一夜，十八日早晨就回苏州的。据霍先生说，这个人和死者或许也有些关系。因此，我在临走的时候问过那老头儿。他说他的儿子在苏州养育小学做教员，所以我打一个电报去问问。如果他真在十八日日间到苏州的，那我们也可少掉一个嫌疑的人，侦查时也可以把目光集中，不必分心太多。"他顿了一顿，又补充一句，"据我看来，眼前这姓余和姓赵的嫌疑都很重，委实用不着分心到旁的人身上去。"

我点点头："这一点我也同意。此外还有没有别的情报？"

倪金寿道："有个二〇二号警士，昨夜十一点到次日凌晨两点派在大同路岗位。据他报告，昨夜十二点钟前后，真有一辆黑色的汽车，停在相近青蒲路转角的大同路上。"

我不禁插口说："这样，老毛的话果然证实了。"

倪金寿应道："是的，那二〇二号在同一时间，还瞧见另外一辆绿色汽车，停在青蒲路空地的西面，距离这二十七号只有三四个门面。我看这一辆汽车也有关系。"

我急忙应道："那当然。他可曾注意汽车的号码？"

倪金寿道："没有，不过那绿色汽车，很像是出租车，调查起来还不难，我也已派人在这方面进行。"

危险的经历

这时汽车早已进入昌明路。我向着车厢外面探望着，不要错过了昌明里一弄。不料汽车将近驶进一弄口时，有一个穿豆沙色黑条纹西装的人，正从那弄里走出来。我仔细一瞧，正是那余甘棠！

这意外的发现，当然使我突然紧张起来。我急忙把左臂的肘骨抵着倪金寿的手臂，低低地惊呼：

"真是他——余甘棠。"

倪金寿也紧张地离了座位，发出一声"停车"的命令。汽车还没有十分刹住，他早已开了车厢的门，跳下车去。我也跟下车去，瞧见余甘棠正站在人行道边，举起了右手远远地在招呼马路对面的一辆黄包车。倪金寿毫不迟疑，一直走到他的面前，突然招呼他：

"余甘棠，哪里去？"

那少年的身子震了一震，慌忙旋转头来，脸上满显着惊恐。他的目光只向倪金寿的脸上一闪，那只高举的右手突然降落下来，好像要伸到右手的衣袋里去。

"别动！"

倪金寿的手枪早已出了皮壳，枪口已抵住在余甘棠的腹部；他的左手同时伸进余甘棠的短褂的右边袋里，一刹那间，果真摸出了一支旧式镀镍转轮小手枪。我的手本也把握在衣袋中的枪机钮上，这时已没有拿出来的必要。

那余甘棠起初有些惊惶，等到他的手枪被倪金寿搜出以后，神气上反而宁静起来。

他问道："做什么？你们是谁？"

倪金寿一边把搜得的手枪放在衣袋中，一边答道："没有什么。你用不着雇黄包车了，这里有现成的汽车。"

他疑迟地说："可是要绑我？"他的眼光瞧到我的身上，又露出一些惊讶之色，仿佛他刚才在电梯上所得到的印象，还没有消灭："你们是不是公务员？"

倪金寿答道："你真聪明。走吧。"

他仍站住了不动："拘票呢？"

我暗忖他当真是个知识分子，显然了解到法律的顺序。可是一个知识青年，竟堕落到这般地步，不能不勾起我一种不可名状的慨叹。

倪金寿答道："拘票？还没有。此刻还在侦查时期，请你到警厅里去问几句话。"

他冷笑似的说："请我？用手枪请？"

倪金寿说："这是自卫。你袋里搜出来的什么东西？"他把左手在自己的玄色细呢夹袍子的衣袋外面拍了一拍："快走吧！"

他又沉吟了一下，便点点头，向着那辆停着的汽车走去。那汽车门本没有关上，倪金寿抢在他前面，先走上车去。我跟在余甘棠后面。他在车厢中的座位，就隔在我们俩的中间。汽车开动以后，我们三个人都保持静默。过了二三分钟，他似乎经过了审慎的考虑，才构成了一句简短的问句：

"你们凭着什么拘我？"

倪金寿似乎不愿在车厢中作答，等了一等，才同样简短地回答："你自己干的什么事，你总知道。"

余甘棠不再回答，但他的眼睛凝视着前面司机人的背，好像在竭力思索。我坐在他贴身，觉得那发膏的香味和汗臭交杂的气息，刺鼻难受。我暗忖他是个大学生，在一般人看来，他是个知识分子，也是个未来的社会领袖。但他的精神时间，既然大部分消耗在化装科，跳舞科，和异性交际科上，他的成绩一定也可想而知。这样的青年，当真可以做社会的领导者吗？唉！

在汽车进行的途程中，除了他和倪金寿的短短的一问一答以外，竟没有别的话。汽车到了警署门前，倪金寿仍最先下车，照样把他隔在中间，一直走进警署的大门。其实他的态度倒很从容，并没有逃走的倾向。我们三个人进了倪金寿的那间面积宽大而布置简单的办公室，先把门关上，然后移过一把椅子靠近他的书桌面前，叫余甘棠坐下。他也并不谦逊，安闲地坐下。我也坐在一只皮垫的软椅上。

我有一种惊异的感觉。我瞧余甘棠的神气非常宁静，竟没有什么恐惧的表示。论他的年纪，不像有过"吃官司"的经验，那么，他这种神气的来由，分明也不是出于"老练"。

倪金寿在书桌后面坐下，从衣袋摸出那支刚才搜得的镀镍小手枪，约略瞧了一瞧，随手放在书桌面上。他先向余甘棠瞧瞧，定了定神，便开始说话：

"余甘棠，你是个大学生，也懂得法律的顺序。我想我们用不着其他废话，你还是坦白地自己说吧。"

他抬起头来向倪金寿瞧着，问道："我说什么？"

"当然是你自己干的事啊。"

"我干了什么事？"

倪金寿又把目光回瞧在他脸上："这还问我？你莫非还想狡赖？"

余甘棠疑迟了一下，好像一时间不知怎样回答。接着，他缓缓地说："我不知道你说的什么，我也不知道我自己干过什么事。"

倪金寿苦笑了一声："好口才！好，我看我不能不说得明白些了。你杀了一个人！"

那少年一听这话，他的身子禁不住震了一震，眼睛里也开始漏射些骇光：

"杀了谁？"

"王丽兰——那位舞国皇后。"

倪金寿的惊人的答话，却只换得这少年的一阵冷笑。他向倪金寿又盯了一眼，又开始静默了。倪金寿倒反而有些窘态。

因为这一阵冷笑，的确也出乎我的意料。倪金寿低头顿了一顿，忽从衣袋中摸出那本记事册来。

他一边翻着那记事册，一边说道："你可是以为我凭空冤枉你吗？你听着，我姑且举几个证据给你听：你和王丽兰的关系已有相当时间，常趁着陆健笙不在的当儿，在伊家里过夜——伊家里是在青蒲路二十七号。"

倪金寿的目光从他的记事簿上移到余甘棠脸上，余甘棠的视线却再没有勇气和他接触，只低沉到他自己的皮鞋尖上。这时我也注视到他的皮鞋。那鞋是黄色纹皮的，鞋头是尖形的，和我刚才在尸屋中所勾摹的那两个男皮鞋的印迹，似乎不同。因为那两个印，尺寸虽各不同，却都是圆形式的。

倪金寿继续瞧着记事册，说："最近，王丽兰又有一个新相好赵伯雄。这种浪漫女子弃旧恋新，原不足为奇。你却认真起来，便开始恨伊。在十一日那天，你和赵伯雄碰了面，彼此就冲突起来。那时王丽兰袒护着伊的新欢，公开地排斥你。你因此便越发恨伊，引起了谋杀的心。这就是你杀人的动机。"

这少年已不再像先前那么安静了。他虽依旧默默地低着头，但我瞧得见他的面颊上已没有一丝血色。

倪金寿又说道："这可是冤枉你吗？……好，你再听：你在十六日黄昏，曾到伊家里去，向那老妈子偷偷地查问伊和赵伯雄的行动。在十七日晚上，你又曾到亚东旅馆七楼七七四号去调查，知道王丽兰在上一夜曾在那里过夜——这七七四号，就是那赵伯雄的住所。"

余甘棠的神情更不安了。他在咬着自己的嘴唇，他的头好像重得厉害，再也撑不起来。这神态给予倪金寿一种兴奋，他继续申说这少年的罪状：

"现在我再告诉你，你行凶的事实：王丽兰是在十八日夜里十二点一刻光景被人打死的。你在十八日早晨，打过一个电话给王丽兰，分明申斥十六日夜里伊到亚东旅馆去的事。你当时还曾表示你准备谋杀伊，是不是？"

余甘棠照例没有答复，但他的身子不住地牵动，模样更瑟缩不安了。

倪金寿接续着说："到了昨天——十八日——傍晚七点钟光景，你又到伊家里去向看门人探听伊的行踪。那时王丽兰已出去了。你大概守到半夜伊回来的时候，你才动手。因为你回宿舍的时候已经十二点半钟相近，并且重新又出外一次。这半夜你当然不曾睡稳。到了今天——十九日——早晨，你又到青蒲路去，分明要瞧瞧你昨夜的行动有没有得到圆满的成功。那时王丽兰的尸体恰巧被抬上载尸车，你把掩覆尸体的单被揭开了，看了一看，知道你的目的已经达到，便急急逃走。至于刚才你又到亚东去找赵伯雄，分明是一不做，二不休，再要打死你的情敌，是不是？"

余甘棠的神态大变了！他略略抬起头来，嘴唇有些颤动，好像要说什么，却又说不出口。接着他的头又低沉下去，他的两只手撑住了椅子的边，像要站起来，却又始终站不起来。

倪金寿瞧着那少年的神态，又冷笑着说："我可是冤枉你？这些事都是虚构的吗？你说啊。"

那少年仿佛鼓足了勇气，挺直他的脊骨，把他的沉重的头撑了起来。他向倪金寿瞧了一瞧，脸上浮出一种又像惊，又像怒，又像怨恨，简直不可描摹的神态。一刹那间，他的头又沉下了，始终说不出一句话。我见了他种种状态，忽然引起了一种不合时宜的怜悯。一个明明是聪敏有为的少年，何苦自己投进这阴暗的阱坑中去？

倪金寿又冷笑了一声，说："你到底不肯说吗？那么——"

这时候办公室的门上忽然有咯咯的声音，接着，不等倪金寿的回音，那门已推开了，走进一个穿一身藏青西装，戴黑呢软胎帽的人来。那人脸上戴着一副阔边墨晶眼镜，上嘴唇留着黑色的短须，他进了门便直立着，连帽子都没有除去。

倪金寿立起身来，两手撑着书桌，向那来客问道："哪一位？有什么事？"

那人仍僵立着不答。我觉得有些突兀。这是公务员的办公处，这个人怎么能随便闯进来？我的视线一集中，便不禁惊呼起来：

"霍桑！"

他果真是霍桑，不过我细瞧他左右面颊上，却不见有什么伤痕。倪金寿倒呆了一呆。霍桑一边除去他的黑帽和黑眼镜，一边好像懊恼地说话：

"唉，我太胆小了！一个人上了年纪，做事往往会比少年谨慎。可是有时候就坏在太谨慎上！"

倪金寿笑着说："霍先生，这话什么意思？我摸不着头脑——你的化妆术真不错。"

霍桑又将嘴唇上粘着的假须轻轻揭了下来："不错，可是给包朗瞧破了。这也算不得化装，只是一种临时的急救罢了。"

那余甘棠忽又从椅子上挺直了身子。他的眼光在霍桑和我二人的脸上往来打转。霍桑也注意到这少年。

他用手指着那少年向倪金寿发问："这一位是谁？"他的语调中带着轻率，分明他故意装作不认识而问的。

倪金寿答道："余甘棠——江南大学的高才生。"

霍桑旋转头去，庄重地向那少年鞠了一个躬："唉，失敬了！余先生，你是个时代青年，知识分子，未来社会的领导者，我真是失敬了！"他恭敬地鞠了个躬，顿了一顿，接续说："很可惜的，你到了这里，也许要耽误你的功课。"

那少年的头又低沉下去，仍不答话，但我还瞧得见他的惨白的脸上泛上了一阵红晕。他在咬自己的嘴唇。

倪金寿忽代替着回答："我相信他的读书，也许只是挂一个幌子，只是忙玩舞女，争风吃醋，甚至干出杀人勾当，功课也许压根儿不在他心上。"

霍桑不答，但冷笑了一声，把轻视的眼光向那少年瞥了一瞥，又低头瞧瞧他的皮鞋，便在一张沙发上坐下来，随手将呢帽搁在旁边的茶几上。

倪金寿也恢复了原座，用手指在书桌边上弹着鼓声："我已把我们所查明的，关于他的动机和行动都说明了。他却僵绷着不肯说话。"

霍桑把他的眼镜和假须都放进衣袋里去。他忽瞧见了书桌面上的那支镀镍手枪，便站起来拿枪瞧了一瞧，重新放下，回到他的原座。

他缓缓地答道："不肯说话？那你也用不着性急。他终有肯说话的时候。"

倪金寿似乎有些失望。他好像自己问不出供，希望霍桑来代劳，却不料霍桑竟这样轻描淡写。霍桑从衣袋中摸出一只烟盒来。

他说："金寿兄，我想最好的办法，还是先让余先生有一个反省的机会。等他自己觉得要说话时，我们再跟他谈。"

倪金寿不答，但用手在书桌旁边的电铃钮上按了一下，一个当差的应声进来，倪金寿用手向余甘棠指了一指：

"把他带出去，押起来！"

那少年想要抗拒，但经过了一刹那的考虑，便突然立起身来，跟随那穿制服的当差走出去。那办公室的门又照样关上。

倪金寿向霍桑身上打量了一下："霍先生，我很为你着急。你到底遭遇了什么？伤在哪里？"

霍桑已烧着一支纸烟，摇了摇头："没有——我先问你，那秦默斋可曾有报告？"

倪金寿道："还没有，听说白医官还不曾回来。"

"那么，你总已到亚东去过一趟吧？"

"是的，他们不认识你，只说有一个人中枪，打在面颊上。"

霍桑点点头："那粒枪弹你可曾钳出来？那就是在电话机旁边的木壁上。你总已瞧见，那电话间是两面玻璃，一面水泥墙，那装机的一面就是木壁。"

倪金寿带着尴尬的神气说："我不曾细瞧，那枪弹还没有拿出来。"他顿了一顿，解释似的说："那时我有些心慌，只想到找寻你的踪迹，便赶紧打电话到你寓里去——"

霍桑不等他说完，又连连点头说："我很抱歉，害你焦急。可是我也没法通知你。"他吐了一口烟，瞧着我说："包朗，我想你一定也感到一种莫名其妙的烦恼。其实我的突然失踪，对于你不能说完全没有通知。"

我诧异地答道："通知？谁通知我？"

霍桑道："通知是有的，不过方式新颖些，只怪你的观察力还差些。"

我摸不着头绪："奇怪！你莫非在什么地方留过信号？"

霍桑点头道："对，你如果研究过童子军的行军技术，总知道有沿路留记号指示方向的一法。那电话间的玻璃不是已碎了一块吗？你如果看见了，想一想，便可以知道我的不别而行，一定有不得已的因素。"

我局促地答道："我倒不曾留意。那时我急于要跟余甘棠出去，所以连玻璃的有没有，也不曾注意到。"

"就为这个，我说你观察力差些了啊。"

"好啦，别说空话。你的经过情形究竟怎样？"

霍桑把右腿搁在他的左膝上，身子靠着椅背，又吐出了一口烟。

他缓缓说道："我的经历，如果要加上什么巧语，那可以说又险，又巧，又失败。"

我不耐地说："你不要没头没脑，说得清楚些。"

倪金寿也在那里暗暗点头，分明对于我斥责霍桑的话表示极端的同意。

霍桑微微笑了一笑，就开始说："好，我就有头有脑地说。当你追着余甘棠进电梯以后，我仍继续和金寿兄接谈，约有两三分钟，这乱子便发生了——包朗，这件事你也要负些责任。你为着要听我的谈话，不是把电话间的玻璃门开着吗？因此，我的谈话声音才传到外面。我在无意中忽然瞧见一个人，在那甬道中突然把身子一蹲，迅速地把右手举近他的胸口——包朗，你总知道这是开手枪最准确的姿势啊——"

倪金寿着急地问道："那么，你看见他开枪的吗？"

霍桑摇摇头："不，我只看见那人这一种姿势，来不及看清楚他。我急忙把两膝一弯，身子直向下蹲。乒乓一声，枪弹已穿过玻璃进来。我手中的电话筒也当然脱手。那枪声只有一响，他大概料想我已被打中。其实他的瞄准要是低半英寸，或是我那时的动作迟缓半秒钟，大概我此刻也要到那个不大有趣的地点去，陪着那位舞后等候白医官了！"

我见倪金寿一眼不霎地瞧着霍桑。他脸上的肌肉好像都贯串着铁丝。我自己虽没有镜子，神情上也一定和倪金寿相差不远。但霍桑却仍安闲如常，好像他讲的话，并不是他自己的经历，只是什么"齐东野语"式的故事。

我催促着说："你瞧见那开枪的人吗？谁？"

霍桑又吐出一长条烟丝："别心急哪。这就是险。现在说到巧了。这巧字上又分两点：第一，那开枪的人也是在无意中遇见的。包朗，你可记得我们在亚东七楼跟那个七十一号茶房谈话时，有个戴眼镜大模大样官僚典型的家伙，从甬道东端走近我们吗？"

我应道："很清楚。那家伙个子很高，穿一件深蓝色的长袍，戴一顶棕色的呢帽，嘴唇上还有些短须。"

霍桑点点头："你的记忆力倒还没有随着年龄而衰退。开枪的就是这个人。"

倪金寿问道："你可认识这个人？"

霍桑皱着眉峰："不，我简直不曾看见他的正面。我的失败的巧语，就指这一点。……唉！太谨慎真会坏事。"他随手把烟尾丢在烟灰盆里。

我说道："喂！你说下去啊。开枪以后怎么样？"

霍桑道："那就要说到巧的第二点了。这一点你也可以将功抵罪，那电话间的玻璃门下半截是木板的，因为那门开着，我的身子虽然蹲倒，仍瞧得见开枪人的一部分。我见那人旋转身子，向着那南面的大门走出去，脚步很从容，分明是个老手。我连忙也站起来，把电话筒搁好，用白巾掩着面颊，从电话间里走出来。这时，我已将大衣卸下，挟在左腋间。我走出电话间以后，早已有几个闲人和那旅馆里的职员围拢来。我随便敷衍着，声称自己投医院去。那旅馆职员分明也因着怕事，让我从前门走出去。

"这时前门口出进的人不少。我走到门口，仍把手巾掩着脸，向左右瞭望，看见那人正在右手转角上走上汽车。那汽车恰巧停在我的汽车的后面。他以为我已中枪，故而态度上绝对从容，更不防我会尾随他出去。因着他的从容，门口虽有不少人因枪声而惊异，也绝不怀疑到他。我的态度自然也须保持从容，等到他的汽车开动以后，我才放开脚步，走到我的汽车面前，开了车门跳上去。我的汽车开动的时候，前面那辆汽车已驶得相当远，但没有脱离我的视线。那是一辆绿色汽车！"

倪金寿忽举起了一只手，表示他要插一句话："是出租车吗？"

霍桑点点头："是的，是强生公司的车子，号码是八〇八四四。"

"那容易了。我们立刻可以查明白。"倪金寿说时，又在他的记事册上写了几笔。

霍桑继续说："我将汽车加增些速率，追到和前一辆车十码光景的距离，便照着前面的速率，远远地跟着。那汽车经过贵州路，西藏路，又向西进行，一直到徐汇路，一路上并不停顿。在徐汇路将近终点，忽而突然掉头过来。这时我幸亏眼快，忙向支路上转弯，避过他的视线。你们猜一猜，他把车子向东回驶，到什么地方停顿？"

我答道："可是仍回到亚东旅馆吗？"

霍桑忽向我瞅了一眼，点点头："对，包朗，你的推理力的确不错。他仍旧住在亚东里啊。"

"那么，你已知道了他的房间号数吗？"

霍桑忽皱着眉峰，微微发出一声叹息："没有，这就是我所说的失败点了。因为他的汽车在亚东的西面的侧门口停住，就下车走进亚东里去。我当然也跟下来。那时我在车子里已经过一度临时的化装，外衣也丢在车厢里。当他走进西部的电梯间时，我本来也赶得着进去。可是我因着过分谨慎，怕被他瞧破真相，不敢跟他同乘那一次电梯。我没有办法，只得在电话间门前等着。等到电梯回下来时，我急忙进去问那司机，那司机对于先前一次的客人虽约略有些印象，但不很清楚。他说那个有须的人，似乎在五楼下梯的。我相信这个人真住在五楼，至少总也在亚东里。所以我打算回来跟金寿兄商量一下，再去查问他实在的号数。"

倪金寿作怀疑声道："他不会从一面电梯上去，又从另一面电梯下去，用蛇蜕皮的方法甩掉你吗？"

霍桑摇摇头道："不会，我在汽车中追随他时，非常小心，绝不曾引起他的疑心；就说他瞧见了我，要甩掉我，在汽车兜圈子的时候，尽可找别的机会。为什么重新回到亚东里去？你总知道罪犯们常遵守着一句格言：'犯罪场所是个最好的隐蔽所。'他一定以为这个地点很安全呢。"

"你相信他再不会搬走吗？"

"不会，他既相信我已中枪又不知道我曾追随他，况且我退出旅馆时，那辆八〇八四四汽车也开走了。我料想他一时也许还不会离开旅馆。"

我又问道："那么，你从亚东出来以后，就直接到这里来的吗？"

霍桑道："不，我要知道你尾随那余甘棠的成绩怎样，又料想你一定会疑惑我的突然失踪，所以我曾回我的寓所里去。施桂把你们的经过情形告诉了我，所以我又赶到昌明里去，见过那个宋元麒。"

我道："宋元麒？那个瘦长个子穿一件淡蓝白条纹西装衬衫的家伙吗？"

霍桑应道："真是他。他是余甘棠的朋友，曾告诉我不少关于余甘棠的话。不过他竭力给余甘棠辩白，说他在凶案上没有关系。"

倪金寿忙问道："你也相信吗？他如果和这件凶案没有关系，怎么一句话都不肯说？"

霍桑答道："我当然不会完全接受那宋元麒的话。若说余甘棠不肯说话，那并不成什么问题。不过眼前最急切的，就是怎样把这个开枪的人找得来。"

我忽然有一种突然想起的见解："霍桑，你想这开枪打你的人，会不会就是赵伯雄？他的个子也很高。"

霍桑用两只手抱住了他的右膝，眼睛瞧着地板，缓缓地答道："这的确是可能的。可惜我始终没有细瞧他的正面的机会。我正恨我自己太谨慎了。"

倪金寿道："如果就是他，事情倒简单些，否则另外又多了一个人出来，那就更麻烦了。"

霍桑道："我猜想那绝不是另生的枝节。开枪的即使不是赵伯雄本人，一定也是属于他这一条线。你用不着过虑的。"

倪金寿道："那么，你打算用什么方法去找这赵伯雄？"

霍桑攒着眉毛，答道："这不能不借重你们官厅的力。第一步，你须凭着公务员的名义，跟那旅馆里的负责人去接洽一下，然后才能向各部分的茶房仔细调查。如果事情还有曲折，我们一时不能下手，第二步你还须派几个得力的探员，装扮了茶房，在那边小心守候。"

倪金寿连连点头，应道："这个都容易。要不要马上就办——？"

倪金寿的话没有说完，他的右手已伸到书桌旁边的电铃钮上，正待按铃叫外面的听差进来。不料办公室的门上又有咯咯两下，有一个穿制服的听差已自动推门进来，手中拿着一张名片。倪金寿接了名片一瞧，嘴里念着："陆健笙。"他抬头向霍桑瞧瞧，似在询问要不要接见。霍桑想了一想，便点点头。倪金寿也把同样的动作，引渡给那个听差。

一分钟后，那个昂着头，挺着大肚子的陆健笙踱进来了。他的个子相当高大，圆胖的脸儿，又白又嫩。他虽已有些秃顶，看去总有五十开外的年纪，却并没有衰老的样子。他有一个平扁的大鼻子，两条稀疏的淡眉，一双灵活的眼睛，似乎很工心计。其实这一双眼睛真是他的唯一的法宝，发威，献媚，随机应变，他一定都能运用自如。当他踱进来的时候，他的眼睛似乎正安排在"发威"的机钮上。他身上穿一件淡灰薄花呢的袍子，脚上穿一双漆黑发光的皮鞋。我一瞧见他这双皮鞋，心头不觉跳了一跳，它的尺寸相当大，而且是圆头式的。

当他走进来时，倪金寿已很恭敬地站了起来，招呼了一声"陆先生请坐"。陆健笙却只点了点头。这点头的动作，那头的前后的距离，至多不过二英寸，而且依旧是昂着的。他的右手的食指和中指之间，夹着一支雪茄，顺手扬了一扬，便在我们对面那只白布套的沙发上坐下来。霍桑只把眼角向那人瞥了一瞥，仍抱着右膝坐着，我也不曾起立。陆健笙也不跟我们招呼，好像只有人家招呼他，他是照例不先招呼人家的。

他干咳了一声，开始向倪金寿说："怎么样？凶手找到了没有？"

倪金寿呆了一呆，才坐下来答道："陆先生，这案子很复杂，我还不知道谁是凶手——"

陆健笙那双发威的眼睛又增加了些"威"："什么？还不知道谁是凶手？你们忙了半天，干些什么事？"

我觉得"你们"的字样，好像把我和霍桑也包括在里面。我心中有些着恼。霍桑却让眼睛半开半闭地，好像在养神，绝没有什么表示，倪金寿有些尴尬了。他向霍桑瞅了一眼，又回过去瞧陆健笙。这时有个听差托着盘送四杯茶进来，分别放在四个人的面前，重新走出去，总算把这紧张的空气减弱了一下。

倪金寿说道："陆先生，这案子里牵涉的人不止一个。我和霍先生和包先生——唉，我来介绍一下，这一位是霍桑先生，这一位是包朗先生。"

陆健笙的眼光移到霍桑和我两人的身上。霍桑的眼睛不但半闭，竟完全闭拢了。我也觉得这家伙盛气难堪，故意把视线移开去，等我回过来时，瞧见不但倪金寿发窘，连那陆健笙也像有些难于下场。

陆健笙说："霍桑，像是一个私家侦探，是不是？那么，这笔费用我可以担任，只要你们赶快破案。"

霍桑忽慢慢地张开眼睛："陆健笙！你打算出多少费用？"

"这个……这个……你总有一定的数目。你说多少，我照给就是了。"

"这倒不巧，我还不曾定固定的费用数目。平日我给人家侦查案子，向来是不收报酬的——喂，你这个华大银行是独资的，还是公司性质的？"

"这……这话什么意思？"他的语气里有些着恼。

霍桑仍缓声说道："我告诉你，假使你的银行是股份性质的，你只当一个经理，那你就不配说那句大话。如果是独资的，那我先得问问你，你一股脑儿有多少资产？因为你既然要仗着钱的力量来驱使人，那我不能不先查一查你的钱够不够付给我的酬报。"

陆健笙的眼光里的威力有些变动了。他好像要发作，可是给霍桑那种冷静的神气所镇压，又像发作不出。他举起右手，把那支已经熄灭了的雪茄送到嘴里，用力吸了几口。他瞧瞧倪金寿。倪金寿低垂了头，分明不知道怎样应付。

陆健笙讷讷地说："这……这算什么？开我的玩笑？"

把他押起来

一会儿，倪金寿鼓足勇气抬起头来："唉，唉，别说笑话，我们谈正事。"

陆健笙愤怒地站起来："崔厅长在哪里——我要见厅长！"他的语声中散放着充分的威胁。

霍桑也突然把他的右膝放下："慢着！你既来了，在我们侦查完毕以前，我相信倪探长还不能让你出去。"他说完了，也从椅子上立起身来，一双严肃的眼睛看着对方。

唉，局势真僵透了！

陆健笙怔了一怔，反问道："侦查？……侦查谁？"

霍桑厉声道："侦查你！——你就是嫌疑凶手的一个！"

陆健笙的那股盛气忽然动摇起来。他的眼睛在倪金寿和霍桑脸上溜来溜去，最后停住在霍桑脸上。这当然不是发威了，可是也不是恐惧，只是一种呆木和糊涂。他仿佛陷进了一种奇怪的梦境，一时不知道他所听得的话是真是假。他分明在怀疑他所遭遇的是什么一种局势。倪金寿也站了起来，瞧着霍桑发怔。他举起右手来，张开了嘴，好像要排解，却说不出话。

陆健笙顿了一顿，才吞吐地说："奇怪！——我有凶手的嫌疑？笑话！"

霍桑仍凛然说道："谁跟你谈笑话——坐下！我有话问你。你总知道在法律上没有任何阶级。你有钱，也不能购买一条法律的条文。坐下！"

霍桑的命令发生了一箭双雕的效能，倪金寿跟陆健笙都坐下来了。霍桑自己也回了原座。

陆健笙说："你怎么说我有凶手的处分？你有什么证据？"

霍桑道："我没有说你有凶手的处分。有没有处分，须看事实的证明。我说你有凶手的嫌疑。就法律的立场上说，有了嫌疑，任何人都不能不受侦查。"

陆健笙的盛气果然退了，可是他仍旧没有慑服。

他冷笑了一声，答道："你要侦查我？好，你说，我的嫌疑有什么根据？"

霍桑又把左腿搁上了他的右膝，瞧着那肥胖的银行家说："第一步，你跟王丽兰有什么关系？"

这问句显然又出于陆经理的意料。他顿了一顿，说道："这也用得着你管？"

霍桑道："我值得管你？这是侦查——包朗兄，请你用纸笔记一记，他一切的答话，都是将来控诉的根据——陆健笙，这第一个问题，你不回答吗？"

陆健笙的神态又转变了。他开始有些不安："我告诉你也不妨。伊是我的朋友。"

"朋友？——朋友可以通奸？这是法律上规定的吗？"

陆健笙的脸色白得有些异样了。他把那熄灭的雪茄又凑到嘴唇边，接着又放下来，他的手也有些颤动了。

他期期地说："什么……你……你讲法律？你懂得法律……"

霍桑仍冷冷地答道："我在法律范围内服务，当然略知一二。有妇之夫与人通奸，在刑法的条文上应当是——"

"呸！这也轮得到你管？就算我的行动触犯了法律，这也是一种诬告罪。你是谁？想来吓我？"

"是的，这是一种告诉乃论的罪，只有你的妻子可以控告你。你既然欺骗了你的妻子，或是你妻子是个意志薄弱或没有教育的女子，受了你的金钱或其他方式的压力，放弃了做妻子的权利，纵容你胡行妄为，你当然可以随意糟蹋任何女子而不受法律的处分了。你当真是很聪明的！不过你忘记了，还有社会的制裁啊！包朗，你把这回事记下来，明天在报纸上发表，让大家瞧瞧这一位社会文人的真面目！"

陆健笙窘极了。他的头颈缩了一缩，有些恐惧的样子，好像一个橡皮球泄了气，顿时显得缩瘪。他的发威的眼睛这时非但没有"威气"，而且射出了畏惧乞怜的神气。他把那支熄灭的雪茄放在旁边茶几上，瞧瞧霍桑，又瞧瞧倪金寿，两只手相互地搓扭着。霍桑仍冷冰冰地坐着。倪金寿也现出一种"不知如何是好"的尴尬样子。他又从座位上站了起来，用调解的语气向霍桑说话：

"霍先生，这……这似乎是题外的文章。我们谈些正经话吧。"

倪金寿说话时眼光瞧着霍桑，好像希望霍桑有一种妥洽的表示，以便打开这个僵局。陆健笙现着同样的状态，并且在暗暗点头，又像很感激倪金寿的调解。

我处于旁观的地位，见了这大腹贾的前倨后恭，也不禁暗暗地好笑。他那副进来时的架子，往日谅必是搭惯了的，想不到今天会给人家轻轻敲破，想起来委实可笑可怜。同时我又想起霍桑曾叫我对于社会文人不要盲目地崇拜的话，我自己也有些懊恼。

霍桑说道："我本没有闲心思管他的糜烂的私生活，可是银行家我也见得多了，从不曾见过他那副臭架子。他既不情愿说正经话，那就逼着我不能不教训他一下。"

陆健笙忽变了语调，点头说："霍先生，我……我愿意说正经话。倪探长说得对，我们别闹玩笑，还是说正经话。霍先生，你要我说什么话？"

倪金寿似乎认为情势已经缓和了些，也就暂时退出那两面交攻的夹缝，缓缓地坐了下来，不过坐得并不怎样舒适。

霍桑缓缓说道："你先把你和王丽兰结识的经过说个明白。"

陆健笙又呆了一呆，答复得并不怎样爽快："霍先生，这……这也是必需的吗？"

"当然。"

"那么，我说。我跟伊的关系已有一年多了。"

"最初的交识是在舞场里吗？"

"是，在快乐舞厅里。那时伊在舞场里很红，但我和伊相识了几个月，伊自己情愿跟我，才退出了舞场。"

"自己情愿？不是你诱骗的吗？"

陆健笙连连摇着头："当然不是。霍先生，你总明白，伊也不是小孩子，我怎么能骗伊？"

霍桑点头道："我明白，骗小孩子用糖果；骗这种虚荣而没志气的女子，用金钱。工具虽不同，骗还是骗，对不对？"

陆健笙又局促不安。他的那双穿皮鞋的脚，只在地板上不时地移动，却答不出话。似乎因着他的脚的动作，引起了霍桑的注意。霍桑的眼光闪动了一下，忽而举起他旁边的茶杯来呷了一口，又旋转来瞧我，接着仍将视线回到陆健笙的脚上去。我立即领悟霍桑的暗示，便乘着陆健笙犹豫不答的机会，站了起来。我摸出了一支纸烟，塞在嘴唇中间，绕过霍桑的椅子，走到陆健笙的面前。

他的沙发旁边有一只西式低矮的茶几，茶几上除了那一杯不曾沾唇的满满的茶以外，还有一只装着火柴盒子的烟灰盆。我偻着身子，抽出一枚火柴，用力在火柴盒边上擦火，擦着了凑到我的纸烟上，故意将火柴吹熄；于是我重新擦第二枚火柴。陆健笙在我擦第一枚火柴时，曾向我瞧一瞧，等我擦到第二枚时，他的目光已回到霍桑脸上，准备继续谈话。我乘他不备，拿着那茶杯，向他的皮鞋脚下一倾，顺手将杯子落地，装作无心泼翻的样子。砰的一声，倪金寿和陆健笙都站起来了。陆健笙急忙把两只浸茶的脚踏前一步，脱离那倾溢的茶的范围。

我忙赔着笑脸说："抱歉得很。"

陆健笙不曾发威，谦和地说："没有事。"他走到茶几那面的另一只沙发上坐下。但他的皮鞋已在地板上留下一个很清楚的印子。

这时霍桑又继续问道："好，现在你说下去。伊跟从了你以后，就住到青蒲路那一宅屋子里去，直到现在，伊就不再给人家伴舞。对不对？"

陆健笙道："对，不过伊虽不做舞女，但不曾绝对不到舞场，有时也常陪我到舞场里去。"

我利用着他们回答的机会，旋转身子，悄悄摸出软尺，走到那陆健笙留下的足印旁边，蹲下身子，又假装缚鞋带的模样。我用皮尺在鞋印上量了一量，恰是十一英寸六，原来和我们在尸室门口所发现的甲印是相同的！

霍桑又在那里问话："那么，开支方面，当然是由你供给的。大概你每月供给伊多少？"

陆健笙道："是的。这个我没有仔细的数目，大概几百块钱，最多也不到一千。"

霍桑回过头来向我瞧瞧。我早已拿出一张小纸，用铅笔写了"十一英寸六，圆头式，同甲印"几个字。在我走过他身边的时候，悄悄地授给他。

我回到自己原座位上时，见霍桑正在瞧我给他的一张小纸，倪金寿似乎已觉察到我的动作，眼睛注视着霍桑。陆健笙却一心一意地准备答复，显见不曾怀疑我。

霍桑又道："那么，你们一年以来的结合的情形怎样？"

陆健笙又有些疑迟的神气，缓缓地说："起初当然很好，近来伊好像结交了一个……一个小白脸，而且浪费得厉害，不过我不曾拿到什么实际的证据。最近伊……似乎……"

"什么——似乎什么？"

"似乎更不安分了。"他低头寻思了一下，嘴唇紧闭着，接着显出一种坚决的神气，"我相信伊这一次的死，也许就死在不安分上。"

霍桑注意地问道："怎么一回事？你说得明白些。"

陆健笙点了点头："好，伊近来另外结识了一个人。我不知道他叫什么名字，只知道他姓赵，是个少年，个子很高，面孔的漂亮却谈不到。我不知道丽兰怎么会爱上他，只有年纪比我轻些。"他说时两只眼睛里又发起威来，分明他心底里那团炽烈的醋火已按捺不住。

霍桑仍淡淡地说道："年纪轻，当然是这种结合上的一个重要因素——这因素也许是你感到缺乏而抱憾的。但你怎么知道伊和他已达到了你们所说的'爱'的程度？"

"那是有证据的，我决不冤枉伊。"

"举几个例子，好不好？"

陆健笙仍气愤地说："最先一次，我偶然到光明舞厅去，瞧见丽兰和这个少年在跳舞。丽兰还把他介绍给我，说是姓赵，是伊从前的邻居，偶然碰到的。我还不疑心。第二次，我陪一个朋友在上海电影院瞧电影，忽见我的前排座上，丽兰和一个男子坐着，还在窃窃地密谈，模样儿很难看。我耐不住叫了一声'丽兰'。伊竟吓了一跳，回过头来瞧我，连话都说不出。那男的却还假装镇静，过了一会儿，他没有瞧完，便悄悄地溜去。我虽在黑暗中，仍认得出那人就是姓赵的流氓。"

霍桑见他顿住了不说，便催促似的说："那时你当然要责问丽兰，伊一定又照例回答他是偶然碰见的，是不是？"

陆健笙沉着脸答道："是的，可是我究竟不是傻子，当然不会相信，后来果然又得到一个证据——唉，倒霉！"

"倒什么霉？伊的行动本来是自由的，你在法律上本没有干涉伊的权利啊。"

"是的，可是我不能不恨。在十七日早上，我打电话到伊家里去，伊竟一夜不归，在外面过夜……"他掩不住语声中的酸气。

"唔，其实这也算不得什么啊，假使你处在你的妻子的地位，仔细想一想，那你也不会这样量窄了啊。……以后怎么样呢？"

"我马上赶得去，伊还没有回去，但不久伊也回家了。伊见了我的面又分明是一派鬼话。伊说上夜里在一个赌场里赌了一夜，还赢了五百块钱，因为怕我说话，故而叫仆人们隐瞒着。霍先生，你一定想象不出，伊的口才好到怎样程度。当时我竟会相信伊。后来我前前后后地回想了一下，才知又受了伊的骗。咳，我真恨伊！"

霍桑瞧着他的面，仍用冰冷的语调，慢吞吞地说："恨伊，那当然是很自然的结果。不过无论你怎样不满意伊，你是不能求法律的救济的。你如果抛弃伊，那你反得拿出赡养费来，而且你的面子上又很难受。对吗？所以你的最好的泄恨方法，还是干脆地把伊打死，是不是？"

陆健笙忽张着眼睛，摇头说："不，我没有这个意思。我不会打死伊。打死伊的人是谁，我倒知道。"

倪金寿一听这话，突然转过脸来瞧着那银行家："什么？陆先生，你知道谁打死伊的吗？那么，你怎么不早些告诉我们？"

陆健笙吞吐地说："这是你们当侦探的名分。你们自己应当查出来……"

霍桑向倪金寿瞧了一眼："金寿兄，别打岔。……凶手是谁？"

陆健笙答道："就是那个姓赵的家伙！"

霍桑对于这句加重语气的报告，似乎并不感到惊异。

他仍淡淡地问："有什么证据？"

陆健笙说："昨天夜里我和丽兰在白梅酒家吃夜饭。我们坐的是单独的小室，只有我们两人。吃到一半光景，那两扇活络的半门忽轻轻开动，丽兰的身子突然一震，几乎叫起来。我当然也吃了一惊。我虽不曾瞧见门隙中的人面，但那半门下面，却明明有一个穿着深灰色西装的男子。我忙着立起来，要追出去瞧瞧是谁。丽兰却拉住我不放。我当然问伊瞧见的是什么人。伊说：'是个不相识的人，大概走错了房间，没有关系。'因为伊的面色声音，和那种不自然的强笑，都将伊的心事漏出来了，我知道这个人就是姓赵的。"

霍桑道："你既然说不曾瞧见那人的脸，难道从那条深灰色的西装裤上，你就辨认得出吗？"

"不是，后来我还瞧见他的面。"

"唉，那么，这一回闯进来偷窥的事发生在什么时候？"

"大约在八点钟敲过。等到九点不到，我们从白梅酒家走出来时，我就瞧见这姓赵的。"

霍桑似乎增加了些注意："怎么样？"

"那时我在等汽车开过来，丽兰却拉住了我的手臂，好像很惊慌。伊的眼睛不时向左右探望，我自然也跟伊的视线看着。忽而伊一声惊呼，直刺我的耳朵。我瞧见伊的视线集中在马路对面，果真就是那个姓赵的家伙！"

我暗忖这故事如果确实，合着金梅所说赵伯雄昨夜吃夜饭时到王丽兰家里去时的那副凶狠的神气，情势上的确有些严重。

霍桑仍淡淡地问道："以后怎么样？这姓赵的曾瞧见你没有？"

陆健笙摇头道："我不知道。我瞧见他，也只一霎眼工夫，转瞬之间他便消失在人群中间不见了。我们本来是要到上海戏院去瞧《战地莺花》的，这时丽兰忽声言不去。我明知伊就因着那姓赵的缘故，分明有些惊慌，故而我竭力鼓励伊，伊才勉强跟我同上汽车。"

霍桑问道："那时是什么时候？"

"大约九点钟光景，因为电影是在九点一刻开映的。"

"你当然要问伊为什么畏惧这姓赵的。伊有什么解答？"

"有的，可是我不能满意。伊说伊和这个人本来没有什么关系，因着我要伊跟这个人断绝往来，他就因此恨伊。伊的话果然说得很冠冕，但我怕还有什么别的隐情。"

"怎见得？你所说的隐情，有什么根据？因为伊假使果真听了你的话突然和他断绝，他因妒生恨，对伊有什么威胁，那也是可能的啊。"

陆健笙摇头道："不，不会这样简单。当伊在汽车中向我解释以后，我马上表示让我来对付他，只要伊把这个人的名字，地址和职业告诉我，我自有法子，伊也用不着恐惧。可是丽兰到底不肯告诉我，反而劝阻我不要和这个人为难。伊曾向我说：'你犯不着跟他斗，太没有意思。我也并不怕他，让他去好啦。'这几句话明明是骗我的，伊实在很怕这个人。因为我们到了电影院中，伊还是现着不安的样子，不时向前后瞭望。"

霍桑道："你在电影院中可曾再瞧见他？"

陆健笙道："没有，我也曾瞧过一瞧，却瞧不见他。不过我相信丽兰一定是姓赵的打死的。……倪探长，你可曾已查出这个人？"

倪金寿答道："我们只知道这个人叫赵伯雄——那也许是化名的，本来住在亚东旅馆七七四号。现在却已搬走。他做什么职业，我们还没有知道。霍先生的袋里还有他的一张照片。

除此以外，我们还不知道什么。"

陆健笙的眼光移到霍桑的方向时，霍桑早已从胸口袋里摸出那张小照片来。陆健笙赶紧立起来接受那照片。

他连连点头说："正是他，你们总也瞧见，这副嘴脸也说不上漂亮啊。"他把照片翻过来瞧瞧，又惊讶地说："唉，这五个'亚东七七四'铅笔字，是丽兰的笔迹啊。"

霍桑仍旧将照片收回了，点点头说："是的，请坐下。我还有话问你。你昨夜用汽车去接王丽兰的吗？"

陆健笙重新坐下了，答道："是的，那时大约在六点半光景。我们先到仙宫舞厅里去兜了一个圈子，然后就到白梅酒家去吃夜饭。"

"吃完夜饭，就到电影院去。从电影院散出来后，又怎么样呢？"

"我就送伊回去。"

"你陪伊一块儿进去的吗？"

"没有，我不曾进去，我的汽车在门口停住，让伊一个人下车。因为雨下得很大，我自己不曾下车。"

"那是什么时候？"

"电影是在十一点半完的。我送伊到家里，最多在十一点三刻光景。"

"你在门口瞧见什么人？"

"没有——霍先生，你问那个赵伯雄吗？"

霍桑并不回答，仍自顾自地发问："那时你可曾瞧见伊楼下的会客室中有灯光？"

陆健笙沉着目光，好像在追想什么的样子。接着，他摇摇头说："我不曾留意，因为我不曾下车。"

"你的确不曾下车吗？我想你还是说实话的好。"

"那当然是实话，我实在不曾下车。"

"那么以后你到哪里去？"

"我就回家里去——"

霍桑突然剪住他说："回家里去？这也是实话吗？"

陆健笙怔了一怔，脸上浮出一种掩饰不住的惊愕。

他忙着纠正说："唉！不，我忘记了。我到扬子旅社去的。"

霍桑冷笑了一声："陆先生，你太健忘了，才隔了几个钟头的事，你就会记不得。"

那大腹贾紧蹙着双眉，低沉了目光，那两只手仅在交替地搓旋。这副窘态，真是可笑又很可怜。

他挣扎地说："霍先生，你别认真，这是我粗心失言。我是到扬子旅社去打麻雀的，直到天亮方才回家。我到了家里才知道丽兰被打死的消息。"

霍桑斜睨着他说道："你在扬子旅社打麻雀，直到天明才回去，是不是？几号房间？"

陆健笙又发窘地说："这个……四楼，四一二号。"

"同局的三个人是谁？"

"这个……一个姓黄，一个姓李，还有一个——"

"姓张，是不是？"

"不，不，也姓陆。"

霍桑忽然把搁着的一条腿放了下来，伸起两条臂膊，又挺一挺腰，随即立起身来。

他沉着脸说："好啦，我们还有要紧的事要进行，没工夫听你的鬼话。倪探长，我想你不能不委屈这位贵经理一下。在这案子侦查完毕以前，不便让他自由行动。"

倪金寿张开了惊异的眼睛："霍先生，这……这话什么意思？"

霍桑作简语道："你还听不懂？把他押起来！"

这一句话对于那位银行家足有一个霹雳似的效用。他也突然从沙发上跳起来。他答辩的时候，他的嘴唇也颤动了。

他期期地说："什么？……押我？……把我押起来？"

霍桑道："是啊，押你！难道银行经理是押不得的吗？"

"这不关经理不经理，你……你不能随便押人。我是有律师的啊。"

霍桑冷笑地说："有律师更好。这里有电话，你可以马上请你的律师来。"

陆健笙显然已没了主意。他并不想打电话，只向电话机瞧一瞧，仍向着霍桑说话：

"你……你有什么理由押我？"

霍桑向他瞅了一眼，答道："理由当然是有的，我本来还不想说，但为着倪探长执行他的职务便利起见，不妨就告诉你。第一点，昨夜里你的行踪不明。你在扬子旅社里的确是个老主顾，四一二号里，昨夜的确也有雀局。不过你不曾加入雀局，并且也不曾到过旅馆。"

霍桑说时两只严肃的眼睛始终盯在那个圆胖的脸上。不过圆胖脸上的那双灵活的眼睛，这时已不灵不活，更没有触接霍桑视线的勇气。他只凝视着地板上还没有干透的茶渍，暗暗在咬自己的嘴唇。

他勉强回答说："你弄错了，我……的确在那边。"

霍桑点点头："也好，这一点很容易证明，现在用不着说什么废话。第二点，昨夜里大雨以后，你明明进过王丽兰家里去，你却一再说送伊到门口，不曾下车——"

他不等霍桑说完，忙抢着说："笑话，我的确不曾下车。怎么能进伊的屋里去？"

霍桑缓缓说道："可是伊屋子里的地板上，还留着你的足印——你的皮鞋印。"

"我的皮鞋印？太奇怪了！"他的神气显得很惊惶，两条腿也在发抖。

霍桑仍自顾自说："我就为着这个奇怪点，要把你押起来。金寿兄，你看凭着这两层理由，连同他自己承认的，他对于王丽兰的妒恨的动机，把他暂时押一押，准备做进一步的侦查，总不能算违法吧？"

倪金寿攒蹙着眉峰，举着他的右手，用力搔他的下颔，分明他认为这是一种难得遭遇的僵局，他却没有方法打开。

陆健笙又瞧着他喘息地说："倪探长，这是没有的事！我可以用我的名誉做保证，我昨夜实在不曾进伊家里去！我可以立誓，我当真不曾进去！至于丽兰的死，我更绝对没有关系！天晓得！我……我实在不曾打死伊！我正要查明这个凶手！倪探长，你应得相信我。"他不但喘息，声调也颤抖了。

倪金寿在无可奈何之中逼出了两句勉强同情的话："陆先生，我也相信你不曾干这件事。不过霍先生所说的两点，的确也不容易解释。"他的眼睛瞧到霍桑脸上，似希望霍桑能给予一个可以转圜的表示。

这时我觉得霍桑的眼睛好像向倪金寿霎了一霎，这里面明明有一种暗示，不过一时间，我解释不出它的性质。

陆健笙又回头来向霍桑拱拱手，急促地说："霍先生，你别误会。我的确不曾打死丽兰，打死伊的人是谁，只要能查明白，我一定重重酬谢。霍先生，你……你千万不可误会。"

霍桑答复的语气已转缓了些："那么，你须得说实话，把这两个疑点解释清楚才好。"

倪金寿的紧蹙的眉毛松散了些，顺水推舟似的说："对，陆先生，只要你能把这两点解释明白，那就没有你的事。"

陆健笙的目光又垂下了，一只右手在捻淡灰呢袍子的钮子："唉，这个……这个……我不能解释……"他似咽了一口唾涎，忽又仰起头来瞧着倪金寿。他又减低了些声浪："唉，倪探长，那第一点我……可以告诉你……我总可以想法子证明白。那……那第二点我实在没法解释。我的确不曾下车，我——"

这时电话机上发出一串清脆的铃声，陆健笙的语声受了障碍，当然不能继续。那电话机在倪金寿的书桌的一端，距离我的座位很近。我就顺手将听筒拿起来。我这动作本来近乎越俎代庖，可是再巧没有，实际上我竟并没越俎。

有一个人很清楚地问说："你们是警察厅吗？我要找霍先生——霍桑先生。"

我觉得这声音很生疏，就含糊地应说："是的。你是谁？"

"我是阿根……我刚才打到你府上去，听说你也许在警察厅里——"

"阿根？你在哪里？"

"这里是亚东，我是七十一号阿根。霍先生，请你马上来，我有消息告诉你。"

我答应了一声，不再多说，便把电话挂断，站起来走到霍桑旁边，悄悄把这个消息告诉他。霍桑似早也猜到了八九分，一听我的报告，神气上突然兴奋。他向倪金寿点了头，倪金寿就走近去。霍桑附着他的耳朵说了几句，便向我招招手，首先向室门出去。

我跟着他走出了警察厅踏上汽车以后，霍桑用着敏捷的动作开动车轮，那紧张的状态依旧没有消逝。

他问我道："此刻你身边总带着枪了吧？"

我应道："是的，这是你楼上抽屉里的那支小枪。你想那七十一号可会已瞧见了赵伯雄？"

"大概如此。你身上还带着现钞吗？五六十元就行。"

"有，是不是付给七十一号的酬报？"

"是的，我不曾多带现钞。这家伙就为着我的诺言而努力，当然要现开销的，支票也许不相信。"

这时汽车的速率很快，几乎要超过规定的限度。我的神经也紧张到了相当的程度。

我又问道："你想这赵伯雄可就是凶手？"

霍桑答道："那还难说。但据我们已知道的事实而论，这个人确是这一出戏中的一个主要角色。"

因着局势的紧张，我们都不再多说。汽车驶到了亚东的侧门前停住。霍桑又戴上那副墨晶眼镜，粘上了假须，重新做一次临时化装。他走进了旅馆的门，他的右手插在藏青哔叽的短裤袋里，眼光便不时向左右流转，采取一种严重的警戒状态。我跟在后面，当然也小心翼翼。我们在电梯间门前站了一站。电梯降落时，放出来六七个人，我也曾仔细观察，不见有什么可疑人物。电梯一直升到七层楼，我们就走出来，一直到那甬道的西口，恰巧见那七十一号茶房走过来。霍桑忙一把拉住他的手臂。那阿根倒反而呆了一呆，显然霍桑的化装真有些效果。霍桑拉着他到起先我们谈话的转折处，便低声说话。

霍桑道："阿根，我就是霍桑。你已瞧见了他吗？"

那七十一号向霍桑端详了一下，才点头应道："是的，霍先生。他已改了装。他本来是穿西装的，我刚才见他，他穿着一件深蓝的毛葛袍子，头上戴一顶棕色呢帽——"

霍桑不等他说完，眼睛里好像迸出火花："嘴唇上是不是还有短须？还戴着眼镜？"

"对，霍先生，你也瞧见他了吗？"

霍桑不答，忽探头向转弯处望望，随即又回过来。我心头也突突乱跳。原来先一次，我们在这里谈话时，那个大摇大摆的人，就是赵伯雄，也就是开枪打霍桑的人。因着这案子的发展，似乎已从复杂而趋于简单，同时也由悬疑而进入紧张阶段。

霍桑又低声问道："你在哪里瞧见他？"

阿根也低声说道："就在这里——五层楼。"他用手指向下层指了一指："刚才我到五层楼去找小李，忽然瞧见这个人，我起初还不在意。不料他从我身边走过以后，又回过头来向我盯了一眼，才使我想起刚才我跟你在七七六号近边谈话时，也曾瞧见过他。我再一回想，便认得出这个人就是住在七七四号里的姓赵的。"

"你从什么上认得出是他？"

"他的下颌特别方阔，两只眼睛也有些吓人，这是我见惯的，而且他的身材也同样高大。不过当时我还不敢就相信是他。我找到了小李，才证明我没有瞧错——小李是五层楼的茶房，五十四号。"

"怎样证明？"

"小李说他是在十八号夜里两点钟光景到旅馆的。霍先生，我已告诉过你，他在十八号半夜以后冒雨回来，就整理了他的皮包，付了房钱，乘电梯下去。我还以为他已离开这里，谁知他不过换到了五层楼去。"

"他此刻住在五层楼几号？"

"五五六号，不过又换了一个姓，姓孙。"

"你在什么时候瞧见他的？——此刻快近十二点了。"

"还不到一刻钟。我一瞧见他，马上赶上来，打电话到你府上去。"

霍桑挥一挥手，似阻止他不必再说。他继续问道："你在什么地点瞧见他的？在房间里面，还是外面？"

阿根道："外面。他刚才从五五六号出来。"

"一个人吗？"

"是的，好像是向电梯门那边去的，此刻也许不在房间里。不过我看见他空着手出来，一定不是搬走。"

霍桑不再说话，向我点点头。我知道他要付酬报了，我便摸出皮夹，拣出十张十元的法币给霍桑。霍桑接过，顺手向阿根的手中一塞。那茶房自然有一番假意的推辞。

霍桑便止住他说："别客气。现在你到下面去找你的朋友小李，问他这姓孙的有没有回来，再告诉他如果我们要开门，叫他尽可放心给我们便利。"

阿根连连点了点头，回身就走。

霍桑又唤住他道："且慢，你停一会儿瞧见了我，不必招呼。他在不在，给我一个暗号好了。"

七十一号又点点头，不发一言，就向楼梯口那面走去。霍桑又附着我的耳朵说话：

"你先跟他下去，小心些，不要太接近。我打一个电话就来。"

霍桑说完，就回身进那甬道的西口里去。我也就跟着阿根所走的方向，从水泥的楼梯下去。阿根走得很快，我走到第六层时，还不曾追着他，到了第五层，仍不见阿根的影踪。我索性放慢了步子，缓缓进入甬道，找寻那五五六号房间。这房间的地位比较曲折，我转了两个弯，方才找到。那房门关着，门外也没有人。我当然不便就去敲门，但把耳朵凑在门上听了一听，里面似乎没有声音。我向左右瞧瞧，甬道中并没有人来往。我就蹲下身子，把眼睛凑到门上的钥匙孔上，向房间里张望。

里面的光线不很充足，也瞧不见什么，我的身子站直的时候，忽听得地毯上轻微的脚声，回头一瞧，有一个女子正从西面走过来。我若无其事地旋转身子，退回来，和那女子擦身而过。伊的眼光在瞧房间的号数，分明不注意我。我回头瞧瞧，见伊走进五五四号里去。我回到甬道口时，才瞧见七十一号的阿根，正在跟另一个身材短小的茶房密谈。阿根也瞧见了我，却并不跟我招呼，只微微摇了摇头。我知道这是个赵伯雄不在里面的暗号。那个身材短小的五十四号茶房，一定就是小李。他也向我瞧了一眼，分明阿根已将我介绍给他了。

我回到楼梯口时，霍桑正从六层楼下来。我也向他摇摇头。霍桑见左右无人，便低声向我说话：

"他不在房间里也好。我想先进去瞧瞧。不过你不必进去，最好找一个适当的地点守候着，万一他突然回来，我们两个可以内外接应。"

我答应了。霍桑就走到那两个茶房跟前。阿根见了霍桑，照样又摇摇头，随即转身向楼梯口走去。霍桑向着那小李附耳说了一句，小李就跟着我们走。霍桑一路瞧着房间的号数，走到第二个转折处，他向我努一努嘴。我马上立定，让小李跟霍桑前进。这地点是到五五六号的必经之路，离这转折处不远，有一个窗口，我就靠着这窗口站住。我觉得这地点不很方便，如果我站住了不动，人家见了，很容易引起疑心，可是我又不能选择一个更妥密的地位。

一会儿那小李已回来，他已给霍桑开了五五六号房间，便独自退回来。我走到转折处瞧瞧，霍桑果然已经进去，房门也关上了。可是我再回头一瞧，远远地有一个穿中装的人从甬道的第一个转折处摇摇摆摆地过来。这个人距离还远，我虽瞧不清楚，但估量他的轮廓，好像就是赵伯雄。

捉住了两个人

这时我当然不能站定。我索性跟在小李的后面，迎着那来人走去。我的心房似有些异样，但仍保持着镇静。我的头低沉着，我的手插在衣袋里，握住了那支小手枪，我的步子故意放得缓慢。

我和那来人相隔只有五六步远了，我随意地抬头一瞧，见那身材高大的人，穿着一件深青毛葛长夹袍，头上棕色的呢帽，帽边压得很低，他的眼镜是浅茶色的，嘴唇上依旧留着短须。他的脚上穿一双尖头式的紫色皮鞋，他的下颌也果真是方阔的。这个人真是赵伯雄！

那小李既然走在我的前面，当然是要比我先和他接触。那赵伯雄忽扬一扬手，向小李说："开门。"

小李站住了呆了一呆，好像一时答不出话。他顿了一顿，才吞吐地说："门开着。有……有一个朋友在里面。"

小李的一呆一顿，当然会引起那人的疑心。他也立定了脚步，踌躇了一下。

他问道："有一个朋友？姓什么？"

小李又勉强地回答："他……他没有说。他说要找先生你，叫我开了门……他是个穿西装的，有些黑须……"

这个时候我也已走近他的身旁，情势上不容我留顿，只能继续前进。我可能退回去通知霍桑吗？那当然不可能。其实霍桑既然有过内外接应的话，一定也用不着我去通知。当我和他擦身而过的时候，我觉得他的眼角里也在瞧我。我当然不便回瞧他，不过我相信我周身的神经这时已全部紧张，尤其是我的听觉神经特别敏锐。

他又继续问道："一个人吗？"

小李好像没有回答，那回答大概是用头的动作表示的。

赵伯雄继续发问："来了多少时候？"

"才来——不到五分钟。"这是小李的答话，我背着脸听得的。

我不再听得那人说话，但听得他的皮鞋脚步加速地前进。我仍和他背道而行，但我的步子和他的步子的速度恰正成了反比例。一会儿他的脚声已听不见了。我估量他已转了弯。我突然旋转身来，几乎跟小李撞个满怀，吓得他倒退一步。我忙摇摇手，暗示他不要声张，便用着阔大而轻捷的脚步，一直窜到那转折处。我立即把身子蹲下，探头瞧向五五六号的门口。赵伯雄也正偻着身子，把耳朵贴在房门上倾听。他显然已怀疑房间里的朋友不是他的真朋友。他的身子站直了，略略沉吟了一下，他的右手忽而迅速地伸进他的衣袋里去。我从转折处望过去，虽有近十码的距离，那边的光线也不很亮，但我仍瞧见他的右手从手袋里拔出来时，已拿着一支黑色的手枪！

他又站直了考量了一下，随即将左手握在房门钮上。他的手握住了门钮以后，好像停留了两三秒钟，重又犹豫不决。其实这不是停留，他分明在那里缓缓旋动，企图不让里面的霍桑发觉他在门外面的行动，以便突如其来地扑进去。

这是个紧张关头，我当然不能再静伏了！我放开脚步，直奔过去。我的手枪早也离了衣袋。等我奔到五五六号门口时，赵伯雄已把门开了一半，他的左脚跨进了门口，右脚还在门外，他的执枪的右手，却停留在将举未举的尴尬姿态上，我忙举起手枪，抵在他背后的脊骨部分，嘴唇里同时发出一种低沉而有力的命令：

"别动手！"

这时忽有一串咯咯的笑声，直刺我的耳朵。那笑声只增加了我的兴奋。原来发笑的是霍桑。霍桑正站在门口的里面，因着赵伯雄的个子高阔，把霍桑掩蔽着，故而我不曾瞧见。

说也可笑，霍桑的手枪也正抵在赵伯雄的胸口，故而前后夹攻，已使他没有动弹的可能。不过万一他或我当真地开枪，枪弹透过了赵伯雄，霍桑或我一定也可能分尝这流弹余味。我不能不佩服霍桑的机敏。他分明早已觉察门外有人，等到赵伯雄在外面旋门钮的时候，霍桑大概已先伏在门后，故而等门一开，他就立刻把赵伯雄控制着，使他没有发枪的可能。霍桑的笑声终了以后，便伸出左手，将赵伯雄右手里的手枪迅速地夺去。

他用一种愉快的声浪说道："赵先生——唉，孙先生，请进来。"同时他把自己的手枪也收了回去。

我觉得那赵伯雄并不接受霍桑的邀请，仍不进不出地僵立在门口，幸亏这时候这部分的房间并没有人出进，否则这种状态自然会引起意外的纷扰。我把枪口抵着赵伯雄的脊骨，用力向里面一推，使他不能不移动脚步。我也跟着进去，反手将门关上。我到了里面，我的手枪仍旧抵在他的背部。这完全是出于小心起见，因为我觉得赵伯雄的身材比我高出很多，他的肩膊的阔度也像超出霍桑，如果徒手搏斗，我们两个人要制服他，也免不掉要有相当的麻烦。霍桑正在查验那支夺得的手枪的弹囊。

一会儿，他点点头说："正是，这里还有七颗，子弹是 .45 口径，那少掉的两颗，一颗是打王丽兰的，一颗是你孝敬我的，赵先生，对不对！——唉，你今天是叫孙先生，明天也许会姓李，反正都是化名，我就称你赵先生吧。好不好？"

我把枪管渐渐移动到了他前面的腰部。我瞧见赵伯雄那双浓眉底下的可怕的眼睛，发射出一种有杀人可能的凶光，凝视在霍桑脸上。他的嘴唇紧闭着，越显得他的下颌方阔。他也和先前的余甘棠一样，采取静默的态度，但他的神气上却没有恐惧的样子。

霍桑又说道："赵先生，你能不能坦白些，把你经过的事情自动地解释一下？还是你一定要到了另一个地点才肯说话？"

赵伯雄依旧没有说话，却把严冷的目光移转到我的身上。

霍桑把自己的假须和黑眼镜除掉了，放在袋里，一边说道："我想你总认识我。敝姓霍，单名一个桑字。这一位是包朗先生，你总也听得过。我们还是用真面目相见。好不好？"

霍桑举起右手，好像要给他除掉嘴唇上的假须。赵伯雄忽自动举起右手，先除了眼镜，又在自己嘴唇上一揭，那假须立即落在他的手里。他自动开口了。

他发出一种冷涩的声浪，说道："你们是私家侦探？是不是？"

霍桑微微弯一弯腰，脸上露着微笑，却不答话，眼睛在瞧赵伯雄的皮鞋。

他又说："你们凭着什么理由，竟用武器控制我？侵害我的自由？"他顺手将眼镜等向旁边的桌面上一丢。

霍桑仍带着笑容说道："我已说过了啊，就为着那两粒子弹。一粒子弹你打死了王丽兰——"

赵伯雄不等霍桑说完，忽发出一声冷笑，附带的是他的鼻子里一声"哼"。这一笑一哼，含着一股冷峭的意味，似乎比答语还有力量，竟使霍桑怔了一怔。

霍桑诧异道："什么，我说错了吗？"

赵伯雄露着一种轻鄙的神气，自言自语地说："好一个独具只眼的大侦探！"

正在这时候，房门突然推开，倪金寿直闯进来。他手里也执着手枪，后面还跟着两个身材魁梧的探员。我觉得我的任务可以告一个段落，便将我的手枪收回了。

霍桑点点头说："倪探长，我早饭也没有吃，五脏殿快闹翻了。这个人交给你吧……包朗，你虽吃过粥，可是你的神经紧张了半天，也得休息一下哩。走吧。"

他和我走到门口，他又站住了旋转头去向倪金寿说话：

"倪探长，桌子上的那柄手枪，缺少两颗子弹，你收好了。"他又要走出去的样子，忽又再度停留："喂，他身上也许还有第二支枪，你得小心些。"他说完了才首先走出门去。

当我跟他出门口的时候，也回头瞧一瞧。倪金寿仍把手枪对着赵伯雄，两个探伙早已分立在赵伯雄的左右，一个开始搜索，另一个已摸出一副光亮的钢镯，正要套到赵伯雄的腕上去。赵伯雄却并没有抗拒的倾向。

我跟着霍桑离开亚东踏上他的汽车的时候，心中感到一种难以形容的愉快和松爽，因为这件案子逐步开展，连续着把三个嫌疑人——余甘棠，陆健笙，赵伯雄———一收进了法网，这件疑案总可以告一个段落，尤其是这赵伯雄的被拘，使我存在着一种这案子有立即结束的希望。因为这三个人中间，他是嫌疑最大和最凶暴的一个。但瞧他曾开枪袭击霍桑，也是一个显然的证据。不料我的得意的情绪，在霍桑方面，却得不到任何确证。他将汽车开动以后，脸色很沉着，两只手把握在司机盘上，眼睛注视着前路，脸上的肌肉也冷冰冰地紧张着。我仔细地检视，却找不到一丝他内心里松爽的反应。我禁不住暗暗诧异。因为他这种神态，和我的期望完全是相反的。

一会儿，我耐不住问道："霍桑，你看这案子怎么样？不是快结束了吗？"

"还远。"他依旧注视在街路的前向，语声也很冷淡。

我诧异说："还远？什么意思？这个人难道还不是正凶吗？"我见他瞧着驾驶盘不答，好像没有听得，我又问道："那么，你刚才在五五六号里可曾搜得什么？"

他又简短地答道："没有什么。你别多说，此刻很不容易驾驶。"

他所说的驾驶，当然是指汽车说的。这时恰当午膳时分——下写字间的时间，街路上的确车如流水。他禁止我发言，好像就凭着多说话会分心肇祸的理由。其实我觉得这明明是托词。他的驾驶术很精，在喧闹区域，他一边驶车，一边谈笑，我经验得已多。这时他用这个理由不许我发问，当然瞒不过我。奇怪，案子的情势既然步步顺利，霍桑怎么反而显得更严重紧张呀？

我耐足了性，在路中一路保守静默。等到汽车驶到爱文路寓所门前，我又暗暗欢喜，料想他到了寓里，总不能再做缄口的金人。因为他所说的"还远"两个字，的确使我感到莫名其妙。

施桂带着欢喜的面容迎接我们俩到了里面。苏妈也早已布置好餐桌，端上饭来。霍桑放下了帽子，马上就坐到餐桌上去，又给我当头浇了一桶冷水："包朗，快吃饭，有话等一会儿谈。"

孔老夫子"食不言"的格言，霍桑平日是并不遵守的。这时他却不让我在吃饭时发话，这究竟是什么意思呢？难道他果真饥饿已极，口无二用，忙着要吃饭吗？并不，因为他举筷以后，只匆匆地吃了一浅碗饭，跟他平日的饭量比较，只够得上一个倒四折。他放了筷，坐到那只他常坐的沙发上去。我本来并不很饥，又受了他的影响，饭量当然也大打折扣。当苏妈进来收拾碗筷的时候，也带着诧异的面孔，不过伊见了霍桑脸上那种严冷的神气，却不敢多嘴。一会儿，我们俩都已烧着了纸烟。我的被遏制的疑问终于耐不住了：

"霍桑，这到底是什么一回事？据我看来，这案子进展得非常顺利。你怎么反而满脸心事？"

霍桑吐了口烟，瞧着地板答道："我受不住他的一阵冷笑。"

我忙道："他的冷笑？你说赵伯雄吗？"

霍桑点点头，并不答话。

我又说："奇怪，他笑一笑，竟使你这样气闷。你竟跟他斗气？你不是常说当侦探的人，应得把握着理智，不能受感情的支配？现在你因着他的一声冷笑，竟会如此，那岂不是笑话？"

霍桑皱着双眉，摇头说："你误会了。他的冷笑，只是我烦恼的诱因，那主因还在案子的本身。唉，这案子真复杂呢。"

"虽然，现在这案子不是将近结束了吗？"

"结束？还差得远呢！"

"我真不懂。这三个嫌疑人既然都已提住，眼前的工作，只需想一个方法叫他们一一实供——"

霍桑忽把夹着纸烟的右手摇了一摇："这样容易？包朗，你别心急。这件案子绝不是像你所估量的那么简单，至多只可说完成了一半。须知你所说的三个嫌疑人，也许终于'只有嫌疑'，那你怎么能够马上结束？"

我放了纸烟，惊异道："什么？莫非这三个人都没有行凶的可能吗——连那个赵伯雄也没有可能吗？"

霍桑丢了烟尾，答道："眼前我们要研究的，已不是可能问题，而是事实问题。老实说，在事实上我却没有把握。那有什么用？"

我觉得霍桑的话太含糊而且太突兀，真使我想象不出。可是这时我的发问的机会又被阻扰，电话的铃声响了。霍桑忙站起来接电话。这电话的结果，似乎并不曾加重他的烦闷。因为他回到沙发上去时，他脸上的肌肉好像比先前松弛了些。

他自动地告诉我说："这是秦默斋打来的。他说白医官已从真茹回来，一两个钟头以内，便可报告我剖验的结果。"

他的说话刚完，门铃又接着响动，不多一会儿，施桂已领了姜安娜进来。

伊已换了一件纯蓝色的印度绸旗袍，手里提着的一只手夹，也同样是蓝色的，嘴唇和面颊上的红色，也已减除了不少火气。

伊走进办公室时，向霍桑和我都弯着些腰，点点头，脸上带着不很自然的微笑，代替了先前的那股虚骄之气。我暗忖早晨时霍桑所给予的教训，想不到竟会有这样迅速的收获。霍桑和我当然也站起来跟伊招呼。大家坐定以后，伊的称呼措辞也加上了礼貌的外套。

伊说道："霍先生，包先生，这件事很劳你们的神。你们总已到丽兰家里去察勘过了吧？可已得到什么线索？"

霍桑答道："线索已有几条，又已捉住了两个人。不过我正要跟你谈一谈。你来得正好。"

我听霍桑的语气，分明不愿把我们刚才到伊寓里去敲门的一回事说破，伊当然也不会知道敲门的人就是霍桑。

姜安娜问道："霍先生，我本来有些意思要告诉你。现在你既然实地察勘了一回，又已有了几条线索，那么不妨说出来合一合。"

霍桑点点头道："我想先听听你的意思。姜小姐，你想这件事是什么人干的？"

姜安娜略略迟疑了一下："我看那小余很有可疑。"

"小余？余甘棠吗？你有什么理由？"

"他最近跟丽兰闹翻了。起初他们是火一般热的。最近丽兰交识了一个姓赵的，那小余便闹着醋劲，曾向丽兰说过许多可怕的话，丽兰都曾告诉我。现在丽兰突然间被人打死，我不能不疑心他。霍先生，你对这个人可曾查明什么？他的行动上也有行凶的可能吗？"

霍桑点头道："有的，他在行动上确有可疑的地方。现在他已被押在警署里。"

安娜惊喜地说："唉，那好极。这个人太没良心。丽兰起先迷恋着他，待他非常好。他一翻脸便会这样，那简直太可恶。霍先生，他已招认了没有？"

霍桑摇头道："还没有。你可知道丽兰和小余相交已有多少时候？"

"那是今年春天相识的——总有三四个月了吧？"

"你说他们本来是火一般热，那么，丽兰为什么现在又会抛弃他而另外交识姓赵的？"

那女子抬起目光向霍桑和我两个人转了一转，便垂下了些，好像有些踌躇，又像有些害羞："这个我不知道。我也有些奇怪，那姓赵的我见过几次，人品既然不及小余，又不像有……"

"有什么？"

"有……有……钱。"伊的头更低沉了。

伊虽是这样一个相当堕落的女子，竟也会有这种表示，不能不使我相信孟子所说"羞恶之心人皆有之"的话，的确有着心理根据。

霍桑又道："那么，丽兰和那姓赵的关系究竟到了怎样的程度？你知道吗？"

安娜摇头道："不知道。丽兰对于那姓赵的从不曾跟我细谈过。我只知道他们的交识还是最近的事。"

霍桑顿了一顿，又突然问道："你想这姓赵的会不会打死丽兰？"

姜安娜怔了一怔，抬起头来，惊异地问道："他吗？我不知道。我想他不会吧？因为他们俩交识还不久，感情上当然还很热，而且丽兰和小余闹翻，就为的是他。他怎么会打死伊？"

霍桑点头道："是的，这的确是一个矛盾。不过事实上他的嫌疑比小余更重。"

"奇怪。霍先生，你已见过这姓赵的吗？"

"见过了，他还曾开枪打我。"

姜安娜又浮现出惊惶的神气："哎哟！我很抱歉！你受伤了吗？"

霍桑摇摇头："没有，这个人现在也捉住了。"

姜安娜道："那好极。霍先生，我并没有成见，只要捉住那个真凶，给丽兰申冤，同时也让我们当舞女的有一个保障就行。我疑心小余，也只是我的猜想罢了。"

霍桑道："那么，除了这两个人以外，你想还有没有其他可疑的人？"

姜安娜注视着地板，似在竭力思索，一时间又像没有头绪。

我禁不住自动地给伊一个提示。我说道："那个陆健笙怎么样？他会不会打死丽兰？"

安娜抬起头来瞧着我，答道："陆健笙？陆经理吗？我不知道。"伊顿了一顿，又说："丽兰跟小余的关系，向来是瞒着陆经理的。伊自以为很秘密，莫非现在已给他看破……"

霍桑忽向我摇一摇头，自顾自提出新的问题："姜小姐，你可知道丽兰有个表兄，叫李守琦？"

安娜呆了一呆，点头道："知道的。他不单是丽兰的表兄，而且还是伊的未婚夫。"

霍桑本来把背靠着椅背，坐得很舒适的，这时他突然挺直了身子，眼光也闪动了一下。这是个新的情报，我也不能不有些惊奇。不过如果再牵引开去，我不能不承认霍桑所说的案情复杂，当真也"言之有因"了。

霍桑仍用镇静的声音，说道："喔，他是丽兰的未婚夫？你能不能说得详细些？"

姜安娜道："据丽兰告诉我，这李守琦是伊的姑父的儿子，他们从小就在一起的。霍先生，你总知道丽兰是伊的姑父李芝范抚养长大的，因此伊从小就许配给守琦。自从丽兰到上海以后，伊的眼光自然转变了。那李守琦是当小学教员的，每月只挣二三十块钱，在丽兰眼里，自然再看不上。"

霍桑见安娜停顿着不说，便接续伊的语气，说道："因此丽兰就主张退婚。对不对？"

安娜点头道："对，不过这件事至今没有办妥。前年秋天，伊的姑父和他的儿子到上海来，就要丽兰回去成亲。丽兰当然不肯，伊还提出退婚的意思，情愿承担些损失费。守琦也不答应，这件事就搁僵了。去年也有朋友们劝丽兰提起法律诉讼，丽兰却有些不好意思，故而至今延搁着。霍先生，你的意思，难道说这件事李守琦也有关系吗？"

霍桑又把身子靠着椅背，两手抱着右膝，停着目光，深思似的答道："还难说，也许有的。因为这李守琦最近又到过上海，和丽兰谈过一谈。这回事你可知道吗？"

安娜摇头道："不知道。他几时来的？"

"前天十七日中饭时到的，在丽兰家里住了一夜，据说是昨天十八日一清早回苏州的。"

"有这事？丽兰怎么不告诉我？"

霍桑又问道："你在什么时候最后瞧见丽兰？"

安娜立即答道："昨天下午两点钟光景，我到伊家里去，邀伊去看明星照片展览会，伊不答应。那时伊不曾提起这件事。"

"伊可曾对你说什么话，或有什么异常的表示？"

"我觉得伊好像有什么心事。伊躺在沙发上吸纸烟，告诉我有些头痛，说话也不多。我也曾问过伊，伊不说什么。所以我不曾坐定，就回出来。"

霍桑点了点头，放下了右腿，立起来说道："姜小姐，这件事很复杂，案子里有嫌疑的人很多，现在我还无法决定是谁。我总尽我的力。如果能够解决，马上会通知你。"

姜安娜也领会到霍桑已有送客的意思，便也把搁在膝上的蓝皮手夹拿在手里，盈盈地站起来："好，谢谢霍先生。"

伊又向我们点点头，正要回身走出门口，霍桑又唤住伊。

他道："姜小姐，还有一句话。你可知道丽兰的钱，有哪几个来源？"

姜安娜停了脚步，呆了一呆："钱的来源？自然是陆经理啊。我知道小余是不会花钱的，丽兰反而常给他做衣服。那个姓赵的也不像有钱。"

霍桑点点头："好，我知道了。再会。"

姜安娜咯咯的皮鞋声才刚走出大门，我还来不及开口跟霍桑讨论这新发展的案情，那施桂忽又领进了两个人来。一个是倪金寿的助手许三，后面一个就是余甘棠。

这两个人来得有些突兀，但霍桑却并无诧异之色，仍有礼貌地招待他们坐下。

许三说："霍先生，这家伙吵着要见你——已经有一个多钟头了。他说他情愿自己供出来，不过要跟你说，所以他一定要见你。我们当然不答应他。直到倪探长回了警厅，才叫我陪了他来。"

霍桑把眼光瞧到余甘棠身上。余甘棠虽说已经坐下，实际上他的臀部只搁在椅子的一角，上身完全挺直，眼睛里也露出一种期望和急切的光彩。

霍桑问道："余先生，你要见我有什么事？"

那少年忙着答道："霍先生，你叫我甘棠好了，不敢当。我……我有话要跟你说。"

霍桑微笑着应道："可是关系这件凶案的话？你在警厅里为什么不肯说？"

余甘棠向许三瞅了一眼，才道："我不愿意跟他们说。他们口口声声说我打死丽兰，简直是诬陷我！他们都是……都是些——"

霍桑预料到这少年以下的措辞，也许会使旁边的那位探员感觉难堪，忙抢着说道："你要跟我说什么？快说，别另生枝节。"

余甘棠直接答道："我要告诉你，我不是凶手，我不曾打死王丽兰。打死伊的是赵伯雄！"他说这几句话的时候，声音很坚决，脸上也有相称的表示。

霍桑毫无惊异的神气，仍淡淡地说："你这话谅必是真的。不过你得分开讲：第一，你先解释你自己不是凶手。"

余甘棠的神气似乎振作了些，点点头，很兴奋地应道："好。我来说明白。丽兰向来是爱我的，我也爱伊——"

这时我忽觉有些肉麻，有一句按捺不住的话，直从我的心坎中上升，终于冲破了我的喉关吐出来：

"爱你？爱伊？这是什么样的爱？你在大学里研究的，大概是恋爱专科，这是你新创立的恋爱哲学吧！"

余甘棠的热情，好像一块炽红的炭陡然间落在水缸里。他只向我瞥了一瞥，没有勇气向我注视，便低沉了头静默着。

霍桑微笑着说道："这原不称其为爱。不过现在我们为明了案情起见，只好让这个'爱'字暂时受些侮辱。甘棠兄，说下去。"

余甘棠继续说话的时候，已把他的热情遏制着，声音也低弱得多了，而且他在竭力地避免这个"爱"字。

他说道："我们本来很相好，就因着这个赵伯雄，伊才冷淡我。我约伊去玩，伊总是推辞。有一次我约伊看电影，伊说头痛不去，可是就在那天，我在电影院里瞧见伊和赵伯雄在一起。后来我在伊家里碰见这姓赵的，大家就吵起来，丽兰却帮他说话。我曾尾随这家伙的踪迹，才知道他住在亚东七七四号。在十七日那天，有朋友告诉我，上夜里瞧见丽兰到亚东七楼七七四号里去。经我在十七日夜间到旅馆中去调查以后，果真确实。昨天早晨，我打电话去问丽兰，伊也老实承认。我当真曾向伊说过几句恐吓的话，刚才警厅里那姓倪的所说关于我的一切行动，的确都是事实，我用不着抵赖。不过我对于丽兰，只想吓伊一吓，让伊断绝那姓赵的。我并没有打死伊的意思——这是绝对没有的。因为我知道伊虽然这样子浪漫，伊的心还是……还是……属于我的。"

霍桑唇角上露着微笑，好像在笑他避忌这个"爱"字，的确用着十二分的力量。他仍淡淡地问道："你既然没有打死伊的意思，为什么向你的朋友宋元麒去借手枪？"

余甘棠急忙答道："这不是要打死丽兰，老实说，我要找那姓赵的算账。我到伊家里去探听，也为的是他。我觉得我和他势不两立！"

惊人消息

余甘棠说到这末了几句话时，他心底里的热情又冒上了脸，不期然而然地现着一种声色俱厉的姿态，好像一个战场上的勇士，正要准备跟敌人肉搏的样子。霍桑凝视着他，唇角上的微笑逐渐地消散，他的面容变得很严肃了。我趁他沉默的机会，又不禁向这放浪的少年直言申斥。

我冷冷地说："好一个势不两立！好勇气！你知道这是个什么时代？你是个青年，负着什么使命？如果你把这种勇气用来应付一切艰难的学问，人群福利的争取和人生途程上的一切困难问题，那我不能不向你致敬。现在你想想，你的勇气用在什么方面呢？这只是一种单纯的——还谈不到恋爱——色情问题，你却竟漠视了生命，名誉，父母，国家，准备拼着命去杀人自杀！"

我自己觉得这几句话说得不无过火，但实在是由于"情不自禁"。霍桑虽不发言，却是一声长叹，分明对于我的插嘴也表示同情。那少年的"声色俱厉"，一刹那间又变得"声色俱怯"了。他已没有勇气瞧我，答话时的声浪也颤动得厉害：

"霍先生，我现在已知道这是错误的，否则我也不会来见你。不过我实在没有杀人。霍先生，你到底相信我吗？"

霍桑既不肯定，也不否定，仍自顾自说道："你说下去。昨夜你自己的行动，还不曾解释明白。"

余甘棠答道："好，我告诉你。昨夜我陪一个同学在金都戏院看电影，散出来后，吃了些点心，我陪送伊回去——"

"伊？是个女同学吗？——唉，你真忙哪！好，说下去。"

"我们雇了一辆汽车，曾经过丽兰家的门口。我曾瞧见赵伯雄伏在那门外的短墙外面。"

霍桑又突然剪住他说："你瞧见他的？——那是什么时候？"

余甘棠略略踌躇了一下，答道："大概在十二点左右。因为电影院十一点半不到就散，吃点心也耽搁不到半个钟头。"

霍桑点点头："好，你说得仔细些。你的确瞧见赵伯雄，不会错误吗？"

余甘棠答道："我虽只瞧见他的背形，但决不会瞧错。那时我就大起疑心，但因着那个女同学在旁边，雨又下得很大，故而不便停车。我回到宿舍以后，越想越疑，实在睡不熟，因此我重新从宿舍里出来，到丽兰家去，想瞧瞧究竟有没有变故。我到伊家里时，楼下的会客室中没有灯光，但餐室中电灯依旧亮着，金梅也在楼下没有睡。我知道已出了岔子。我想走进去时，金梅恰从餐室中走出，瞧见了我，向我挥挥手。我就没有进去。"

霍桑向我瞧瞧，我也略略点点头，表示我对于这女仆有同样的怀疑。他又继续问道："那时你可曾和金梅交谈？"

那少年道："没有，伊只在里面向我挥手。我得了伊的暗号，觉得进去一定有什么不方便，当然更没有和伊交谈的机会。我便又退回宿舍去，心中明知丽兰一定出了什么岔子，所以更不能合眼。今天一清早，我就赶到昌明里我的朋友宋元麒家里去，想跟他商量一下，再定进行的办法。元麒还没有起身，等了好久，我才能开始和他密谈。我把经过的情形，完全告诉了他，他却劝我不要过问这件事。他料想这件事也许会闹大，我犯不着牵连进去。现在想想，他的忠告的确很有意思，但当时我只觉得他不够朋友，不肯帮我的忙。我曾和他辩论了好一会儿，始终没有结果。我定意再要到丽兰家去，他却竭力阻止我，又留我在他那里进了早餐。我再三考虑，觉得无论如何，我不能袖手旁观。所以我终于不听元麒的劝阻，又到青蒲路去。我赶到伊家里时，丽兰的尸体，恰巧从门里抬出来。我确曾冒险把单被揭开了瞧瞧，才知丽兰果真被人打死——已被赵伯雄打死。"

余甘棠略略停顿了一下。他的眼睛里又射出怒火的光焰，向霍桑凝视了一下，又把目光移开去，好像以下的话又有些难于出口。霍桑似已透视到他的心事，便代替他接续下去。

霍桑道："那时你既已认定赵伯雄打死了丽兰，便决意为伊报仇；你重新去看宋元麒，坚持要向他借手枪；他仍不肯答应，竭力劝阻你，你竟像发疯似的吵起来，非借不可；他没有办法，才借给你一支没有子弹的空手枪——"

余甘棠仿佛触了电，突然抬起头来，把惊异的目光瞧着霍桑："什么？他借给我的是空手枪？没有子弹的空手枪？——霍先生，当真吗？你怎么知道？"他的语声中满含着怀疑的调子。

霍桑缓缓地点着头，答道："是的。真的，不过你还不知道。你的朋友宋元麒已完全告诉我。他真有急智，说的话也实在。那支手枪，刚才我在警厅里已经瞧过，那枪膛的确完全是空的。不过你当时一心想要去找赵伯雄为难，你整个的身体，已被疯狂的感情所支配，拿着枪就走，自然想不到把枪膛查看一下。"

余甘棠醒悟道："原来如此！我真想不到元麒会弄这个乖巧。他真是个——"

霍桑忙接口道："真是个忠实的好朋友，目的在挽救你，对不对？你现在应当明白了啊。"

余甘棠低沉了头，两只手用力地交握着："对，是的，他是好意，要想把我从泥潭中拔出来。不过……不过当时我委实不曾想到他会有这一着。"

霍桑道："要是当时你知道了这一着，也许会跟他拼命吧？哈哈……好，以后你的行动，我也都已知道。你拿了手枪，就赶到亚东七七四号去找赵伯雄，找不着，你又回到宋元麒家里去。元麒倒是个有识见懂利害的青年。他又再三劝你，告诉你这件事你犯不着冒险，可是你还是执迷不悟。后来你又带了空枪，再想去找赵伯雄，可是走出昌明里口，就被倪探长捉住。对不对？"

余甘棠连连点头道："是的，霍先生，现在你总可以相信我，王丽兰不是我打死的。"

霍桑不答，但微微点了点头。他又问道："我还有一句话要问你。昨夜你的汽车经过丽兰家时，除了瞧见赵伯雄伏在短墙外面的背形以外，可还曾瞧见过其他的人物？"

余甘棠疑迟道："没有什么。我只瞧见伊的会客室里灯光亮着。……唉，我记得了，伊屋子的西面，好像还停着一辆汽车。"

"那汽车是什么颜色的？汽车里有没有人？"

"这个我不曾留意，说不出。"

"那时丽兰的会客室中有什么人，你当然也不会瞧见。"

"我不曾瞧见，因为汽车驶得很快。"

霍桑听到这里，就立起身来："好，你去吧，别的话再谈。"

那枯坐了好久的许三也站起来挺了挺腰。

余甘棠也立起身来，睁大了眼睛，惊喜地说道："霍先生，你放我回去吗？"

霍桑摇摇头："不，我叫你回警厅去。"

余甘棠又失望了："霍先生，你既然相信我不曾行凶，怎么还不让我自由？"

霍桑沉下了脸，答道："自由？有这样容易？你现在也知道自由的宝贵了吗？可是太迟了些。你是个知识分子，竟会干得出这种荒唐，堕落，和近于自杀的勾当。那你怎能不付出代价？"

余甘棠道："霍先生，现在我明白了。以后我决计好好地做一个人。我既然没有杀人——"

霍桑抢着说："你至少总有杀人的企图。"他旋转来，向那探员说："许三兄，你带着他回厅里去吧。倪探长如果准备要向赵伯雄问供，请通知我一声，我也想来听听。"

许三点点头，便向余甘棠噘一噘嘴，叫他先走。那少年便懊丧地向那办公室的门口走去。但他还没有走出门口，那许三忽抢前一步，伸出手去拦住他："霍先生，倪探长关照我通知你一声，那陆健笙已说明他昨夜不到扬子旅社去的原因。他在另外一个女朋友家里打牌，地点是大沽路九号，姓干，不过这事是秘密的。他在临走的时候，再三请求倪探长恳求你不要把他的事实登在报上。倪探长已经答应他。"

霍桑点了点头，嘴唇上浮出一丝微笑。许三就押着那少年出去。霍桑不曾送出去。不一会儿，门外的汽车声音响动，分明余甘棠已被押回去了。我不等霍桑坐定，便忙着向霍桑质问。

我道："霍桑，那陆健笙怎么样？我听许三的口气，好像他已经走了。"

霍桑慢慢地坐下来，答道："是的，那是我叫倪金寿放他走的，让他卖一个面子。"

我诧异道："这个人本来没有关系吗？"

"我想没有——在情势上，他不会打死王丽兰。后来他说话时的声音状态，也给予我同样的印象。"

"但你在警厅里对付他的那种态度，却并不和你此刻所说的一致。"

霍桑嘴唇上的有含意的微笑又一度显现："那是他的那副势利架子的反应。我想煞煞他的骄气。你总知道我生平最厌恶势利！"

我又道："不过他的足印又怎样解释？他的那双圆头的皮鞋，尺寸不是和地板上的甲印相同吗？他虽说昨夜里不曾进丽兰家里去，但他的脚印怎么会留在尸屋里面？"

霍桑的笑容消失了，代替的是一种凝目皱眉的苦思神态。他顿了一顿，缓缓地说："这个问题固然还不能解释，不过暂时放他去也没有关系。他也跑不了。"他的眼光在书桌面上停留了好一会儿，忽又回过来瞧着我说："包朗，你总也瞧见，那看门的老毛也穿着一双皮鞋。那皮鞋虽已破旧，但也是圆头的，尺寸似乎也不小，是不是？"

我点头道："是的。那么，你想这个甲印是老毛留下的吗？"

霍桑忽然站起来，摇着头，自言自语说："我不知道。我委实还解释不出。"他把两只手放在背后交握着，开始在办公室中低着头踱来踱去，显见他又已陷入深思状态。

室中静默了一会儿，霍桑仍没有什么表示。我又有些忍耐不住：

"霍桑，你在想什么？照你说，那陆健笙既然已解除了行凶的可能，余甘棠的供词假使完全可信，也不像那案中的主凶，那么，三个嫌疑人只剩赵伯雄一个人了。现在又根据余甘棠的证实——那自然要凭他的话完全可信，做一个先决条件——赵伯雄的嫌疑，更要加深了一层。他实供出来，自然可以水落石出。你怎么反而这样子踌躇不决？……霍桑，你想些什么？怎不说出来听听？"

霍桑的步子仍旧不停，神思惝恍地答道："我在想赵伯雄的冷笑，又在想——"

一阵急促的电话铃声，把他的语声打断了。霍桑忙奔到电话机旁。我也跟着他走过去。好像我有一种本能的直觉，觉得这一次电话里会有什么惊人的消息。霍桑拿起听筒接电话以后，我知道对方是倪金寿。倪金寿的声音特别响亮，我站在旁边，句句都听得清楚。那消息果真是惊人的。

倪金寿道："霍先生，事情弄僵了——僵透了！赵伯雄已经走了！"

霍桑那只握听筒的手，也震了一震，睁大着眼睛问道："走了？可是逃走的？"

"不是，崔厅长放他走的。我在家吃过了饭，赶到厅里去，准备要向赵伯雄问话。据说他起先写了一个纸条给厅长，后来又要求打一个电话出去。一会儿，厅长就叫他进见，谈了一会儿，当场把他放掉。你想这件事尴尬不尴尬？"

"奇怪！"霍桑除了这两个字以外，竟说不出别的话。他呆住了。我也认为这个消息太出人意料，一时非但想不出应付的步骤，连那崔厅长凭着什么理由，竟滥用权力，把这样一个最重要的嫌疑人轻轻放掉，也完全捉摸不着。不料那惊人消息又接连着从电话中传出来。

倪金寿又说："霍先生，还有呢，据秦默斋告诉我，白医生剖验的结果，竟说王丽兰是被刀尖刺破了心房致命的，并不是被枪弹打死的。霍先生，你想这事僵不僵？我们的这半天工夫，不是都白忙吗！"

霍桑一听这话，神经上好像起了剧烈的变动。他把听筒往电话机上一搁，竟不再说话。他在电话机旁边，静默了两三秒钟，便举起左手，看看他腕上的手表。接着，他的脸上忽现出一丝苦笑：

"包朗，你真有先见之明！我不能不佩服你！——现在已两点半了。"

我觉得他的话，简直近于不伦不类。莫非这个消息的刺激太剧烈了，他的铁一般的坚定的神经，也承受不住，竟会因此而丧失了它的常度？我还找不出安慰的语句，他忽然说出几句比较有条理的话来：

"包朗，我现在马上要到警厅里去，瞧瞧那位厅长大人。你不必跟我去。"他向我的脸瞧了一瞧，又笑着说："你放心，我决不会跟他闹翻。我衣袋里虽有手枪，也决不会乱用。你还不了解我，我的神经跟你一样健全——也许比你更健全些。我之所以不让你一块儿去，因为我还要你担任其他任务。"

我问道："那么，你要我做什么？"

霍桑道："你再过半个钟头，就到王丽兰家里去，先把老毛的皮鞋量一量。"

"好，这个容易。以后还有什么事？"

"第二步，你，请那老头儿李芝范，叫他在楼下会客室中陪你谈话——喂，你须记着，你跟他谈话的地点，应得在会客室里面。还有两个条件，你得把会客室的门开着，还须把那钢窗上黄色的窗帘拉下。"

我又觉得有些突兀，问道："这是什么意思？"

霍桑早已移动脚步向门口走去，一边答道："这个你姑且别问，我没有功夫解释。"他已迅速地走下阶沿。

我也追随着出去："喂，霍桑，我跟李芝范谈些什么？我们经过的事情，也可告诉他吗？"

霍桑走出了大门，已在着手开他汽车的门。他简单地回答："你可以问问他儿子守琦的事。"他已跳上汽车，一刹那间，那车子已轧轧地开走了。

　　我回到霍桑的办公室中，心里感觉到搔摸不着的懊恼——案情的悬疑，出我意料的情报，和霍桑交托我的没有目的的任务，都是这懊恼的成因。这时恰巧二点三十五分。霍桑叫我再过半个钟头到王家去，那我不能不设法消磨这难挨的二十五分钟。我坐在沙发上，烧着了一支纸烟，默默地把这案情推想一番，希望可以找得一个答案。霍桑一再说这案子内幕的复杂，眼前看来，那真是没有疑问的。从这案子的逐步发展上看，不能不说这侦查圈已逐渐缩小。第一个嫌疑人当然是余甘棠，现在据余甘棠自己的供述，假使不是虚构，显见他不是主凶。据我观察，他的声容态度和他的话，的确不像出于虚构。那么，他应当从嫌疑圈里剔除出来了。但霍桑为什么还要拘留他呢？第二个嫌疑人陆健笙，霍桑也认为他不会打死王丽兰。但他的皮鞋和尸屋中的甲印相合的一点，还是一个难解之谜。第三个嫌疑人赵伯雄，当然是最可疑了。他的行动已有种种切实的证明，别的莫说，但瞧那一粒穿过王丽兰胸膛的子弹，还有一粒在亚东旅馆里打霍桑的子弹，都是显明的铁证。本来我们尽可把嫌疑圈收缩到他一个人身上，再进一步，就可以宣告结束。可是现在情势又变动了。他已给崔厅长释放了！而且又剖明王丽兰的死不是枪伤而是刀伤！那么，崔厅长就凭着这个理由释放他吗？不过这举动究竟不合法理。他虽然不是凶手，但明明有过行凶的事实，而且他又打过霍桑，无论如何，在法理上他总有应得之罪。他怎么可以擅自把这个人释放？

　　我弹去些烟灰，默默地吸了几口烟，不禁吸了一口气。我不能不承认我国的政治，有一部分的确还不曾走上正轨。因为民治的精神，在乎人人守法。身为官吏，一举一动，更不能随意超越法律的范围。崔厅长平日虽没有恶劣的政声，但此番的举动，显然是违法的。霍桑此番去见厅长，当然也着重在这一点。他虽保证他不会跟厅长冲突，我却真有些为他担忧。

我又想到霍桑临走时叫我跟李芝范谈他儿子守琦的事。这守琦霍桑早就把他排列在嫌疑圈里，不过缺乏事实的根据，仅仅有一个猜想。刚才安娜说明了他和丽兰还有婚约纠纷的关系，他的嫌疑自然突然间加重了。老毛虽说他昨天一早就回到苏州去，这事实还没有证明。他尽可能假说回苏州去，实际上却藏匿在什么地方，到了昨天夜里，冒着雨到丽兰家里去行凶。不过这件事实我要向他的父亲李芝范去查问，一定也没有效果。第一，这老头儿也许不知情，第二，就是知情了，他也决不会把儿子的罪行干干脆脆地告诉我。

我丢了烟尾，又推想发案的经过。起先我们遇到的一个难题，就是枪声发作以后，时间上凶手来不及再走进去盗取丽兰身上的首饰。现在就可以假定，那个真正的凶手，分明在打枪以前就用刀刺死丽兰；刺死以后，拿了首饰出去；那时以后，赵伯雄才站在短墙外面开枪；这样，时间上的矛盾，的确可以解除了。不过那个用刀行刺的凶手是谁？果真是李守琦吗？还是见财起意，凶手竟是老毛？或者竟是那李芝范或金梅？但行刺时丽兰怎么没有挣扎，也不发呼救的声音？并且桌子上还有余酒，好像伊很客气地招待那凶手，这也是解释不通的。老毛那双脚上的皮鞋，的确很像那个甲印。如果是的，他又为什么秘密地进去？因为据他的自供，并不曾承认这一点。那么，行凶的可会竟然是老毛？

我的手表上已指三点钟。我便放弃了这没结果的推想，关照了一声施桂，便出发向王家去。我坐在黄包车上，还踌躇着见了那李芝范怎样措辞。因为我要查访李守琦的行动，也不能不小心一点，免得引起他的疑忌。不过我这心思也是白费的，我虽构成了几种谈话的步骤，实际上竟毫无用处。

我在青蒲路二十七号门前停车的时候，瞧见大同路的转角站着一个身材瘦小穿黑衣的人。这人一瞧见我下车，就慢慢地走开去，模样儿有些可疑。这个人好像是派在那里监视的探伙，不过我不认识他。我并不顾忌，就推开了那盘花的铁门走进去。那铁门虚掩着，我推门时动作很轻，走到里面，也不见人。会客室中的黄纱窗帘密密地下着，静悄悄的没有声息。我先向右手里老毛的门房瞧瞧，那门关着。我就直接走到门房门口，用手指在门上弹了两响，没有回音。我顺手把门钮一旋，也是虚掩着没有下锁。老毛不在里面，那双污旧的黄皮鞋，却留在一只小方桌的底下。我走进去拿起一只皮鞋一瞧，鞋底上已有一个洞，我从衣袋中摸出软尺来一量，果真是十一英寸六。

这个发现，又不能不使我感到惊喜。原来这老毛也是有关系的！可是我刚才把皮鞋放在原处，回转身来，正要退出门房，骤然间瞧见那头发花白的老毛正站在门外，一双小而圆的鼠目，惊异地向我凝视。他的脚上已换了一双黑哔叽蒲鞋面鞋子。接着他张开了缺齿的嘴唇向我开口了：

"先生，你……你……"他分明要问我在他房里做什么，却因着有所顾忌而不敢直接地说出来。

我答道："老毛，我来找你。"

"找我？有什么事。"

我觉得有些难于回答，我当然不愿把查验他的皮鞋之事就告诉他。我含糊地说："你在里边做什么？"

老毛等了一等，答道："我在接电话。有个鲍玉美小姐，

来约王小姐叉麻雀呢——这鲍小姐也是王小姐的好朋友，伊还不知道王小姐已被人打死。我把这消息告诉了伊。伊说就要到这里来哩。"他顿了一顿，向我瞧瞧，似觉得我不很注意他的报告，便重新提出他先前的问句："先生，你要找我做什么？"

我随意应道："我要叫你去通知一声你们的李老爷，请他下楼来跟我谈几句话。"

老毛的鼠目仍盯在我的脸上，好像觉得我的答语是随意扯出来的。他分明怀疑我走进他的门房里去，一定有什么作用。他摇摇头说："先生，你要见李老爷？他不在楼上了啊。"

我微微一震："不在楼上？可是出去了？"

"是的——才出去了半个钟头光景。"

"到哪里去的？"

"我不知道，他一个人出去的，临走时不曾说什么。先生，你要跟他谈什么事？你究竟要找我，还是要找他？"

老毛对于我的怀疑，的确很严重。他明明要问我闯进他房里去的理由。他为什么如此？是不是情虚的表示？

我索性直接答道："是的，我也要找你说几句话。"这时我本站在门房口的水泥阶石上，因着要向他问话起见，重新走进了他的小小的门房，靠着那只小方桌旁边站住。老毛也跟了进来。他的瘦黄的面颊显得很紧张。因为他已经证实他的怀疑并不是无因的。

他问我道："先生，你要问什么？"

我想了一想，说道："有一句话关系很重要，你要老实说才好。"

老毛睁开了两粒桂圆形的眼睛："那自然。我不曾说过假话，我也用不着说假话。反正王小姐不是我打死的，不关我的

事，我何必说假话？"他略一沉吟，又反问说："先生，你尽
问。有什么关系重要的话？"

我也看着他的眼睛，突然问道："昨夜里在枪声发作以前，
你到底有没有进过这屋子里去？"我随手向那正屋的方向指一
指，目光仍毫不转瞬地瞧着他，可是捉不着什么破绽。因为他
的目光既不闪避，也没有恐惧的神气，只略略有些惊讶。

他惊异地反问我说："先生，这是什么意思，早晨我不是
已告诉你们了吗？我不曾进去过啊。"

"当真没有吗？——你须实说，这是我们要查明的这案子
里的一个疑点，你承认了也没关系。我们决不会因着你承认了
走进去过，就把你当作凶手。"

老毛有些着急，但仍旧注视着我："我当然不是凶手，但
我实在不曾进去过。我承认什么？我刚才已经告诉你们，我回
来以后有些头痛，所以——"

我摇摇手止住他，说："好，这个我已知道，你不必再重
新说。你昨夜里出外去看戏时穿的什么鞋子？"

老毛好像猜不透我的问句有什么含意。他的眼睛霎了几
霎，答道："这有什么意思？我穿的是那双真贡呢皮底鞋子
啊。"他用手在那小窗的槛上指了一指，窗槛上果真有一双皮
底鞋，鞋底向上，还没有干透："我出去时天没有下雨，所以
穿了那双新鞋。回来时雨大透了，这双鞋子便完全浸湿。先
生，你为什么问到我的鞋子？"

我并不回答，但继续我的查问："那么，你被枪声惊醒以
后，从床上起来，穿的什么鞋子？"

他又用手向我靠着的小方桌底下指一指："穿的这双皮
鞋。——先生，我说的都是实话，你怎么不也说几句实话？你

问我鞋子，究竟为着什么？可是……可是因着地板上的那个皮鞋印子？"

我被他逼得没法，只能承认说："是的。你也瞧见的，地板上的那个清楚的脚印，跟你的皮鞋的尺寸彼此相同。"

他惊愕地说："什么？相同的？奇怪！先生你怎么知道的？"

我向小方桌底下指一指："你这双皮鞋，我刚才已经量过——十一英寸六，而且也同样是圆头的，和那地板上的印子完全相同。"

那老头儿好像有些吃惊。他的眼睛已不再瞧我，却在瞧桌子底下他的皮鞋，两只手忽张忽握，他的眉毛也蹙紧了。他自言自语地说："奇怪，太奇怪！我实在没有进去过……"他忽然抬起头来，两只小眼里居然也射出光来："先生！我……我想起来了！这……这个……"

我瞧见他这种神气，也不能不感到惊异："什么？说啊。你想起了什么？"

老毛讷讷地说："这……这双皮鞋……是陆经理的，他穿旧了送给我的。"

我暗忖老毛的解释如果不虚，的确可以破除一个疑团，否则那地板上的甲印，竟和陆健笙和老毛的皮鞋都相同，未免太巧。我问道："噢，这皮鞋是陆经理送给你的吗？什么时候送你的？"

老毛想了一想，答道："那还是去年年底——先生，你不必疑心，这不会假。这皮鞋不是陆经理直接给我的，是王小姐给我的。伊给我时，金梅也瞧见的，你可以问伊。……先生，我想……"他又停顿了不说。

我催着说："你怎么不说？想什么？"

老毛舐着他的嘴唇，答道："我想地板上的脚印既然和这双皮鞋的尺寸相同，也许昨夜陆经理进去过的。"

我低头想了一想，并不回答，再问道："昨夜里你的确不曾进去过吗？"

老毛直瞧着我的脸，理直气壮地说道："的确不曾。我的话没有半句假，我可以发誓的。"

我觉得他的话当真不像虚假，一时又想不出其他足以证明的问句，便点点头说："好，现在金梅可在里面？我要跟伊谈谈。"

老毛应道："伊在楼上，我去叫伊。"他就回身走出门房去，在阶级上又站住了旋转头来："叫伊到这里来吗？"

我摇头道："到会客室里去。"

老毛走下了那水泥的阶级，便穿出了冬青的短篱，沿着那条早已干透的水泥径向正屋里进去。我还在门房里站了一站，向这小小的斗室察看了一下。除了一只木架子的板铺，一只小方桌和两只西式的直背椅子以外，床底下还有一只柳条的箱子。

我本想乘这机会搜索一下，万一老毛有盗窃首饰的可能，那赃物势必还来不及出门，说不定还在这箱子里。我蹲着身子，在那柳条箱的盖上揭了一揭。那箱子是锁着的。我转念一想，要开这箱子，固然不难，不过我如果马上破坏他的箱子，未免太无根据。不如跟霍桑商量一下，再动手不迟。因此，我就站直了从门房中走出来。

我走上那条水泥小径时，见太阳光斜照着靠左手的花圃上。花圃的泥地上，经过夜来雨水的冲洗，呈现着一种平顺匀整状态，还是清晨所见的那样子。几朵浅红而瘦小的月季，受着阳光的照拂，比早晨瞧见时更有些精神，仿佛一个多愁多病的美人，得到了某种慰藉，挣扎出一种勉强的苦笑，可是它的生命的终点也就在眼前了。我走上正屋的阶级，见门口里面铺盖脚印的木板虽已移去，杂乱的脚印也增加了不少，但先前那个甲印却还不曾完全模糊，显见这地板还没有人抹过。我走到会客室门口，把门钮旋了一旋，门已下锁。我只得站住了等待。不一会儿，老毛已领了金梅下楼，金梅向我点了点头，就用手里拿着的钥匙开会客室的门。

我向老毛说："我要跟金梅谈几句话。你到门房里去。"

我先走进了会客室，等金梅跟进来以后，我顺手把会客室的门关上。室中的景象和清晨进来时并没有两样，只少了一个死人。光线虽不很暗，但因着窗门的关闭，空气却很沉闷，心理上还有一种悲凄的感觉，所以当我在那圆桌旁边的皮垫椅上坐下来时，精神上很不舒适。金梅也蹙紧了双眉，神气上也不及初见时那么镇静。

我说道："金梅，你也坐下来。这件案子我们从各方面调查的结果，觉得非常曲折。我们已知道造成这曲折原因的人，就是你。"

那女仆向我瞧了一瞧，惊讶地说："我？——我？什么？我不懂。"

我答道："换一句说，你早晨和我们谈的话，完全没有诚意，把重要的事实隐藏了起来，才使这件事弄得越发复杂了。"

金梅抗辩说："先生，我并不曾隐藏什么啊。我所知道的都已告诉你们。若说余少爷的事，我也并不是要袒护他。他有罪没有罪，你们总查得明白。我的话——"

我阻止伊说："金梅，你别卖弄你的嘴。你须明白，这是一件人命案子。你如果在凶案上并没份，却因着少数金钱或其他关系，想掩护什么人，那你就会把灾祸弄到你自己身上来，我给你想想，白白地为了人家吃苦受罪，真犯不着。金梅，这是我好意的忠告，你要明白才好。"

我这几句话本来没有什么威胁的意味，可是竟产生了意外的效果。伊向我凝视了几秒钟，伊的眼睛里有些水汪汪的样子。伊答话时，声音也有些哽咽了。

伊说道："先生，我懂得，这是你的好意。不过我因着余少爷平日待我很好，此番的事，他的行动的确有些可疑，我才……才想帮帮他的忙。现在我可以老实说，他在昨天早晨曾在电话中跟王小姐吵嘴，昨天夜里这凶案发生以后，他也曾到大门外来探望，我曾给他一个暗号，叫他走开——"

我又阻截伊说："关于他的事，我们已都知道，你不必再说。除他以外，你可还袒护着什么别的人？"

金梅抬起头来答道："没有啊，还有什么人？"

我道："譬如李老爷的儿子李守琦，前天从苏州来，在这里住过一夜，你也绝不曾说起。"

伊忽张大了含着泪珠的眼睛，惊骇地说："唉——他——"伊略顿一顿，继续说："先生，关于他的事，你们自己不曾问过我啊。我为什么要帮他？我跟他本来是不相识的，你们不曾提起他，我为着李老爷的面子起见，自然也不敢乱说。因为这回事关系很大。我当然不愿意把是非找上自己身来。先生，你别误会，我绝不是故意袒护他。"

我心中暗暗欢喜，听金梅的语气，料想关于这李守琦的故事，一定也有些动人的成分；并且在现在的局势之下，要伊说出这番我急于要知道的故事，也一定不会有多大的困难了。

皮鞋问题

当我叫金梅说出关于李守琦的事实的时候，金梅还有一种小小的曲折的表演。伊走到书桌面前，弯着腰用手把那镂孔的窗帘轻轻拉起了一角，向外面探望了一下，好像这番说话非常秘密，恐防李芝范会回来，被他听见了，会闹出事来。接着伊回到圆桌旁来，脸上也显着小心戒备的神气。我用手向那另一只皮垫椅指了一指，伊就慢慢地坐下。

伊低声说道："先生，这个李少爷的确有些可疑，不过我实在不敢说。现在王小姐死了，李老爷好像是这里的主人，他如果知道我说他儿子的事，那我一定吃不消。先生，这事关系太大了。你如果不能保证我，我还是不敢说。"

我立即答道："你放心，尽管说，只要你的话完全实在，什么人都不能难为你。你说，这李守琦有过什么事？"

金梅的目光注视着我，顿了一顿，突然说道："他要强奸王小姐！"伊说了这句，急忙把目光避开，移到窗口边去，好像非常惊恐。

这句话当然不能不使我感到惊异，但我仍保持着镇静的状态。我回答说："你别怕，就是李芝范回来，也没有关系。你说得仔细些。他是十七日那天来的，来了以后怎么样？"

金梅定了定神，才说："他一到这里，王小姐瞧见了他，大家脸上都不好看。他吃过了中饭，王小姐就跟他在这里谈话，谈话的声音很低，时间又很长久。我曾送茶进来，王小姐立刻叫我出去，把门也锁上了。所以他们谈些什么，我完全听不见。后来那姓赵的来了，王小姐忙赶出去阻挡他，不让姓赵的进来。

"他们谈了足足两个钟头，大家的喉咙响起来了，幸亏李老爷敲门进来，给他们劝解。李老爷也加入谈话，又谈了好一会儿，王小姐才气冲冲开了门回楼上去。这一回总算不曾闹成功。"

伊说到这里，向我瞧瞧。我并不答话，但点点头，让伊继续说下去。

伊略顿一顿，接着说："就在那天——就是前天十七日——夜里，那件不要脸的事就发生了。那时已在半夜后两三点钟。我早已睡熟，忽听得有什么玻璃东西打碎的声音。我突然惊醒。接着又听得王小姐的呼叫声音。我知道不妙，忙从床上起来，披了件衣裳，赶到二层楼去。王小姐的房门关着，室中却没有灯光。我走到伊房门口时，还听得地板上的脚声，好像有人在那里挣扭。王小姐仍在呼叫，不过呼叫声音很低，好像伊的嘴被什么东西阻塞着，伊喊叫不出。

"我吓得什么似的，要想进去，又没有这个胆。我以为也许有什么强盗或偷儿。我走到伊的房门口，用足了气力，喊了一声：'王小姐！'那房门突然开了，有一个男人直冲出来，撞在我的身上，竟使我跌了一跤。黑暗中我当然认不出那人是谁，但约略瞧见他穿一身白色的短衬衣，向三层楼奔去。

"不一会儿，房间里电灯亮了，我从地上爬了起来。李老爷也从三层楼下来，慌忙地走进王小姐房间里去。我也跟着进去，看见王小姐坐在床边上哭，那件白印度绸的睡衣，前襟也已撕破。妆台上的一只玻璃花瓶，已打碎在地上，床上的被褥散乱，一只小方凳也翻倒了。

"李老爷拍着王小姐的肩，低声说：'阿宝，你别哭，这畜生太不要脸，我马上叫他滚。你看我面上，不要生气。'王小姐仍掩住了脸啼哭。李老爷也回头来瞧我：'金梅，你上楼去睡，没有事。'那时我也说不出什么话，只能听从他，回上三层楼去。我进了自己的房，当然还睡不着。不多一会儿，我又听得李老爷也回进他的房里去。他们父子两个便唧唧哝哝地密谈。我的房间虽和他们只隔一层板条涂石灰的空壁，但我虽把耳朵凑在壁上，到底听不出什么。

"我发觉了这一回事，才知这个表哥不是好人。我防他再有什么举动，这一夜便不敢睡。可是直到天明，没有其他的动静。到了昨天早晨七点钟光景，李老爷陪着他的儿子出去，说是送他儿子上火车回苏州去的，临走时，这守琦也不曾向王小姐辞别。其实这时候王小姐的房门还不曾开，也许还睡着呢。"伊说到这里，又向窗口方面望了一望。

我觉得这一回事，的确是这件凶案中的唯一要点，我们起先竟没有发现，不能不算是失着。我因此向金梅说："这一回事的确很重要，可惜你不肯早些说。"

金梅辩道："我不敢说啊。你们也不曾问我。你不能怪我。况且昨夜里李老爷在凶案发生以后，曾叮嘱我说话要留神，不要乱说。那明明是指这件事的。"

我点点头，又问道："那么，这李守琦昨天早晨出去以后，可曾再来过？"

金梅摇摇头，接着又说："我不曾瞧见他。"

"他会不会瞒着你重新回来，躲在什么地方，不过你不知道？"

"我不知道。李老爷回来时是一个人，他不曾再出去过。这守琦也许在晚上再溜进来，那也说不定。你可以问问老毛。"

"好，等一会儿我再问老毛。除此以外，你可还有什么其他隐藏的事？"

金梅摇摇头："没有了，我所知道的，都已完全告诉你。"

我思索了一下，又问道："那么，你早晨所说的，昨夜里你听得了枪声下楼来的一回事，可也有什么顾忌的话吗？"

金梅道："没有，那完全是实在的。我委实不曾听得其他声音，直到被枪声惊醒。"

这时我忙举起右手向金梅摇摇。因为我耳朵中仿佛听得会客室外有轻微的脚步声。我急忙站起来，走到门口，把耳朵凑在门上听听，又仿佛听到楼梯上的吱吱声音。我随手将门拉开，门外并没有人，便向楼梯上一瞧，也不见人影。但我不相信我的耳朵会有接连两次的错觉。我回头向金梅演一个手势，叫伊留在会客室中。我自己出了会客室，反手将门拉上，踏着轻快而稳健的步子，走上楼梯去。

我到了二层楼，瞧见甬道中并没有人。右手里有一扇白漆的门，静悄悄地关着。我略一踌躇，便走近这门口去，左手把握在门钮上，右手从衣袋中掏出了手枪。我用力一旋，那门应手而开，向四周一瞧，室中也空虚无人。

这房间很宽大，朝南一排钢窗，也有黄色镂孔的纱帘掩护着。纱帘虽都下着，光线仍很充足。一只宽大的铜床向南排着，那床的铜柱金光耀目，衬着床上白色的被褥，粉红软缎的被头，和绣花白缎的枕头，单从色彩上说，已使人觉得炫目。靠壁有一只立体式的柚木镜台，排满了许多各色各式化妆品的瓶缸，都是高价的舶来品。在一只粉盒旁边，还放着一副遮阳光用的黑眼镜，不过丽兰却另有别用。此外还有一口衣橱，一只圆桌，两只绸套的沙发，和一只长椅，一只放在床面前的夜灯几，同样都是立体式的，而且也同样漆着浅黄色。总之，这里的布置，和楼下的会客室，可称异曲同工地象征着忘了时代和国家的奢靡和浪费！

我在这室中瞧了一周，觉得这里面没有可以藏匿什么人的地方。那么，起先难道并没有人上楼来，当真是我的听觉作怪吗？正在这时，我觉得有轻微的脚步声音，回头一瞧，见那扇房门在缓缓开动——开得很缓，一英寸一英寸地向里面推动。我进来时本没有把门关上，这时分明门外有什么人走进来了。那门推开了将近一半，首先从门隙里进来的，是一根枪管！

我急忙把身子一闪，躲在床的一端，把身子蹲下些，举着枪向门口凝注着，以防万一。

"别开枪！包朗，是我！"

进来的是霍桑。我把身子站直了。我见霍桑的神色很紧张，他把手枪放进了衣袋，眼光迅速地在房间中流转。

他低声说道："你怎么在这里？我叫你在楼下会客室中跟他谈啊。"

我答道："他已出去了。我跟金梅和老毛谈过一会儿，发觉了两件重要的事实。……我刚才听得你进来。你是在三层楼上吗？"

霍桑点点头，反问我道："你发现两件什么事实？"

我就把老毛皮鞋的来历，和李守琦企图强奸丽兰的事，简括地告诉了他。霍桑听得很出神，连连点着头，分明他也承认这两件事价值的重大。

我问道："你在三层楼上做什么？"

他答道："我要搜索一件东西。不过我的推想还没有证实。"

我又问道："你有什么推想？"我见他摇头不答，又问道："你在警厅里的交涉怎样？有结果没有？"

霍桑摇摇头："没有，崔厅长把赵伯雄放了，不过答应我如果叫赵伯雄质证，他可以找他来的。"

"那么，他凭着什么理由放赵伯雄的？"

"崔厅长起初不肯说，只说他相信赵伯雄不是凶手，后来才勉强告诉我，他是奉了上峰的命令才释放他的。"

"奇怪！上峰的命令，这姓赵的究竟有什么来历？那厅长竟也供他利用？"

"来历的问题还在其次，如果他真是凶手，任他的来历多么大，我也决不让他逃出法网。不过我眼前有一个更重要的推想——唉！且慢。"

霍桑顿住了，忽走到那口衣橱面前，把那扇玻璃门一拉，应手而开。橱里面大部分是花花绿绿的女子时装，不过也挂着几件男子长衣。霍桑向橱里瞧了一瞧，脸上又显出失望的神情。我正要问他究竟要找寻什么东西，他忽又绕过了铜床，走到另一面壁上的壁橱面前去。那壁橱门也没有锁，拉开以后，他立即把头钻到橱里面去。不多一会儿，他已挺直了身子，旋转身来，手里拿着一双男子皮鞋，脸上仿佛也换了一个兴奋愉快的面具。

他惊呼地说："包朗，我的推想证实了，你瞧，这是双黑纹皮皮鞋，质料做工都是上等的，而且还是新的，圆头式，尺寸也足有十一英寸以上。你快把软尺拿出来。"

我也惊喜得来不及说话，忙在衣袋里摸出那卷软尺来，凑在那皮鞋底上量了一量，果真是十一英寸六。

我瞧着霍桑，问道："对，这皮鞋是陆健笙的吗？"

霍桑不答，他的发光的眼睛仍盯在皮鞋上。他又用左手的指尖在皮鞋底下抚摩。他又低低地惊呼："包朗，你也摸一摸。这鞋底分明还没有干透！"

我果真依着他的话，用手指在皮鞋底上摸一摸，随即点点头。

他又紧张地说："你仔细瞧瞧，这鞋跟和鞋底的边缘，有什么异状？……没有吗？你瞧得不仔细啊。你粗看鞋跟上好像很干净，其实还有些泥水的痕迹，还不曾抹得干净。你瞧，这底边上面针缝里还留着不少泥哩。"

我点头做领悟状道："那么，这皮鞋昨夜里有人穿过，后来经人把泥水抹干净。对不对？"

霍桑道："对，不过抹得不十分干净。这叫作百密一疏。还有，你瞧，这鞋带头上沾着污泥。你懂得它的来由吗？……什么？不懂？那是很容易明白的。就因为——"

"砰！砰！"

这声浪虽然隔着玻璃窗传进来，并不怎样刺耳，但我和霍桑都听得出是手枪声音，绝不是其他声响。这枪声的来由，好像就在这屋子的大门外面。声音，当然不能使霍桑认为没有关系。他立即把皮鞋重新放回壁橱，照样将门关好，随即向我招一招手，一言不发便从房间里奔出去。我也跟在他后面。一刹那间霍桑已奔下楼梯向前门口出去。我赶到楼梯脚下的时候，金梅也已开了会客室的门，惊惶地走出来。

伊问我说："先生，什么事呀？"

我不能回答，但摇一摇头，继续向外面走。我踏上那水泥径时，瞧见霍桑已从那盘花的铁门口走出去。我向左右一望，门外很清净，只有一辆汽车从西面驶过来，向东面去。

霍桑也向东走，已在大同路的转角上停住。老毛也站在他旁边。我奔近去一瞧，地上躺着一个人，就是那老头儿李芝范！

这时我们都没有说话。我瞧瞧地上的李芝范，身体蜷曲着，横侧地倒在地上，身上还是穿着那件深青色绉纱的骆驼绒袍子，足上一双双梁布底玄缎面的鞋子。他的眼睛紧闭，嘴唇张开，在那里喘息。我明知他已中枪，但不知打在什么地方。霍桑已蹲下了身子，用手解老人胸襟前的纽扣。我才见他右胸膛的白衬衣上，有着鲜红的血渍。

霍桑斜侧着头，向我说："包朗，快去打一个电话到警厅里去，叫他们派救护车来。"

我立即旋转身子，奔进门口里去。金梅正伏在铁门里面发怔。我将伊推在一边，急步奔进屋子，一步三级地跨上楼梯，在楼梯的转折处，拨动电话机的号码。这电话打得很顺利，前后不过一两分钟。倪金寿还在厅里。这消息当然也出他的意料。他答应马上就来。

我回到外面时，霍桑已站直了身子，正拿一张好像从李芝范身上搜得的纸，放进他自己的衣袋里去。他的神气当然很紧张，但并不慌乱。那老毛依旧站在他旁边，那慌张的神态，却让他一个人包办了。我告诉霍桑倪金寿马上就来。霍桑只点点头。他又向街的对面和两端瞧了一瞧，对着老毛说：

"你比我先出来，可曾瞧见什么？"

老毛张着小眼，点头说："瞧见的——我瞧见那姓赵的——赵伯雄。"

霍桑不答，也没有特殊惊讶的神气，但闭紧了嘴，像在寻思什么。

我禁不住说："哎哟，又是这家伙！真厉害！"

霍桑也不接嘴，又向老毛说："你会不会瞧错？"

老毛摇头说："不会，我奔到这转角时，见有两个人向北飞奔，一个人向南跑。"他用手向大同路的南北两端各指一指："那向北面去的两个人奔得已远，我当然瞧不清楚，向南边逃的一个还很近，我瞧得很清楚，真是那个高个子姓赵的。他的背影我已瞧惯了，不会错。"

霍桑道："他穿的什么衣服？"

老毛道："当然是西服。"

我暗忖"当然"的字样不免有些可疑。赵伯雄在早晨被捕的时候是穿着中装的。不过他释放以后，又换穿西服，那也说不定。

我向霍桑说："如果是他，这倒又麻烦。你想崔厅长的保证可靠不可靠？"

霍桑瞧着地上的李老头儿，缓缓地说："我不愿意借重他的保证。我要亲手捉住这家伙。不过先决问题，这回事是不是他干的，还待研究。"他用手指指地上的李芝范："枪弹还在他胸膛里，不曾透过——我想他不会死，也许他还能说话。"

我答道："如果能说话，那最好。不过那姓赵的家伙，无论如何，总有把他找来的必要。你说要亲手捉住他，有没有把握？"

霍桑道："以前没有，现在却不同了。"

这时候一阵"波叭波叭"的声响，警厅里的救护车已开到了。倪金寿就从那车上跳下来。他先惊慌地瞧瞧地上的李芝范，才向霍桑说话：

"不得了！又是一件血案！那怎么办？"

霍桑答道："你别慌。现在先把他送到医院里去，也许还有救。"

倪金寿向那车上几个穿白色制服的人招招手。两个人便抬着舁床下来，走到李芝范旁边。不到三分钟工夫，那汽车已载送李芝范往医院里去。

霍桑先向老毛挥挥手，叫他进屋子里去，随后向倪金寿说道："据老毛说，他听得枪声奔出来时，还瞧见赵伯雄的背影。"

倪金寿惊呼说："什么！又是他干的？这个人有着某种靠山，委实吃不消他。"

霍桑道："是不是他干的，这还难说。不过我们总有再见见这位赵先生的必要。"

倪金寿向街的左右望了一望："松泉跟荷生在哪里？他们总应当瞧见。"

霍桑便将李芝范曾外出和我从老毛、金梅嘴里发现的两件事实，连着我们在楼上房间中发现皮鞋的事，用简短的语句告诉了倪金寿。

他又接着说："我到这里时，瞧见荷生还在对面转角上，松泉却已不见。等我听得枪声追出来时，荷生也不见了。我想这两个人都很得力，一定不会坏事。"

我才知道刚才我到这里时，大同路转角上有个黑衣人，分明就是特地派在这里监守的便衣探员。这个人我虽不认识，大概就是叫作荷生。现在想必这荷生已尾随着赵伯雄去了。事后我才问明白，这便衣侦探的派遣，原是出于霍桑的提议。当上午勘验完毕出王家时，霍桑叫倪金寿撤退那九十九号警士，同时又悄悄地叫他派两个密探来，原是有着微妙作用的。

霍桑又向倪金寿说道："你最好再派两个人来，这里说不定还有其他变化。"

倪金寿点点头，便进屋子里去打电话。我和霍桑仍留在门外。

我乘机问道："霍桑，刚才你在李芝范身上搜得的是什么？好像是一张纸，是不是？"

霍桑点点头："是的，是一张汇款收据。"他说完了便回转身来向西进行。他的汽车就停在空地的西边。

当他将汽车门开好以后。倪金寿也已从屋子里退出来。霍桑向他招招手，我们三个人便一同上车。

倪金寿问道："我们上哪儿去？"

霍桑答道："警厅里去。我要等候荷生跟松泉的消息。"

在汽车进行的时候，大家都保守着静默。因为这案逐步地发展，越转越高，虽已峰巅在望，却还隔着一阵薄薄的云雾，最高峰的面貌依旧瞧不清楚。并且真像爬山一般，攀登了十分之九的羊肠曲径，最后一分的努力，实际上也许比以前的更吃苦些。这个感觉我相信我们三个人是同样有的，所以大家都不言而喻地静默着。

我们到了警厅以后，松泉和荷生还没有报告来，却另外得到两种情报：一种是亚东旅馆电话间木壁上的枪弹已经派人去钳取出来，并且已经检验过，是一粒 .45 口径的子弹，和尸室中的一粒相同；还有一种情报，霍桑在亚东旅馆门外瞧见的那辆八〇八四四号绿色的强生汽车，倪金寿也已派一个叫作虎林的探伙，到强生公司里去调查过。那调查的探员虎林费了好一会儿工大，才碰见与那八〇八四四号有关系的司机。据说这辆汽车是一个姓赵的人常雇的，已经雇了二十多天；司机却不止一个，每隔一二天，总要换一个；这也是由于姓赵的要求；在十八日夜里当值的那个司机，叫作朱福庆。那虎林找着了朱福庆以后，就把调查所得的经过，写成了一长篇报告。

我们到厅里时，这张报告已在倪金寿的书桌上。那报告中的文字语句，固然有不少欠通误写，但关于车辆行动的时间，却写得非常清楚。那行动的时刻，从上一天傍晚开始，我现在把它摘录在下面：

十八日下午七点半时，汽车开到青蒲路二十七号，赵伯雄走进屋子里去，一会儿就退出来，并不曾留顿。接着，汽车开到福州路闹市，在好几家菜馆门前停留过，他好像要找什么人。到了八点一刻光景，他在白梅酒家里似乎找着了他所要找的人。因为车子在白梅酒家门口停留半个多钟头，直到九点钟时，他才上车，追随着另一辆黑牌汽车到上海戏院去。朱福庆还说明那黑牌汽车的照会号码是五○○九○。（事后倪金寿曾补充说明，这一辆是陆健笙的汽车。）

在上海戏院门前停住以后，赵伯雄也进去瞧电影。就在这个时候，朱福庆才能偷空吃夜饭，不过赵伯雄的夜饭也许始终没有吃。

十一点半戏院散了。赵伯雄先出来，上了车，仍叫朱福庆追随那辆五○○九○号汽车。朱福庆还瞧见那黑牌汽车里坐的是一男一女，男的是身材高大的胖子，女的穿一件白色的旗袍，上面罩一件深色的短大衣，打扮得非常摩登。

那黑牌汽车在青蒲路二十七号停住。赵伯雄叫朱福庆让汽车向西继续进行，并不一同停留，不过速率却特别慢。一会儿，汽车驶过了两三条支路，赵伯雄又吩咐回过来，停在青蒲路三十一号的门前。这时雨下得很大，那黑牌汽车已开去了。赵伯雄却冒雨下车，悄悄地走到二十七号门外去。朱福庆瞧见他并不曾进去，却站在短墙外面，向里面张望。这张望的时间延长到一刻钟光景，朱福庆始终坐在汽车里等候，有些觉得不耐。他忽见赵伯雄从二十七号的短墙边向西退避，先在隔壁的空地那边躲一躲；随即又回到短墙边去，向屋子里张望了一下，接着就奔向停着的汽车去。

当赵伯雄在空地上躲避的时候，朱福庆在汽车中瞧见有一个身材短小穿雨衣的男子，从二十七号里出来，向东面大同路转角走去。赵伯雄赶回进了汽车，马上叫朱福庆开车，驶过了二十七号，到大同路转弯向北，意思要追踪前面一辆汽车。朱福庆才知道那个穿雨衣的人，本来也是有汽车停在大同路上的，不过经过了赵伯雄重新回到短墙外面去瞧一瞧，时间上已略略有些耽搁。故而朱福庆的汽车驶进大同路时，那个穿雨衣人所坐的汽车驶得已相当远。朱福庆虽开足速率，驶过了两条支路，但因着前面汽车的速率同样加快，不但没有追上，连前面那辆汽车的颜色都辨别不清。在驶进第三条支路口时，因着等候支路上的汽车驶过，又停顿了一下，等到再开车前进，前面那辆汽车已不见影踪。赵伯雄仍叫朱福庆拼命追赶，可是到底没有结果。于是又驶过了几条马路，只得停止追赶。

汽车重新退回到青蒲路，照样停在三十一号门前。赵伯雄又一度下车，依旧悄悄地走到二十七号屋里去。朱福庆以为这一次又有相当时间的耽搁，正打算摸出纸烟来疏散一下。不料砰的一声，连他的纸烟都没有烧着。他忽见赵伯雄仓皇地奔向汽车来。朱福庆不知道是赵伯雄开枪打人，还是有人开枪打赵伯雄。他当然也不便查问。不过赵伯雄上车以后，拿了两张十元的法币，塞在朱福庆的手里，此外没有一句说话，只叫他开回亚东旅馆去。

报告到这里为止，霍桑和倪金寿看过以后，当然大家都很重视。倪金寿的意思还嫌不很清楚。

他建议说："这是间接的，不够清楚。我想叫虎林去把那个司机朱福庆找来，直接地问一问。"

霍桑却表示异议："这仍旧是间接的，最直接的，还是见见这位赵先生。"

倪金寿本来已伸手向书桌旁边想要按电铃，这时又缩住了。他皱着眉峰说："当然，无论如何，这家伙总是案中最重要的角色。不过你用什么方法去见他？你可打算向厅长去要人？"

霍桑摇头道："不，我不打算这样。厅长虽给过我口头保证，如果必要，他可以把赵伯雄交给我。不过这一着也许要给厅长相当的麻烦。如果没有'必要'，我也不想麻烦他。"

倪金寿问道："你打算怎样去找他？"

霍桑道："方法未始没有，不过时间上也许不能怎样迅速。好在眼前案子的复杂情形已全部揭露，结束的迟早，已不成多大问题。"

我不禁插口问道："你已全部明白了吗？我倒还有些隔膜。你能不能——"

这时书桌上的电话铃声阻断了我的问话，倪金寿早已将听筒拿了起来。他的耳朵一接触听筒，脸色立即紧张起来。

他断续地说："荷生？……我是倪探长。……什么样子？……唔……唔……黄河路。三十号？……丰泰烟纸店里？……好，好，我们马上就到。"

霍桑不等倪金寿报告，便紧张地说："这是关于赵伯雄的消息吗？"

倪金寿道："是的。荷生说那人个子高大，穿一身深灰条纹的西装，方阔的下颔，棱角的眼睛，的确是赵伯雄无疑。荷生跟随他走了不少路，现在已跟到了一个地点。"

"可是在黄河路三十号，丰泰烟纸店里？"

"正是，荷生就在那店附近等我们。"

"那么，我们不能耽搁。马上就走。"

我们三个人离开警厅的时候，时间已是下午五点半钟。淡淡的阳光已渐渐向西，有好几个卖报童子，都在高着喉咙乱喊"交际花吃手枪""舞国皇后到阴间"一类俏皮的名目。我随手买了一张，方才上车。汽车进行时，我急忙把报纸翻开，找寻关于王丽兰的这一节新闻。那"舞后被暗杀"的标题字模虽很大，但新闻的内容却简单得很。内中只记载王丽兰在半夜后被人刺死，不但嫌疑人不曾列举，连手枪的字样都没有。此外只铺张些王丽兰当选舞后时的许多已往事实，和伊在舞场里的那些倾倒一时的逸闻，还有伊的住所和平日的生活状况。末段的结论，却把倪金寿乱捧一阵，连霍桑和我的名字都不曾提起。

霍桑一边把握着司机盘，一边淡淡地问我说："报纸上写些什么？"

我答道："雷声响，雨点小，简直不曾说什么——这新闻好像经过什么人统制或笔削过的，幸亏你和我的名字都不曾牵连进去。"

霍桑不答，也不加什么批评。倪金寿不但不关心报纸上的新闻，连霍桑跟我的问答也并不注意。他分明十二分紧张，好像他的精神完全集中在如何应付赵伯雄的问题上。其实我对于他也有相当的同情。因为这赵伯雄既然有着某种来历，确乎不能同平常的罪犯一般看待。霍桑是不受官俸的人，当然还少顾忌；倪金寿因着他的直属上司的袒护，情形不同，确有些左右为难。霍桑可打算再拘捕赵伯雄吗？眼前他既然有了戒备，可会用武力抵抗吗？料想起来，这个人定有不少羽党。那么，这一次我们三个人可敌得住吗？

汽车到了黄河路转角，霍桑马上停车，随即跳下车来。倪金寿和我也跟着下来。他把右手插在衣袋中，分明已把握着手枪。他的眼睛不住向左右瞭望。我受了他的暗示，也准备好衣袋中的手枪。但霍桑却并无紧张状态。

倪金寿用左手向前面指一指："那不是丰泰烟纸店吗？"这时我也瞧见了那是一爿一间门面的小烟纸店。

霍桑应道："是的，怎么不见荷生？"

倪金寿道："奇怪，他到哪里去了？他说他在这里附近等我们。"

霍桑说："也许赵伯雄又走了，荷生也跟着他去。"

"那怎么办？我们能不能到这烟纸店里去搜一搜？"

"这不妥。我们姑且到店里去看一看再说。"

我们三个人本来站立在汽车旁边的人行道上。这时霍桑首先穿过马路，向丰泰烟纸店走去。倪金寿和我当然紧紧地跟着。霍桑走到烟纸店门口，掏出一张十元的法币来，买一包白金龙纸烟。他的眼光小心地向烟纸店的店堂溜转。我瞧见里面一共有三个人，两个是中年的伙友，一个是十五六岁的学徒，外表上绝对瞧不出什么可疑之处。那个招待霍桑卖烟的，就是这十五六岁的学徒。霍桑一边把找出来的法币一张张验看，一边随意搭讪地说："你们老板在里面吗？"

那学徒抬起目光向霍桑脸上瞧了一瞧，摇摇头说："出去了，你认识他吗？"

这时忽有一种出我意料的景状。倪金寿突然举起了左手，高声喊道："喂，老韩，你怎么在这里？"

原来那时有一个人从店堂后面探头出来瞧一瞧，竟被倪金寿瞧见了。这个人本来不想走出来，被倪金寿一招呼，却不能不到外面来敷衍几句。

那叫作老韩的说："倪探长，好久不见，忙得怎样？你哪儿去？"其实那人并不老，穿一件淡灰色哔叽单袍，身材和年龄和我相仿，神气上也很机警多智。

倪金寿答道："随便走走。"他放低些声调："老韩，这里可有一个叫作赵伯雄的人？"

那老韩略略惊异地问道："赵伯雄？有的，他刚才在这里。倪探长，你认识他吗？"

倪金寿答道："是的，他此刻还在不在？"

"他已上南京去了，走了还不到十分钟。你找他有什么事？"

倪金寿略略迟疑，刚才说出了"他是"两个字，霍桑早抢着作答：

"没有什么。我们只希望跟他随便谈谈。倪探长，走吧。"他随手把法币和纸烟放进了衣袋里去，回身就走。

倪金寿跟着霍桑回到停汽车的所在时，带着失望和怀疑的神气。立定以后，他向霍桑问话："怎么不问个仔细？"

霍桑答道："多谈没有益处，反落痕迹。这老韩是什么样人？"

倪金寿道："他起先在南区警署里当过探员，现在在警备部里办事。这个人很有些小聪明，口才也好。他说赵伯雄已到南京去，我不大相信。"

霍桑寻思了一下，说道："但荷生既然不在这里，赵伯雄也许也已不在这店里。我想你赶紧打一个电话到厅里去，问荷生有没有继续的消息。如果赵伯雄真已离开这店，要到南京去，那么我们赶到火车站去，也许还来得及。……喂，金寿兄，你得再派两个人到这里来，叮嘱他们注意每一个在这店里出进的人。"

倪金寿赞同了霍桑的建议，马上走到转角上的一爿酱园里去借打电话。霍桑仍时时遥望那爿小烟纸店。两三分钟以后，倪金寿回出来时，皱着眉毛，兀自摇头。原来不但荷生没有报告，还有另一个探伙松泉也杳无消息。

霍桑踌躇了一下，说道："那么，我们往公安医院里去瞧瞧李芝范究竟怎样。"

倪金寿当然没有异议。我们就上车往那官办的公安医院去。

他说道："但愿李芝范的伤势不至于致命，至少在短时期中还能说话，那可以使我少费些精神。"

这句话当时原很合理。他分明希望李芝范自己能说出那个开枪打他的凶手，霍桑自然可以减少一番侦查。谁知这是一种误解。他的话是有着双关作用的。

我们到了公安医院，对于霍桑的期望还是不即不离。因为据那负责的护士长说，李芝范正在手术间里钳取子弹，不能见客。他固然没有死，但能不能满足霍桑的希望，亲自接谈，却谁也没有把握。倪金寿又从医院中打一个电话到厅里去，再度探问荷生的消息，结果荷生的踪迹依旧像石沉大海，不过松泉已有报告到厅里去。

倪金寿向我们二人说："松泉此刻在西区警署里。这消息很简短，我也不知道详细的情形。霍先生，你能不能跟我一块到警厅里去问一问明白。"

霍桑沉吟了一下，才道："我想回去了。如果有什么消息，你再通知我。我所关切的，倒是荷生。"

倪金寿点头道："好，那么，我先回厅里去。我一得到荷生的消息，马上告诉你。"他说完了便跳上了近边的一辆黄包车。

我和霍桑回到爱文路七十七号时，天已渐渐黑下来了，马路上电灯通明。我们一进办公室的门口，施桂便送上一封信给霍桑。霍桑卸了衣帽，就把信在书桌上的电灯光下展开来。我也凑过去瞧。那是陆健笙送来的，信里还附着一张一千元的支票。那封信虽只寥寥几句，措辞却十分谦恭。

那信道：

霍先生：

　　丽兰惨死，弟抚躬自问，负疚良多。辱荷先生负责侦查，感纫无已。晨间蒙见询一切，业已掬诚奉答，区区私衷，至恳垂察。倘得真凶归案，为死者稍雪沉冤，尤感大德。附奉薄仪，不腆之至，缓日当再踵门叩谢也。

　　　　　　　　　　　　　　弟陆健笙谨上　　即日

霍桑把信笺随意向书桌面上一丢，唇角上露出一丝轻鄙的微笑。他把身子靠着那转旋的椅子，伸了一个懒腰，却不发表什么意见。

我笑着说道："阿根的那笔费用，已用不着你自掏腰包了。"

霍桑枯坐了一会儿，忽而感叹起来："唉！人类真是一种奇怪的动物！人与人之间，只知道相克相争；换一句说，这世界上弥漫着'压力'，如果你不压迫他，他就会压迫你。'相处以平，相见以诚'，始终只是一句空洞的理论。我不知道这理论到什么时候才能得到普遍的实现！"

我知道这几句牢骚是指陆健笙的前倨后恭而说的。我也笑着说："这是个教育问题。一个人如果有了相当的修养，当然不会有这种不合理的态度。"

霍桑忽沉着脸儿，向我驳诘似的说："教育问题？你想陆健笙不曾受过教育？还有余甘棠，不是正受着高等教育吗？他们的行为和态度又怎么样？"

我答道："这不是教育本身的失败。他们所受的教育是虚伪的，至少也是不彻底的——！"

霍桑不等我说完，接着说："不彻底？对，可是怎样才能彻底？我很怀疑。"他忽而气愤似的立起身来，背负着两手，开始在室中踱起来。一会儿，他又自言自语地说："我觉得主要的症结，在乎理智的湮没，因此才有这种愚昧，偏私，嫉妒，欺诈，和恃强凌弱的丑态。唉！人类的理智几时才能——"

他的牢骚还没有完全发表，施桂已匆匆忙忙地走进来，显见有什么特殊的报告。

赵伯雄的供词

施桂报告说："霍先生，有个老头儿要进来见你，模样很奇怪。我问他要名片，他又拿不出，又不肯说姓名。"

霍桑停了脚步，点点头道："好，请他进来。"他随手把壁炉檐上的两盏电灯也一起开了。

不一会儿，一个白发白须，满面皱纹，穿着一件宽大的黑绸袍子的老人，低着头弯着腰蹒跚地走进来。这老人的肩膀有相当的阔度，要是他的背不弯，高度也许超出霍桑以上。他一走进来，好像很熟悉的样子，向霍桑连连拱着手，嘴里发出粗嘎的声音："霍先生。"又回过来向我拱拱手："包先生。"

我觉得这老人的礼貌既很周到，论情，我不能不照礼回答。我急忙站起来鞠了一个躬，正要请教他的姓名，霍桑忽也弯了弯腰，抢在我前面发话：

"赵先生，请坐。"

那老人的身子微微一震。这同样的本能动作，立即影响到我的身上。赵先生？赵伯雄吗？我的手不期然而然地伸到衣袋里去。

霍桑的眼角里显然已瞧见我的动作，忙婉声说道："包朗，慢着。这位是赵伯雄先生——不过这只是他暂时假定的姓名。赵先生，是不是？"

那老人忽而咯咯地笑起来了。他不再惊异，也没有局促不安的神气："霍先生，我不能不佩服你的眼力。你真有能耐！"他一边说，一边在书桌面前的一只沙发上坐下。

霍桑也坐了下来，冷涩地答道："那么，你这样子打扮，目的是再要让我的眼睛有一个测验的机会吗？"

那假老头儿赵伯雄忙接嘴说："不是，霍先生，你误会了。我老实说，我个换这个装束，不敢从丰泰里出来，怕会遭遇不必要的麻烦。你派遣的那个尾随我的瘦子，的确很干练。刚才直到我到了丰泰店里，才发觉有人在店门外监视着。我很佩服他。他一路跟随着我。我竟完全不知不觉。"

霍桑淡淡地说道："可是他到底给你卖掉了啊。"

赵伯雄微笑着说："是的，但这也不能怪。我因着他留在店外不像样子，故而把我全身的衣裳换给乃魁。他的身材跟我相仿，装束又完全一样，自然不容易分辨。你的那位探伙才跟着他走开去，我才能自由自在地到这里来拜访你。"

我好像进了梦境，真有些弄不明白。赵伯雄明明是个要犯，怎么竟敢自己上门，还装着这种虚伪的礼貌？更奇怪的，霍桑怎么也以礼相待？他一直要找寻这个人，现在为什么不马上将他拘捕？我可能打一个电话给倪金寿吗？

霍桑又冷冷地说："赵先生，我得提醒你一声。你如果再细心一些，便不会说你此刻是个自由自在的人了。"

赵伯雄的身子略略从椅子上挺起了些："霍先生，这话有什么意思？你可是又打算要把我——"

霍桑摇摇手，说："不是这个。你一路到这里来，也不见得怎样自由自在啊。"

"什么？又有人监视着我吗？"

"对，我相信至少有一个人陪送你到这里来。你可要见见他？……施桂，你到门外去——"

赵伯雄忙摇着两手，说："霍先生，不必，不必。我真佩服，你真是一个侦探的天才。我想像你这样的才干，应得为国家和民族担任更重大些的任务。"

霍桑沉着脸儿答道："我想你此刻来见我，不单是为着要向我说几句恭维话吧？"

赵伯雄道："那当然不是。不过你须明白，我这几句话实在是由衷而发的，并不是虚伪地敷衍。我到这里来的目的，有两个：第一，是道歉，第二，是解释误会。"

霍桑的手里在玩弄一把书桌面上的裁纸刀。他的眼光有意无意地瞧在这把小刀上，淡淡地说："你要解释什么误会？"

赵伯雄道："霍先生，你不是认为那王丽兰是我打死的吗？"

霍桑的目光仍不离开他手中的那把尖头骨柄的小刀："那么，误会的倒在你方面。我知道你有打死丽兰的企图和计划，并且在行动上也已完全实施了你的计划。不过真正置丽兰于死地的，却不是你，是另有一个人。"

赵伯雄的身子突然间完全挺直了。他的棱角形的眼睛也张得很大，他闭紧了嘴，把惊异的目光凝注着霍桑。霍桑用手指弹着那小刀的锋尖，叮叮作声，毫不理会他。赵伯雄缓缓伸手到衣袋里去，摸出一块白巾来，轻轻抹着他的额角和面颊。这一抹竟造成了返老还童的异迹。等到他将白巾拿下来时，巾上已沾染了不少赭石色的颜色。他脸上的皱纹霎时间已完全消灭。

赵伯雄道歉似的说："霍先生，我真惭愧得很。我起先对于你的估量，的确还嫌过低。现在我才明白。你真是了不得。你的脑子，眼力和勇敢，都足教人五体投地。"

霍桑又挥一挥手："赵先生，别说废话。现在请你把经过的事实仔细些说一遍，省得我用假定的方式给我的朋友解释。我相信包朗先生听你亲口叙述，一定比我间接地说明更高兴。"

赵伯雄回头来向我瞧瞧，嘴唇上露出一丝微笑，接着又点点头。可是他还没有开始讲述他的故事，又发生了一个小小的岔子。施桂忽鬼鬼祟祟地走进办公室来，走到霍桑旁边，附着他的耳朵说了几句。霍桑点点头，说了一句："不用等，你叫康年回厅里去好了。"接着，他站起来，跟了施桂走到办公室门口，让施桂走出去后，随手把门关上。他回到原座上时，向赵伯雄点点头，暗示他开始叙述他的故事。

赵伯雄说道："霍先生，你说得都对，我的确有处死王丽兰的企图和计划，并且也这样实行过。不过在我叙述以前，还有一个先决问题。霍先生，你可知道这女子的真相怎样？最近有什么行动？"

霍桑又把关门时放下的裁纸刀重新拿在手里，略略抬起些目光，答道："关于这一点，我虽还没有得到充分切实的材料，但我可以猜想得到。这女子是个意志薄弱的人。说起来也怪可怜，伊从纯朴浑厚的农村社会里出来，陷进了物质社会的洪炉，便身不由主地堕落下去。伊已沉沦在享乐放纵的洪流中，为了金钱的目的，什么事都干得出，出卖肉体，出卖灵魂，出卖群众，甚至出卖一切！"

赵伯雄连连点点头说："对，对，伊正是这样一个人物。我奉派到这里来，原有着特殊的任务。同时我听得有一种阴谋活动，主持的是个交际花。我觉得这也在我的使命范围以内，就着手侦查伊的行动，进一步再打消伊的企图。我知道伊虽已退出舞场，但伊仍旧利用舞场从事伊的非法的活动，伊专找公务人员进攻。我费了相当的功夫才得和伊接近。这女子真是绝顶聪明，行动特别谨慎，一时不易得到伊的破绽。不多几天，伊也已觉察到我的任务。伊竟敢将计就计，来一个'反累司'。换一句说，伊竟想利用我做伊的工具了。所以起初是我用了方法接近伊，后来伊反而想尽计策来接近我。伊曾两次到我的寓所里去过夜。第一次伊不曾得到什么。第二次就是大前天十六日晚上，伊乘我熟睡的当儿，想要窃取我的秘密。伊曾检查我的皮包，衣袋和枕头，终于在我的枕头套里面，偷了一张密电码去。"

赵伯雄停顿了，重新把白巾摸出来，反折了一下，又抹拭他的面颊。霍桑利用这个时间，又淡淡地说了一句：

"你也太疏忽了。你既然担任了重要的任务，怎么竟敢真个跟这样的女子勾搭，让伊在你的房间里过夜？你的要件又不小心妥藏，睡时又这样懵懂。你大概已当真陷进了伊的圈套，给伊迷住了！"这几句话的声调，严冷得真像一个上司当面申斥他的下属。

赵伯雄瞧见了霍桑那种铁一般冷的面容，脸上浮出一重红色，也禁不住有些羞愧。他低沉了头，缓声答道："霍先生，我真该死！我不敢抵赖，这一着的确是错误的。不过那被盗窃的电码已经失了时效，原是没有价值的。那有效的一张，我藏在呢帽里面的皮圈里，伊并没有发觉。所以伊的行动，我在下一天还没有发觉，直到昨天早晨，我才知道枕头套里的那张过时电码已被伊偷去。这一来才证实伊的确是一个危险组织中的中心人物。我就决意采取紧急的行动制裁伊。昨天傍晚，我到伊寓里去找伊，没有找着，知道伊和姓陆的出去了。我料想他们总在什么餐馆里，果然在白梅酒家里给我找着。"

霍桑忽淡淡地插了一句："那时你的举动也太莽撞，你竟去推开那密室的活络门。你怎么忘了这种活络门只有半截，你的下半身是毫无掩护的？这种行动也不像是一个担任秘密任务的人应当采取的啊！"

赵伯雄把舌子伸出来，微微舐了舐上嘴唇，两只眼睛似笑非笑地显出一种尴尬的神气："霍先生，你已完全知道了吗？我的举动真是太慌张了些，那时丽兰已经瞧见我，但我马上避开，那姓陆的却不曾见我。"

霍桑又道："他也见你的，不过是在九点钟光景，他们离开白梅的时候。后来你跟他们进上海戏剧院里去，你的行动比较谨慎。"

赵伯雄用着惊异而佩服的声调说："霍先生，你竟已完全知道。那么，我也用不着说得过分累赘。我等到电影终了以后，就跟他们回青蒲路去。那时雨下得很大，我为着小心起见，不敢就在伊家门外停车。但我曾瞧见丽兰在门口下车，那姓陆的却不曾进去。等到我叫汽车退回来，在离伊寓里三四家门面停下来时，我忽见有一个身材短小穿雨衣的人，走进伊家里去。我下了车，就悄悄地伏在伊寓所门外的短墙边，瞧里面的动静。

"霍先生，你总也想得到：那个短小穿雨衣的人，就是伊的雇主。那时窗帘虽下着，但隐约中我还瞧见他们在里面喝着酒，吸着烟，谈谈笑笑，非常高兴。可惜他们的举动，我不曾完全瞧见。因为在那个时候发生了一个岔子。"

霍桑问道："可是因着那看门的老毛从大同路转角上回来，你不能不到西面空地上去避一避吗？"

赵伯雄点头说："正是，我等他进了门房，才重新回到短墙外面去。"

这时我忽然想证实老毛告诉我的说话，禁不住插口问了一句："老毛进了大门，可曾进正屋里去，还是一直进他的门房里去的？"

赵伯雄向我瞧瞧，答道："他直接进门房里去的。怎么样？"

霍桑接嘴代替我答道："没有什么。包朗兄还想证明地板上的皮鞋印子。其实这印子跟老毛没什么关系，不过是一种巧合。赵先生，请说下去。"

赵伯雄继续说道："我在短墙外面又耽搁了好一会儿时候，王丽兰好像竭力奉承那雨衣客，态度上很狎亵。不过我已说过，最重要的一幕我不曾瞧见。我料想那张失效的电码，也许伊就在这个时候向伊的雇主缴卷的。但我还仿佛瞧见那人临走时拿出些东西来给伊，接着我见他退出来了。

"我本来的目的，想要处置这无耻的女子，但到了那个时候，又临时变计。我打算先瞧瞧这个雨衣客的真面目，如果可能，我还想查明他的踪迹。因此，当他退出来时，我仍避在西面隔壁的空地上，我才瞧见那人的年纪还不大，上嘴唇上留着些短须，一出门便向东往大同路转角上去。"

霍桑忽拿着那把裁纸刀举一举，说道："且慢，我们当时有一个疑点不容易解释。伊既然那么趋奉那雨衣客，论情也许要送出来，事实上却不曾。我知道你在等那雨衣客出门以后，又向那会客室中瞧过一瞧。我想你总可以给我们解释这个伊所以不送客的疑团吧？"

那个少年老人点点头，说："是的，当时我也料想伊要送出来，但结果只见他一个人出来；因此，我有些诧异，才重新瞧一瞧。原来那时候室中另外有一个客，事实上伊不能送伊的雇主出来了。"

我又不禁诧异地说："另外有一个客？怎样去的？可是从后门里——"

霍桑忽抬头瞧着我，说："包朗，不是。这个客本来在屋子里，用不着从前门或后门里进去。"

赵伯雄连连点头说："对，对。我在一瞥之间，瞧见丽兰的姑父李芝范，衔着纸烟，已走进会客室。丽兰正在开窗拉开帘子。我才明白伊所以不送出来的原因。我为着想要追踪那穿雨衣的人，急忙回到汽车上去，赶紧开车转弯。进入大同路时，那人的汽车已经开远，追了两条马路，又停顿了一下，结果便终失望。我只得重新回青蒲路去，将车停在原处。那时雨点已小得多。我再到短墙外面去一瞧，会客室中电灯依旧明亮，窗也开着，丽兰坐在书桌后面，那老头儿似乎已不在室中。我认为这是一个不可轻纵的好机会，就瞄准伊的心口开了一枪。接着我便悄悄回上汽车，驶回亚东去。”

霍桑抬头瞧着他，唇角上浮出一丝微笑，问道：“你开枪的时候，分明认为伊还是活着的。对不对？”

赵伯雄有些局促不安的样子。他的舌尖又露到嘴唇外面来。他不自在地说：“是的，这是我的粗莽，其实也是我过度兴奋的缘故。不过这一个错误，我一回上汽车，立刻感觉到。因为伊中枪以后，非但不曾叫喊，我仿佛记得，连牵动的动作都没有。我就疑心伊也许已先被人谋死，我只打中了一个死人！”

霍桑唇角上的微笑更扩大了些，不过那笑容一刹那便消灭不见。他冷冷地说：“你的错误发觉得真很迅速，同时你对于你自己的发枪技术，也有很高的估价。”

赵伯雄的眼睛又张大了：“霍先生，请你容许我说一句放肆的话。我的手枪射击，在十码以内，成绩可以有百分之九十九。”

他说这话时，他的神气和声调，都有一种洋洋自得的表示。我暗忖他的夸张的话，幸亏还留着一分。亚东旅馆电话间木壁上的一弹，大概就是他的美中不足的余下的一分了。

他又补充说：“其实就是我的手枪不曾打中，伊如果是个活人，也应当有喊叫和站起来的动作。我觉悟到自己的错误原是很自然的。”

“我回旅馆以后，唯一的打算，就是这件事情被揭发出来时，我为着我的任务，决不能被牵连在里面。因此，我暂时换了一个房间。今天早晨化了装，重新到七楼去绕一周，瞧瞧有没有人疑心到我。我恰巧瞧见了两位先生正在向七十一号阿根调查。我有些害怕，因为我知道这件事经了霍先生的手，而且又已注意到我的身上，我的被牵连的危险简直已没法逃避。"他忽皱紧了眉毛，两只手交握着，表示出一种深切的懊悔。他继续说，"霍先生，我现在回想，我那时真是太愚蠢了。我想不到用坦白的态度向你说明原委，却一时昏聩，竟采用了那种笨拙的警告方式。霍先生，这是我十二分抱歉的。"

他的歉意当然是指电话间中的那粒枪弹。他的说话的神气，倒也相当诚恳。霍桑似也领会到他的诚意，便点了点头。

他说道："你想用这样的方式警告我，叫我不要干涉这一件事，那不能不说你估量错误，同时也显见你太漠视了我的历史。不过我也承认，当时你的确只想警告，还没有恶意。"

那假老头子忽然从沙发上直跳起来，大声说："霍先生，你宽恕我了吗？你的脑力眼力，真不能不使人佩服。真的，我完全没有恶意。我开枪的时候，瞄过了你的高度，你竟也领会到。霍先生——"

霍桑缓缓地接口说："是的，我瞧过那木壁上的弹孔，超出我的高度半英寸。不过你那时如果真想打中我，那么，你的举动的敏捷性，似乎也还差一些。"

我听了这两个人针锋相对的谈话，精神上起了一种不可言喻的兴奋。这赵伯雄确是个厉害的人物。可是孙悟空的筋斗云，终逃不出如来佛祖的手掌！

霍桑又继续说道："赵先生，请坐下来。你再把刚才大同路上李芝范的事说一说。"

赵伯雄收摄了惊异的情绪坐下来，定一定神，方才答话：

"这件事和我没有关系。事实也很简单，因为我经过了一度推想，觉得杀死王丽兰的，也许就是李芝范。因为当我要追踪那穿雨衣的人离开二十七号时，伊的会客室中只有丽兰和那老头儿两个人。等我失望了再回到伊门外去时，屋内屋外并无异状，时间的相隔，前后最多不过十分钟，丽兰却就在这时间中死去。所以除了这李芝范外，的确没有第二个可疑的人。今天午后，我在警厅里得到了剖验的消息，知道丽兰是因刀伤致命，我的枪弹碰巧也打在同一伤口里。我的推想既然证实，便想去瞧瞧李芝范，问问他为什么要杀死丽兰。

"我走到大同路时，忽见李芝范刚从大同路的北面迎面过来。他的后面还跟着两个人。我以为很巧，正想穿过了青蒲路去招呼他。不料正在这个当儿，我瞧见他后面的两个人，忽而串前来拦阻他，好像要向他要索什么。三个人就扭作一团。接着，砰砰两声枪响，李芝范便倒在大同路的转角。那两个人也就回身向大同路的北端飞奔。我想不到有这个意外的岔子，也就旋转身子，向大同路南端退回去。我不曾料到你已派便衣探员在那里监守着。我为谨慎起见，也曾绕了几个圈子，才回到黄河路去。不料那个瘦子非常机警，我一路上曾好几次回头，不曾见他的影踪。不过这个人对于我也有用处。如果在这件事上，你对于我有什么怀疑，我想他可以给我做一个证人。"

我暗忖李芝范被人袭击，他果真完全没有关系吗？他的话如果不虚，这件事还有相当的麻烦。打李芝范的是谁？据赵伯雄说，另外有两个人。这两个是什么样人？眼前我们还没有头绪啊。

霍桑沉着脸说道："赵伯雄，这一回事，你在法律上，应受相当处分。不过这女子是一个社会的害物，国家的罪人，若就你的职务上说，那当然应当别论。不过就说你的职务，你的行动失检，也不能不受相当的处分。"

赵伯雄又立起身来，恭恭敬敬地鞠了一个躬，低声说："霍先生，你的训话我都领受。我自己也知道我的错误。现在你给我任何处分，我都准备接受。"

霍桑也站起身来，把在手中玩的那把小刀向书桌上一丢，随意地说："处分的权不在我的手里。这是我的见解，又是我对于你的一个警告。你去吧，你应有怎样的处分，我想你不久自然会知道。"

那赵伯雄又鞠了一个九十度的躬："霍先生，我对于你的感激和佩服，不知道用什么话才能形容。不过，我还有一个请求。你结束这案子的时候，如果能给我些地步，让我有一个自新的机会，那我一定终身不忘。"他又弯一弯腰，向室门口走去，在门口时又停了脚步，回头来说："霍先生，包先生，再会。……唉，我还得说一句，丽兰虽死，伊还有几个同党，内中一个女子叫鲍玉美，也是主要分子。你如果给我一个自赎的机会，让我完成这未了的任务，那我一定尽着全力去干。"

霍桑点点头说："好，你去问问老毛，也许可以得到些关于这姓鲍的消息。但我想那姜安娜跟余甘棠，不像会有同党关系吧？"

赵伯雄摇摇头："不是，连那姓陆的也不知道伊干这样的事。"接着他旋转身子，依旧装着老态弯腰曲背地走出办公室的门。霍桑也只在门口点一点头，并不送出去。

这时苏妈已将我们的晚餐送进来。霍桑伸了一个懒腰，好像很乏力的样子，但他的面容已不像先前那么紧张。他不等我开口，就向我说："包朗，我知道你照例要有不少问句。不过夜饭会冷掉。吃了夜饭再谈，你终可以耐得住吧？”

我当然不便提出什么异议，但因着脑子里充塞了种种疑团，连带地影响我的胃纳，两碗饭的老例，竟打了一个对折。霍桑却和午膳时的情形不同，他的胃口已恢复了常度，显见这案子已达到了结束的终点，他的紧张的神经也因而松弛了。晚饭过后，霍桑照例烧着了他的纸烟，坐到那只沙发上去。他舒适地躺在沙发上，两条腿也挺得很直。

我在烧着了一支纸烟以后，就遵照他的约定，开始发问：“霍桑，这件案子竟会这样子结束，真凶不是赵伯雄，我倒有些料想不到！”

霍桑喷出了一口烟，突然剪住我道：“什么？这是一件双重谋杀案，你自己也早已知道的。怎么说料想不到？”

我呆了一呆，一时回答不出。我瞧瞧霍桑的脸，也不像在开玩笑，或故意讥讽我。

霍桑接续说：“你怎么这样呆瞪？当我们在今天清晨一瞧见王丽兰的尸体，你不是就发表过一个正确的见解吗？你曾说好像是刀伤。是的，那是刀伤。那伤痕的宽度，便是个显明的铁证。还有枪弹穿背而出时，背孔缩小，并没有多量的血，也可见不是枪弹致命。这原没有什么疑问。你自己发表过的见解，怎么忘记了？”

我应道：“是的，我在一瞥之间就得到刀伤的印象，不过倪金寿马上纠正我，说是枪伤；同时他说明屋中人都听得枪声，还有一粒从墙壁上钳出来的枪弹，的确是穿过了王丽兰的胸膛，而且再巧没有，又是在同一创口里穿过的。因此，才使我模糊起来，不敢再坚持我的成见。”

霍桑点头说：“是啊，这案子的复杂性，就在这一点上——就在这双重谋杀点上。其实若说是单纯的枪杀，那么王丽兰身上的饰物的失窃，便没法解释。事前行动既不可能，因为伊不曾叫喊；伊势不会把伊所心爱的首饰，毫无抵抗地让人家拿去。事后劫取，又为时间所不许，我们早晨已经讨论过了。所以这明明是件双重谋杀案，一经推想，便可知劫取饰物势必在行刺的当儿，而在打枪之先。你的见解显然有着实际的证据，不是凭空产生，你本用不着自己怀疑。"

"这样说，你也早就相信王丽兰是因刀致死的了？"

"是的——我还假定那真正的凶手，也许就在那屋子里。不过因着那'甲组'皮鞋印子的关系，使我有些犹豫，一时还不敢决定。"

"那么，你怎么不爽快些就向屋中的几个人着手？却反而虚费工夫在外面绕圈子？"

霍桑笑了一笑，说道："什么？绕圈子？虚费工夫？包朗，你怎么说得出这样的话？你岂不知道这案子的表面现象，手枪问题更重于刀刺问题吗？并且那打枪的人虽不能真个打死丽兰，却同样有谋杀的企图。打枪的人又是从外面来的，牵涉的人很多，关系又很复杂。我怎能不急其所急，先把外围肃清一下，将那个第二重谋杀的主角找出来呢？"

我静默了一下，呼了两口烟，又说道："你当初既然就疑心用刀刺死这舞后的就是屋子里的人，可就知道行凶的人就是那个老头儿李芝范吗？"

霍桑忽攒着眉峰缓缓吐吸了两口烟，摇头说："不，我不敢凭空断定。因为我起初所得到的材料不够，还不能充分知道他有什么动机。我当然不能单凭想象就下结论。"

我又道："那么，你根据着什么，才假定行刺的是屋中人？"

霍桑道："那有几个根据：第一，王丽兰的死，分明是安坐在书桌面前椅子上的时候。伊并没有挣扎状态，但伊的眼睛里却流着惊骇之色。可见那行刺的人，似和死者极相熟而不提防的，绝不是突如其来的外客，或是本来和伊有什么怨嫌的。故而那人突然行刺，伊就来不及抵抗；不过伊在临死的一刹那，眼睛里仍不能不露出惊异。第二，就是那地板上奇怪的皮鞋印子。我们知道那印子除了死者自己的不算，共有甲乙两组。那乙组印子进去时深而出外时浅，并且一进一出也并不怎样整齐。现在我们已知道这乙组印子，就是那雨衣客留下的。那人在会客室中盘桓了好久，他的皮鞋经过地毯的摩擦，所以出外时浅淡得几乎看不出了。那甲印却就大大的不同，一进一出，都很清楚，而且进出的两行，整齐不乱，并没有互相交叠的痕迹。这不像是一个从外面进去的人，在室中耽搁了一会儿然后出来；却像是有一个人从外面进去，走进会客室，到地毯的边际站了一站，马上就退出来。这固然是一个可能的假定，但实际上还不很健全和合理，因为那进出的两行，分别得太清楚了。更合理的假定，像是有一个人，故意留着这一进一出的足印，要人家相信有一个人从外面进去，后来又从里面出来。为什么呢？那自然的结论，就是那个人本来在屋子里，他干了犯法的勾当，却想把嫌疑让渡给外来的人吧。

"不过我既然有了第一个虽然不很合理的假定，那我不能不先肃清外围的疑点。我必须把外面的几个嫌疑人都证实不曾进过屋子里去，然后我的第二个假定才能成立。不幸得很，这甲印的皮鞋，又牵涉了陆健笙和老毛，关系更见复杂，所以，我不能不先把一切可能的嫌疑完全解释清楚。

"后来案情的真相逐步发展，可能进屋子里去的人，一个个都经过证实和排除，我又把屋子里的几个人逐一加以精密地估量。安娜又告诉我丽兰和李守琦有过婚约的事。这样一来，我的眼光便转移到李芝范身上去。因为单就动机方面说，除了单纯的金钱目的以外，又加上了儿子被毁婚的怨嫌，我就开始推想他的行动上的可能性了。"

霍桑说明了这一番复杂的关系和他的思想上的历程，好像有些疲乏。他连连吸吐了几口纸烟，又闭上了眼睛，又像养神，又像在整理他的思绪。

我就乘空表达我的意见："这个老头儿在表面上很像一个道学先生，想不到竟会施展出这种狠毒的手段。"

霍桑张开了眼睛向我瞧瞧，感叹似的说："这无疑是金钱的魔力引诱了他。不过他也只是个假道学，他的修养，一定还不充分。否则，孟老夫子说过的'富贵不能淫'，这区区的钻镯和戒指耳环，决不能就迷住他的心窍。我和他接谈时，也给他的假面具所蒙蔽，相信他是一个旧式的君子，因此他在行凶时因时间匆促而遗留在书桌边上的那枚假象牙烟嘴，竟也相信他真是在晚饭后阅报时遗留的。包朗，这是我的失着，我竟受了他的骗。其实我从那枚香烟嘴上测度他的个性，除了纸烟吸到尽根表示他过度节俭以外，烟嘴的保持完整，又显见他是个细心谨慎的人。可是他在谈话终了走出会客室时，又故意忘掉那枚烟嘴，又显示他是个粗心健忘的人。这举动明明和先前的推断完全相反，我当时竟不曾立即想到，可见我的脑子的灵敏性，确是跟着年龄增长而逐渐衰退了！"他连带着叹息了一声。

我道："这也难怪你。他的矫饰功夫的确很高明。譬如据金梅说，他在发案后首先主张报告警署；他对于王丽兰的生平又好像表示伊有些自作自受，对于伊的死又像莫名其妙，又并不自谋卸罪地举出其他嫌疑人。总之他的行动，态度，言语，的确都不易教人生疑。"

霍桑摇头道："不，他在谈话之间，好像他是很清高的，不满意丽兰的行为。其实我后来仔细一想，他的清高也出于虚伪。你想他在前年秋天来过一次，既然不满意丽兰的生活行动，又认为上海是个恶浊的都市，那么，他这一次为什么再来？而且又为什么仍旧寄住在他所不满的内侄女的屋子里？"

我点点头："那么，他在实际行刺的动作方面，你有过怎样的假定？"

霍桑道："他的行动的步骤，我想你等一会儿可以听他自己说，用不着我间接地说明，因为我说起来多少会有些隔膜。不过我的眼光所以集中到他身上，然后又断定是他，关键还在那个甲印上。我想起我曾瞧见会客室中有一双陆健笙留着的拖鞋，因此料想也许还有一双皮鞋留在屋子里，给李芝范利用。刚才我单独到警厅里去时，叫你先到丽兰家去找李芝范谈话，我的目的就要你设法羁留他在楼下，以便我可以悄悄地到他房间里去搜索陆健笙的皮鞋。后来你也瞧见的，我在丽兰房间里果真搜出了那双黑皮鞋，你又告诉我李守琦强奸不遂的事，我的推想便完全证实了。"

这时，我又把第二个重要疑问提出来："那么，此刻李芝范自己又被什么人打中呢？"

霍桑忽从沙发上坐直了身子，随手把烟尾抛了，摇头说道："这又是一页新书，我还没有把握。不过……"他顿住了不说下去，随即立起身来在室中踱着。

我也把烟尾抛入灰盆，继续问道："霍桑，为什么不说？

不过什么？"

霍桑低沉了头，缓缓说道："我有一个推想，不过太空洞些。"他又顿了一顿，变了语气说："我相信这一着不会有多大困难。这屋子外面，我早就叫倪金寿派两个人来监守着，一个叫松泉，一个叫荷生。在四点钟光景，我再到丽兰家去时，只瞧见荷生一个人在外边，那松泉分明已尾随着李芝范去了。如果松泉不曾渎职，他应当瞧见一切的经过情形。刚才我们已知道松泉也有消息到厅里去。我想打一个电话问问倪金寿，这一页新书，总也可以解释明白的。"

霍桑正走到电话机旁去时，那电话的铃声忽先响起来。霍桑顺手拿起话筒来一听，那是公安医院来的，打电话的正是倪金寿，不过霍桑已没有机会问到松泉的报告，因为据倪金寿说，李芝范在钳取子弹以后，伤势起了变化，此刻已在弥留之际，叫我们立刻就去。

报告和解释

我和霍桑赶到了医院，经过了一度接洽，就有一个人领我们进入李芝范的病房里去。病房中除了倪金寿外，还有一个浑身雪白的女护士。两个人的脸上都显得肃静而紧张。那老人躺在病床上，身上盖了一条白色的单被。灯光照见老人面色惨白，闭着眼睛，张开了嘴，在吐着沉重而急促的喘息，面颊上显着两摊红色。

倪金寿低声向霍桑说："我赶来时就这个样子。他不曾说过一句话。他的眼睛曾一度张开，瞧见了我，又立刻闭拢了。"

霍桑瞧着那老人，也低声说："他的热度好像很高，大概不会有说话的可能了吧？"

霍桑说到后面一句时，眼光移注到女护士的脸上。那护士非常灵敏，立刻摇摇头，答复霍桑的非直接的问句。我瞧见那老人的眼睛缓缓张开，不过他的眼珠似乎已没有集中的能力，只空洞地向上面的承尘呆瞧了一下，接着又闭拢了。

倪金寿向霍桑说："他不能说话，也没有多大关系。他的被刺的经过，松泉已说得很清楚。"

霍桑点点头，说道："那很好。但我希望他能谈话，不单是要他报告被刺的经过，却还希望他说明他行刺的经过。"

倪金寿微微一怔，他的惊异的眼睛向霍桑凝视着。原来他还没有知道李芝范就是杀死王丽兰的真凶。他的惊异原是很自然的。

霍桑答复倪金寿的无言的问句："是的，他是这案子的真凶。不过那也没有什么关系。他的行动我也可以想象得出。我看这老头儿不中用了，我们留在这里没有意思。你应赶快打一个电报到苏州去，叫他的儿子李守琦快来。"

倪金寿点点头，说："说起李守琦，我也得告诉你。苏州警署的回电已经来了，李守琦的确是在昨天十八日午饭时分到苏州的。他今天还在苏州。"

霍桑答道："好，走吧，我陪你回警厅去。那余甘棠受了十个钟头以上的拘禁，也足够给他一种相当的刺激，此刻我应当去把他释放掉哩。"

我们从病房中出来一路下楼梯的时候，倪金寿又告诉霍桑那个荷生也已回警厅报告。他见了赵伯雄从丰泰烟纸店里出来，又跟随他去，不料走了不少路，终于给他跑掉。荷生没有办法，只得失望地回厅。

霍桑微笑着答道："这一次荷生失败了。他从那烟纸店里跟出来的，是个假赵伯雄，那真赵伯雄，却已变作了一个白须白发的老头儿。"

倪金寿惊诧地说："白须白发的老头儿？我后来派到黄河路去的康年，刚才回来报告，他曾跟这样一个老人到你寓里去。莫非就是赵伯雄所化装的？"

霍桑道："正是他，我已跟他谈过一回，现在已把他释放了。"

倪金寿又作诧异声说："什么？释放了？他难道当真没有关系？"

这时我们已出了医院的大门，走到停着的汽车面前。倪金寿有他自己的汽车，我仍和霍桑同车。这种解释性的谈话，势不能继续下去。倪金寿虽怀着满腹疑团，也不能不暂时耐一下子。可是汽车一到警厅，倪金寿领我们进了办公室以后，他先草了一个电报稿子，叫他的手下马上拍发到苏州去。接着他就要求霍桑解释他的种种疑团。

霍桑在烧着一支纸烟以后，便把刚才一切的经过，用简括的语句，做一个综合的叙述。倪金寿听了这一番解释，自然有一种惊异的表示。他在霍桑将先前在寓里我和他讨论的一席话叙述结束以后，便表示他的一半赞美一半诧异的结论。

他说道："真正的凶手，竟就是李芝范，我竟完全想不到。我正自诧异，刚才松泉带回来一把——"

霍桑似没有听得他未了的半句，忙着插嘴说："金寿兄，你怎么说不曾想到？你太健忘哩。今天早晨我们在丽兰家讨论的时候，你不曾说过那甲组皮鞋印子是凶手所留的吗？这见解完全是正确的。"

倪金寿忽现出局促不安的样子。他的身子牵动一下，眼光也避到了地板上。他慢吞吞地说："我老实说，那只是我的一种猜想，并没有什么根据。我以为这甲印的人也许是外来的凶手，却想不到是李芝范。因为我实在不曾想到他会利用了陆健笙的皮鞋，弄出这么一出把戏。"

霍桑道："那是你太着重在枪弹问题的缘故，因此便忽视了这是一件双重谋杀案子。"

倪金寿自言自语地说："这件案子的内幕情形，委实太复杂了，我不能不承认我的眼力实在瞧不透。那么，李芝范杀死丽兰的动机，可是单因着金钱问题吗？"

霍桑点点头说："金钱是一个主题，还有悔婚的怨恨。据我看来——"他忽伸手到衣袋里，从一本日记簿里摸出一张纸来。他在这张纸上瞧了一瞧，两粒有光的眼珠转动了一下，他的意念上仿佛起了一个转变。他把拿出来的这张纸重新折好了，拿在手里，并不给倪金寿瞧。他抬头说道："金寿兄，那松泉有过怎样的报告？你先说一说，然后再讨论李芝范的动机和行动，程序上比较适合些。"

倪金寿点点头，说："好，让松泉自己再说一遍。"他用手指在书桌边上的电铃钮上捺了一下。有一个听差马上走进来。他吩咐说："叫松泉进来。"

霍桑把残余的烟尾丢进了灰盆，又把身子在沙发上靠得更舒服些，准备听松泉的报告。两分钟后，那个体格魁梧的松泉已进来了。这个人我也不认识，但看他的神气，和报告时说话的次序，足见他也是一个相当干练而为警探界不易多得的人才。

松泉开始说道："我和荷生在上半天奉了倪探长的命令，

派到青蒲路去。我们守了五个多钟头，那二十七号里并没有动静，也没有什么人进出。直到下半天三点钟光景，才见那老头儿出来，我就跟着他去。荷生仍留在那边。

"那老头儿雇了一辆黄包车，到宝兴路一家源昌珠宝铺门前停下，一直走进去。我在门外等了好久——差不多近半个钟头。这时候珠宝铺门前有两个人徘徊着，一个穿一件灰色薄呢的夹袍，另一个穿一身蹩脚的西装。我还不知道这两个人有什么目的。过了一会儿，那老头儿从珠宝店里出来了。那门外两个人假意走开。老头儿不再坐车子，步行着向东。他好像要找寻什么所在，曾向路上的行人问讯过几次。我跟在老人后面，回头瞧瞧，见那两个可疑的人仍远远地跟在后面。我虽怀疑这两个人的行动，但又不便干涉他们。

"老人走到临近宝兴路口，忽闪进一条小弄里去。我急忙赶紧一步，恰见他正拿出一个白色的小包，向弄堂口的垃圾箱里丢进去。我急忙避开，让那老人重新从小弄中回来。我等他出弄以后，也连忙闪进弄里去，从垃圾箱中拿起那个小包，打开来一瞧，那是一把小刀，用一块白手巾包着。"

霍桑忽仰起了身子，举一举右手："金寿兄，这把刀已交给你了吧？能不能让我瞧一瞧？"

倪金寿应道："是的，我刚才正要告诉你松泉带回来的一把刀，可以印合李芝范行凶的推想。不过我当时还有些莫名其妙。"他说着抽开了他面前的抽屉，拿出那个白巾小包来授给霍桑。

霍桑把白巾展了开来，里面现出一把廉价的尖头水果刀。我瞧见那刀的刀锋约有四五英寸长，刀柄是木质的，有些椭圆形。这刀只需花上数角的代价，随处可以购得。我瞧瞧那刀锋，不见什么血迹，但那块包裹的白手巾上，却染了不少血渍，并且这白巾上还有不少污泥。

霍桑瞧着我说道："包朗，你总还记得丽兰卧室中壁橱里的那双黑纹皮皮鞋，曾经抹拭过的吗？原来这块手巾有过两种功用：一种是抹刀，一种是抹皮鞋。"他把这刀照样包好，放在倪金寿的书桌面上："松泉，你说下去。"

那探伙点了点头，继续说道："我从那小弄里回出来时，老人已去过了好几个门面，那两个可疑人却已接近老人，我倒反而落在那两个人的后面。但我为着小心起见，又不便抢到他们的前面去。可是老人走到了大生银行办事处的门前，走了进去，那两个人也就在门外徘徊。我当然也不能跟进去。这样耽搁了二十分钟的光景，老人从银行里出来，那两个人仍紧紧跟着。我没有办法，依旧落在后面。老人继续步行，一直向大同路进行。进了大同路以后，我们四个人仍旧维持着先前的次序。我知道这两个人不怀好意。我打算到了青蒲路，让老人进了屋子，再解决这两个人。不料将近到青蒲路转角，那两个人忽上前动手，目的分明要行劫。那时我离开他们还有三四丈路，我正想上前去干涉，那三个人扭了一会儿，忽两声枪响，老人就倒在转角上。那两个人也回身奔逃。这两个人和我擦身而过。我如果阻拦，至少可以擒住一个人。但这两个人既不曾注意我，我就定意索性尾随他们去，也许可以得到更好的成绩。他们在大同路北面的转角上，雇着了两辆黄包车。我当然也坐了车子追踪。直到西区文庙路附近，他们才下车，走进一宅没有门牌的草屋中去。

"我认明了地点，便到附近西区警署里去报告。杨区长马上派了四个弟兄，带了手枪，跟我到那草屋中去。我们进了茅屋，那两个人还在里面，那穿西装的一个，拔出手枪来想要抵抗。但我们的手快，他已来不及。所以我们不曾费多大气力，一共捉住了四个人，一个女人，三个男人。

"我们把这四个人带回到西区警署，杨区长马上向这四个人问供。起先他们当然还不肯说，后来经过了一次小小的麻烦，那个穿西装的才说出实话。他们的目的很简单。他们瞧见那老头儿在珠宝店里换得了许多钞票，便想劫取。不过结果，却没有成功，费了两粒子弹，让那老人吃些苦罢了。"

霍桑听到这里，点了几点头，表示他对于这报告非常满意。

他说道："这老头儿不但吃苦，大概要送命了。不过这也是他应得的酬报。"他把手中拿着的一张纸重新展开来："金寿兄，松泉的报告完全没有错误。那两个家伙真是劳而无功。李芝范把钻镯钻戒和牛乳珠耳环换来的钞票，已从银行里汇给他的儿子守琦了。这里有一张汇款收据，数目是四千五百六十元。"他随手把那张展开的纸授给倪金寿瞧。

我记得这张纸，霍桑在青蒲路跟大同路的转角上从李芝范的衣袋里搜出来的。他当时曾告诉我是张收据，我却想不到是这样一回事。倪金寿向松泉挥挥手，叫他出去，回头来向霍桑说话。

他道："霍先生，你现在可以把李芝范的动机告诉我了吗？"

霍桑答道："他的动机很浅显，金钱是唯一的主题，还有一部分连带作用，我不妨也暂作一个假定。如果说错，好在还可以让李守琦来纠正。

"我已跟包朗兄说过，李芝范是个修养不足的人。他过惯了朴素的农村生活，一朝踏进了五色炫目的都市社会，他的心便把握不定。他眼见王丽兰这样子奢侈浪费，他的心便不禁跃跃欲动。他本是丽兰的姑父，同时伊又是他的未婚媳妇。最好自然是丽兰肯跟他们回去，可是事实上丽兰也已被环境彻底变换，他们的愿望当然是不能实现了。

"这一次守琦到上海来，分明就为着要解决他们的婚约。我猜想守琦的意思，还不肯放弃丽兰，希望完成这不可能的婚姻。丽兰当然不会答应，或许曾允诺给他多少钱，解除这一件婚约。那父子俩的心事怎样，我当然不能猜得完全正确，但我料想丽兰的建议，李芝范也许是赞成的，但李守琦却是痴心妄想，企图人财两得。只瞧前天十七日夜里，李守琦的无耻企图，终于由他的老子排解开来，可见芝范对于丽兰的感情，还不曾破裂。所以在昨天十八日早晨，守琦虽不欢而散地回苏州去，芝范却仍能留在这里。

"我说过了，金钱是主因，婚姻是次因。因着上夜里守琦的鲁莽行动，这件事情已经弄僵。丽兰虽曾建议用金钱解除婚约，经过了守琦的行动，这建议势必也不能履行。结果就是人财两空。这当然是李芝范所不愿意的。于是谋杀的念头，就在这老人心里活动了。

"你们总瞧见这老人的一双黑眼奕奕有神，显示他是具有相当魄力的。他既然有了行凶的意念，又得到凑巧的机缘，他的谋杀的决心就完全成立了。"

倪金寿问道："你说的机缘，可是指这老头儿到上海的那天，曾目睹余甘棠与赵伯雄互相争吵的一回事吗？"

霍桑点点头道："是的，这是一个远因；近因是昨天早晨他送了儿子上火车回来，又听得丽兰跟余甘棠在电话中相骂。余甘棠所说的恫吓的话，老人一定都听得。因为老毛曾说，那时候就是李芝范劝丽兰上楼去的。他觉得丽兰的环境既然这样复杂，他自己是个乡下人，名义上又是丽兰的亲属——其实这亲属的关系，一旦遭遇了怨恨和金钱魔力的袭击，真是脆弱得可怜——他自以为他造成了这件案子，人家决不会疑心到他。因此他就毅然决然地在当天夜里下这毒手。"

倪金寿连连点着头，认为霍桑的假定很合情理。他说道："霍先生，他行凶的经过，你索性也说一说吧。"

霍桑还没有答话，电铃响了。倪金寿接了话筒一听，又简短地答了几句，就将话筒搁好。他的脸色也沉了下来。

他说道："完了。这是公安医院徐院长来的电话。这老头儿已经完了。"

霍桑低低地叹了一口气："他如果耐得住清苦，不受物质的诱惑，此刻也许还安安逸逸地度着乡村生活呢！"连接着又是一声叹息。

这叹息对于我产生了深切的反应。我觉得物质文明，一方面固然可以提高人生的享受，另一方面却做了人类互相争杀的主因。我国几千年来的传统思想，对于物质方面都采用一种压抑和轻视的态度。孔子所说的"士志于道而耻恶衣恶食者，未足与议也"这一句话，就可以代表一切。这种思想的结果，我们在物质方面固然没有多大成就，但社会间争夺残杀的现象，也未始不是因此而比较减少。自从我们的大门给人家敲开以后，这物质方面的对比，更赤裸裸地显露出来，因此我们便被认为是一个物质落伍的国家。可是我们的物质欲望一经引诱，却不能因为自己不能生产而依旧遏抑着，于是都市社会中的一般人，目光都集中在现成的享用上；社会既然因此而更见混乱，国力也一天天地消损了！

倪金寿倒并不觉得怎样。他仍催促着霍桑说："这老头儿既然死了，他的行动的经过，再也没法可以证实，只有请你说一说。"

霍桑道："他的行动也很简单。我相信我的片面的猜想，大概也不会怎样远离事实。他在十七日夜里把儿子劝回房里去以后，知道事情已闹成僵局，势必要人财两空。他为挽回一部计，也许就下了谋杀的决心。昨天早晨他送儿子出来的时候，大概就悄悄地买了这把刀，打算找个机会动手。情势上他是不能再长久在丽兰家中住下去了，所以这动手机会不能久搁，必须急谋实现。昨天早晨他回去时，听到了余甘棠在电话中恫吓，认为可以嫁祸于小余，是个很好的机会，所以就定意在昨天夜里实行动手。

"昨夜里他读罢了报上楼时，天下雨了，他一定认为这又是一个最好的凑巧机会。他上楼以后，当然不能睡眠。他的房间在金梅卧室的隔壁。他等金梅熄灯睡着以后，便悄悄地下楼准备。他到二层楼去，推门进了丽兰的卧室。你们都知道伊的房门是不锁的。他一定曾在伊的房里出进过几次，瞧见过有一双皮鞋在壁橱里。他拿到了这双陆健笙的皮鞋，也许带上楼去，也许就放在楼梯近边，等到临时应用。

"到了十二点不到，丽兰回家了。他一定是听到的。那时他大概就带了刀，提了皮鞋，悄悄下楼来。恰巧那个雨衣客进来了，他当然不便就动手。但他一定认为这又是一个掩护的障幕，更增加了他的动手的决心。据我料想，当雨衣客在会客室中和丽兰谈话的时候，他也许始终伏在楼梯上吸烟。

"后来雨衣客去了，他也就走下来。那时他一定把皮鞋放在楼梯脚下，藏着刀，衔着装烟嘴的纸烟，装作很随意的样子，走进会客室去。

"那时候丽兰也许已走出会客室，准备送那雨衣客出去，忽见老人下楼，便变计不送。伊连忙退进会客室。这也有理由的。据我推想，那雨衣客也许曾给丽兰若干法币——我相信抽屉中的三叠就是——当时丽兰随手将法币放在书桌面上，这时伊见老人要进会客室，伊便抢先把那法币放进抽屉去。我们可以想象到伊当时的慌急状态，伊连抽屉上的钥匙也没有旋一旋。

"接着老人和伊大概曾搭讪过几句，丽兰把窗推开了，就在椅子上坐下。就在那时，老人便出其不意地摸出刀来行刺。这动作一定很干脆，一刀便刺中心房，丽兰竟来不及呼救；也许伊喊过几声，但声音一定不高。老人在计划完成以后，便放了烟嘴，动手偷取伊身上的饰物。这动作一定也很快。他把戒指，手镯，和耳环拿到了手，便拿了凶刀匆匆离开会客室。他已不敢多留，连在手边的抽屉都不曾开，又忘了他的烟嘴。所以今天早晨他看见抽屉中有三叠钞票，竟怔了一怔。他分明在自悔失着。但当时他凭着他的急智，假装着他惊讶丽兰的疏忽，我们竟也被他瞒过。

"第二步，他走到会客室外面，就穿上那双带下来的皮鞋，走到外面雨里去。那时他因匆促的缘故，鞋带都不曾缚好。包朗，现在你总可明白那鞋带上污泥的来源了。

"他在泥水中浸了一浸，便走进屋子，直到会客室中的地毯边缘；接着他又回来，从东边走到前门口为止。他的目的，是要人家知道有一个人从外面进去，又重新出来，所以从西边进，南边出，两行之间，分别得清清楚楚，没有一个鞋印交叠凌乱。可惜太清楚了，反而留下了破绽！

"他在一进一出时，那双自己的缎鞋，一定提在手中。

他走到门口，就换了他自己的缎面布底鞋，又提了皮鞋，直接回楼上去。那时他的动作一定很小心，屋子里的人又都睡着，赵伯雄还不曾回来，故而他的计谋可以安然完成。他回到楼上，就用他的白巾把皮鞋抹了一抹，重新送还到壁橱里去；然后又上楼将凶刀抹干净了，就用这块白巾包好，又将偷取的一切饰物，一起藏在什么地方；接着他才上床去装作睡眠的样子。直到枪声响后，金梅去敲他的房门，他才假装醒来。人家自然疑不到他了。"

倪金寿忽道："假使我们今天早晨就到楼上去搜一搜，这个秘密不是马上就可以揭穿了吗？"

霍桑点头道："是的，这是我们的失着。其实问题就在双重谋杀上。我们当时都觉得手枪问题比较急切而惹人注意，所以我就先注意到外围问题，而把内线问题暂时搁一搁了。"

霍桑的解释，到这里已全部清楚。我也相信他虽出于推想，与事实一定相差不远。霍桑在离开警厅以前，又叫余甘棠出来，经过了一番训话，将他放掉。在训话时，我也参加过几句。

我曾向他说道："我们的国家处在危急的时代，未来的祸难，随时可以发生，而且也没法避免。青年是国家的命脉，民族的柱石，你是个优秀的知识分子，怎么自暴自弃，投进了迷人的魔窟里去，干这自杀的行为？"

霍桑的话当然更婉转些，不比我这样率直。余甘棠显着羞愧无地的样子。我暗暗欢喜，料想这少年还有自新的可能，国家也可多留一分元气，因为一个人有了错误而能够感到羞愧，可见他的知耻心还没有完全消灭。我所期望他的自新，就寄托在这一点上。

霍桑在和倪金寿作别的时候，对于报纸上的新闻字句，曾叮嘱过几句。他果真为赵伯雄留些地步，不曾把他的名字牵连进去。连余甘棠也只写余某字样。就是我此刻记载，甘棠二字，也出于杜撰。还有几个人的姓名，也是都曾变易过的。

这一夜我们回寓所时已交十一点钟。第二日，李守琦到上海来，受过倪金寿的讯问，证实了霍桑所推测的李芝范的动机。不过他对于他父亲行凶的计谋，绝不知情。这件案子既然结束，霍桑也不主张多所牵累。除了将汇寄的四千五百六十元追回以外，李守琦就完全没有什么处分。关于那舞后的财产，李守琦当然不敢要求继承，陆健笙却曾提出收回的请求。霍桑曾竭力反对，结果连同他送给霍桑的酬报，都捐给了慈善机关。

姜安娜曾来谢过霍桑，他回答几句忠告。伊因着同伴的不幸归宿，也有相当的觉悟。那个乘黑汽车的雨衣客，我们也始终没有找到下落。还有丽兰的朋友鲍玉美，也不曾实践伊的诺言，伊到底不曾到丽兰家去。赵伯雄曾否找到伊，我们也不知道。这案子披露以后，这位鲍小姐便离开舞场，从此销声匿迹地不知去向了。

青春之火

听觉的比赛

　　我不是自己夸口，我的听觉虽及不上我的老友霍桑，可是也并算不得怎样低弱。那天破晓时分，霍桑只轻轻地说了一声"一个女子"，我便突地从睡梦中惊醒。我向窗上望一望，晓光已是白漫漫的。在这晚秋的当儿，这样的光色，估量起来，已是六点钟光景。在夏天的这时，霍桑早应当起床，往外边做运动早课，吸收新鲜空气了。现今是秋天，我们略迟起一些。他此刻既然还好端端地躺在床上，怎么说什么女子不女子？莫非他也做什么甜蜜的好梦，梦境中遇见了……

　　"一个女子——一个年轻的女子！……可怜！伊一夜没有睡哩！……伊一定是为着什么凶杀案来的！"

　　一连串感叹从霍桑嘴里透出来，使我吃了一惊。霍桑此刻醒着吗？还是梦吃？若说醒着，他明明还睡在床上，怎么有这不伦不类的说话？

　　霍桑忽叫我道："包朗，醒醒！有凶案来了。别做梦哩！"

　　我一骨碌从床上坐起，答道："我早已醒了。你才做梦哩。"

　　霍桑也已急急下床，向房门外指一指，说："我是不是做梦，你等着瞧吧。苏妈上楼来报告了。"

　　室门上果然有弹指的声响。接着是那老妈子的声音：

　　"先生们醒了吗？下面有一位女客，说有万分要紧的事。

伊正等候着呢。"

霍桑应了一声"我们就下来"，苏妈便缓缓地下楼去。

我才明白霍桑刚才的话并非梦呓。他早已听得了下面的声音，就知道有什么女子和凶案。这样看来，他的听觉究竟还比我高出一筹。

我说："你大概早已醒了，听得了来客和苏妈的谈话，才知是一个女子，一夜没睡，此刻特地来报告凶案，是不是？"

霍桑一边穿衣，一边摇头答道："不是。那女客说话的声音，我一句没有听得。我的断语只是根据这两种声音而发的。"

我诧异地问道："什么两种声音？"

"一种是咯咯的木跟皮鞋声，一种是苏妈的答话声。我明明听得苏妈回答：'在的，可是他们还没有起来哩。'这就是我的断语的根据。"

我一边匆匆穿衣，一边默想。他因着皮鞋的声音假定来客是一个女子，原不足为奇。因为高跟皮鞋是一般时髦女子穿的；因此推想那女子的年纪还轻，当然很合理。但是他还说那女子一夜没有睡，又知道伊来报告的不是盗案，不是失踪，却是凶案。这又凭着什么呢？

霍桑不等我问他，先自说道："包朗，别多费心思了。我的断语是否准确，还得到楼下去证明了才知道。你快些穿衣，别再发什么无谓的问难。"

梳洗既毕，我们就匆匆下楼。办公室里果然坐着一个修短适中的少妇，年纪还不到三十。伊的装束非常入时，上身穿一件淡绯色的花绸夹袄，下面系一条时式钻边的黑裙，足上穿一双灰色丝袜和挖花紫色纹皮的高跟皮鞋。我走近伊时，还有一股香气袭击我的鼻孔。可是一瞧伊的容貌，不由不令人吃惊。伊的脸形本是瓜子式的，这时脂粉消退，下颊瘦削而惨白，越显得两颧的高耸。一双眼睛深深地陷进了眼眶里去，嘴唇上也失却了天然的吸引力。伊的淡黑色的眼珠本来一定是很动人的，此刻不但没有一丝媚态，却满露着忧戚而恐怖的光彩。

霍桑向伊鞠了一个躬，便自己介绍："鄙人是霍桑。这一位是包朗先生。……请教尊姓？"

那女子盈盈地立起身来，向我们答了一个礼："霍先生，包先生。我叫颜撷英，夫家姓张。"

霍桑说："张夫人，对不起，让你等了好久。请坐。"

伊说："我应当请求先生们原谅。我昨夜一夜没有睡，心里又怀着恐怖，所以一等到东方发白，便慌忙赶出来。我忘了时间还早，打破先生们的清梦，十分抱歉。"

霍桑说："不用客气。我们本来要起身了，请坐。我想你这样早赶来，一定有什么非常的祸患，是不是？"

女客坐下来。伊的呼吸很急，脸色越见得惨白。

伊哽咽地说："先生，是啊！我的丈夫被人谋死了！"

我不由不把目光瞧到霍桑的脸上。霍桑也回了我一眼，仿佛说："我之前料定伊一夜没有睡，伊所报告的是一件凶案，此刻你佩服不佩服？"他这暗示，我一望便已领会。可是他到底具什么神通，才能有这样的先见之明，我可想不出来。

霍桑又向那妇人说："那么请你把尊夫被害的情形说明白，我们也许有可以尽力之处。"

伊用一块剌花的白丝巾按一按嘴，才颦眉地说："详细的情形，我也不知道。因为昨天我是回母家去的。到了晚上十二点相近，看门兼种花的金寿忽然到我母家去报信，说少爷昏倒了。那时我已经睡了，一听得这个消息，马上从床上起来，跟金寿一同回来。到了家里，我才知有刚已经气绝——我的丈夫叫张有刚。我本不知道他是怎样死的，但一瞧书室中器具混乱的形状，似乎他和什么人打过架，显见是被人家弄死的。可是那凶手是谁，我们完全不知道。我的婆婆和小姑效琴都是女流。一个打杂的阿荣恰巧回家去，家中只剩一个看门的金寿是一个男人。因此黑夜里发生了这样一件可怕的凶案，个个都吓得什么似的，哪里还敢有什么举动？所以等到天色发白，我才敢到这里来请教。"

"张夫人，你住在哪里？"

"虬江路十九号。我妈住在靶子路敏德里。"

"这是一件命案，发案的地点既然在北区，照例应当先往北区警局里去报告。你怎么直接来见我？"

"霍先生，你的话不错。我出来的时候，金寿已经到警察局里去报告了。我到这里来请求二位，原是我个人的意思。"

我不禁插口道："那么你的意思，可是以为这件案子的情节有些离奇，官家侦探们担当不了，才来叫我们帮助？"

"这是一层理由。但还有一层，保护我自己。"

霍桑的目光转一转，注意地问道："什么意思？你怕什么人？"

那妇人定着眼珠，颤声说："是……霍先生，我怕人家怀疑我。"

"唉，什么人怀疑你？因着什么缘故，你才怕人怀疑？"

伊沉吟了一下，才仰起头来，低声说："我怕的就是我的婆婆。伊在昨晚发案以后，已经说了一大堆话。伊说我们夫妇俩平日不和睦，才会酿成这样的事。伊还说昨天傍晚我回了母家，一到晚上，伊的儿子便忽遭惨死。这都是很可疑的。伊的意思，好像要把伊儿子的死归罪于我们俩的不和睦，并且牵涉我回母家去的事。霍先生，你想我怎能担当得起……我久闻两位先生的盛名，不但能够给人家解决疑难，还常常替一般受屈的人出力辩护。所以我——"

霍桑止住伊道："唔。我要请问一句。你婆婆说你们夫妇俩不睦，这话可实在？"

"话是实在的。我和有刚的感情果然不大好，口角的事也是时常有的。"

"为什么缘故才这样？"

"我们俩的婚姻原是先父做主的。他叫颜玉峰。两位可曾听得过？"

霍桑思索似的不即作答。我便点头插口：

"可就是前清做过山东巡抚的颜玉峰？"

"正是。他老人家非常守旧，婚姻的事绝对不许儿女们自己做主，有刚的嗣父叫张世勋，是做军装买办的，跟我的三舅舅相识。三舅舅做的媒，说有刚怎么好怎么好，才配成了这对怨偶。其实有刚是个纨绔儿，平素欢喜冶游，喝酒赌博，什么都干，结婚以后，仍旧不改他的寻花问柳的故态。有时我劝他几句，他不但不听，还要白眼相加，往往就因此争吵。你想象这个样子，我们怎么会得和睦？"

霍桑沉吟了一下，问道："昨天你因着什么事回家？"

"也因为经过了一场口角，我才负气回去。"

"为什么事口角的？"

颜撷英又低垂了头，期期地说："我因为他时常不回家，也就不时往我妈家去小住。他却说我不该如此，说话中还带着侮辱的话。我耐不住，就和他斗起口来。"

霍桑低着头在地席上凝视了一会儿，接着略略抬起些目光，似乎向那妇人偷睨了一眼，随即立起身来。

他说："张夫人，你先回去。我们俩随后就到。"

张颜氏向我们俩瞧一瞧，又低下了头，默然不答。伊的眼光中似乎表示心中有什么怕惧，一个人不敢回去。

霍桑又说："张夫人，请放心回去。我们查验之后，事情总可以有分晓，决没人敢任意难为你。"

颜撷英又把那一方刺花的白丝巾在嘴唇上按了一按，才点头起立。

伊胆怯地说："那么请先生们立刻就来。"

霍桑答应了，便送伊出去。一会儿他就回进来。

他说："包朗，据我料想，这绝不是一件平常的事。你的日记中大概又可以多记一件奇案了。"

"真的？"我想起了方才的疑团，"霍桑，你方才所预料的，伊一夜没睡，和伊所报告的是一件凶案，果然已经证实了。但你究凭着什么根据，我还没有明白。"

"这是很明显的。我已经说过，我的根据，就在苏妈所说的那一句答话：'在的，可是他们还没有起来哩。'你试从这一句答语上推想那颜氏的问句，谅来就是'霍先生和包先生可在家里吗？'这样的问句，若在日间，本来是很平常的，但在这破晓时分，不问我们起来不起来，只问我们在家不在家，可见伊的脑中实在没有一个'睡'字。因着伊一夜没有睡，好像在日间一样，慌忙中便照着伊的主观，发出那突兀的问句。因此我就推想到伊一夜没有睡了。"

我点点头。理由果真不错，足见霍桑的推理能力的确入微。

我又问道:"你怎么又知道伊来请托的是一件凶案?"

"那就是根据第一层来的,更容易明白。你想伊是一个女子,一夜没睡,此刻又亲自到我们这里来,显见是一件利害关切的重大案子。盗案或失踪固然也重要,但到底不及命案严重。这是一层理由。还有一层,盗案或失踪案,发觉的时间大概总在人家早晨起身以后。这一案既在昨夜夜间发生,却挨到这时候才来寻找我们,那定是因着黑夜中,女子为恐怖心所胜,不敢出门,所以直到天亮了才来报案。这又分明是一件足以使人发生恐怖的杀人案子。若是盗窃或别的案子,或是果真在半夜发觉,那就情形不同,也许要连夜告发,不会等到天明了。"

我听了这一番解释,不觉暗暗叹服。霍桑的理论处处是有实际根据的,不过根据的取得,就凭着他的特别敏锐的头脑,不是一般没训练的人所能望其项背的。

霍桑接着说:"我已叫苏妈快预备早餐。你也快些准备。我们一同往张家去。"

案　情

张有刚的住宅在虹江路的中段,是一座相当宽大的面南的西式房子。门前一带青砖的短墙,夹着两扇铁条的门。进门靠右的一边,就是一间小小的门房,左右有两条弧形的水泥车径,交接成一个环形,直通到正屋。车径两旁都种着短短的冬青,冬青后面铺着草地,还种几株杂树。中央却是一个隆起的花圃,散列着许多剪秋罗大理菊之类的草花,正姹紫嫣红地开放着。屋子右边有一条碎石小径通到屋后去。屋后似乎另有一个小园。我们走进门时，有一个人从门房里走出来招呼。

霍桑向他瞧了一眼，问道："你是金寿？"

那人是一个长身的大汉，瞧上去年纪有三十左右，面色苍黑，浓眉大眼，显得是一个壮健有力的人。

他听见霍桑一问，站定了好像呆了一呆。

他答道："正是。先生们可就是——"

霍桑忙点点头，答道："我们是你家少奶奶请来的。伊在里面吗？"

金寿赔着笑脸道："喔，是的，少奶说过的。但少奶刚才又重新出去了。"

霍桑诧异道："又出去了？伊往哪里去的？"

"伊没有说。不过我看见伊出去时脸上气冲冲的，仿佛跟太太闹过几句。伊关照我，等一位姓霍一位姓包的先生到了，可以引进去见太太。请！"他弯弯腰，请我们进去。

霍桑仍站定了不走："慢。你家太太一个人在里面吗？"

"伊在和巡官先生们谈话。"

"巡官来了多少时候？"

"一刻多钟。他同着一位侦探先生，先在书室中把少爷的尸身验了一会儿。此刻正把太太和小姐叫下楼来，在憩坐室中问话。"

"那么，我们用不着急急进见。你轻轻地引我们到憩坐室门外，让我们顺便听听，免得打断他们的谈话。"

金寿向我们打量了一会儿，缓缓道："既然如此，你们只需立在那憩坐室的窗外，就可以听得见。"他用手向正屋前石级西旁的一个窗口指一指。

霍桑点点头，便引我顺着那水泥车道走过去。

正屋前面的左右，各有一个小花圃，围列着一圈短短的山樊，各成一个椭圆形。山樊的外圈还有一盆盆傲霜的秋菊，淡黄嫩白地交相辉映，有一种幽逸的风致。我们的足步很轻，目光虽注在花圃上面，精神却早已飞进了那憩坐室。它居于屋子的西面，靠花圃有两个窗口，都罩着白纱的窗帘。我看见靠近石阶的一个窗口，里面的窗帘虽下，外面的玻璃窗完全开着。这正配我们的需要。

我们跨过山樊，偻着身子，悄悄地走到窗口下面，屏息地伏着。里面有一个年轻的女子的声音正在答话。

伊说："正是，是我先下楼来。我听得了楼下许多奇怪声音，心中早怀着鬼胎。后来我猛听得扑通一声，好像有什么重物倒在地上，接着便寂静无声。我哥哥也不上楼。我等了一会儿，依旧没有响动，就按捺不住。我哥哥喝醉了，虽然常要发脾气，可是这种声音却从来不曾有过。因此我为着不愿惊动妈，悄悄地执着一支洋烛，走下楼来。我想瞧瞧哥哥是不是一个人在下面，或是另有什么人和他打过架，我哥哥给人打倒了。因为先前的那些响声实在很像有人打架似的……"

又有一个女子插口说："是啊。那种声音我们虽然听惯，但究竟没有昨晚那么可怕。效琴说的好像打架，真一点儿不错。"这声音的年龄比较老些。

一个男子声音应道："那声音老太太也听得了吗？……唔，张小姐，以后怎么样？"

"我走下了楼，轻轻走到书房门前。书房门紧紧关着，又没有一丝灯光露出来。我凑着耳朵一听，仍旧不听得一些声响。我越发疑心，一时又没有把书房门推开的胆力。因为我哥哥的脾气是非常偏激的。我因着前两次的经验，不觉有些怕。

可是我既然下了楼，又不肯依旧怀着疑团上去。所以踌躇了一会儿，我到底放大了胆子，轻轻地握住了门钮，将门推开了一寸。哎哟！……"

"那时你可就瞧见令兄的尸体？"

那少女并不即答，停了一会儿，才颤声答道："那时我的眼光从门缝间瞧到书房中，但觉里面黑漆漆的，电灯已完全熄灭。我不禁一凛，但仍不心死，顺手将执着的洋烛送进门缝，向书房中一照。我才看见近门有一只椅子倒在地上，椅子旁边，我哥哥直僵僵地躺着！"

"唔，这情形实在是可怕的！"这是另一个粗大的男子声音。

先前的一个男子又问道："那时你受了这样的惊吓，又怎样处置？"

"我记不得了！我……我记得仿佛曾喊过一声。以后我就记不清楚。"

这时老年的妇人又接嘴说："效琴喊了一声，便晕过去了。我和王妈听得了呼声，就赶下来。效琴跌倒在书房门外面，洋烛丢在地上，幸亏已熄灭了，烛油却染了伊满身。"

"老太太，当时你可是听得了令爱的呼叫声才下楼的？"

"是的。我起先听得有刚的喧闹声，知道他昨晚往朋友家去喝喜酒喝醉了，又在那里发酒疯。我虽觉他的声音较大，有些怀疑，可是不曾下楼。后来听得吵闹声渐渐地停了，正想重新睡，朦胧间忽听得效琴在下面嘶声喊叫，我才慌忙起来，走到后房，唤醒了王妈一同下来。那时金寿也赶进来。我们就急忙将效琴从地上扶起，又扳亮了书房中的电灯，就发现有刚僵卧在地板上。我连叫他几声，不答应。金寿摸摸他的口鼻，气

息已断绝了。我吓得落了魂。幸亏王妈和金寿扶住我，才没有晕过去。"

"那时书房中可有什么别的人？"

"没有。只有有刚一个人躺在地板上。我们慌了一会儿，还是金寿有些主意。他先叫王妈将效琴送上楼去，第二次又扶我上去。随后他才到靶子路去报信。因为那时候撷英——我的好媳妇——还舒舒服服地在伊的娘家哩！"

室中略略静默。霍桑仍低垂着头，乘间取出小册子写了几笔。他回转头来向我侧一侧头，似乎问我室中的谈话可听清楚没有。我点一点头。接着窗口中又有声音透出来。

第一个男子又问："张小姐，你听得声音下楼，可记得是什么时候？"

"这倒没有注意。我记得哥哥回来时约莫才交十点。"

老妇也说："不错。我睡的时候只有九点半钟。后来被有刚拍桌击椅的声音吵醒，钟上已过了十点半。"

"张小姐，令兄回来时你还没有睡？"

"是。昨晚我还在看书，所以听得很清楚。"

"从令兄回家直到你下楼，这中间有多少时候？"

"我不大注意。大约有一个钟头。"

"你方才说，令兄酒后回家，常常发酒疯。他可是天天如此的？"

"这也不是。他不是天天喝酒的。有时他和朋友喝了几杯，回来便要吵闹。他的酒性是很可怕的。他吵闹的时候，谁都不敢近他。我嫂子因着劝他的缘故，曾被他打过几次。去年夏间和今年春天，我也吃过他两次亏。第一次我因为他吵闹不休，走下楼来。他一见我，不问情由，便举起手来掴我一掌。第二次他自个儿骂人，我劝了他一句，又吃他一拳。从这两次以后，我就任他吵闹，再不敢下楼。不过昨天的声音实在太奇怪了，我才冒险走下来。"

那老妇又说："先生们，这件事终要请你们给我儿子申冤。因为有刚的脾气虽然不大好，但此番明明是被人家谋死的。谋死的情由，我刚才已经说过，先生们谅必也明白了。"

"这是有性命出入的。若没有确实的证据，不能随便说是什么人干的。"

"证据不证据，全要靠先生们去找了。内幕中的情形已经非常明显。别的莫说，但瞧昨天傍晚，撷英也和有刚大闹了一场才回娘家去的。"

"唔，这个我已经知道。……老太太，你刚才不是说令媳的哥哥叫颜小山，是做过县知事的？"

"是啊。就因着伊家是做官的，所以伊才装足威风，瞧不起婆婆和丈夫。其实伊真是一个白虎星，一进门就克掉伊的阿公，此番伊又狠心地弄出这样的——"

那少女又插口说："妈，别这样说。这件事嫂嫂是不是有关系，到底还须查明了再说。你这样子口口声声说定是伊，被颜家的人听得了，不是要闹出岔子来吗？"

那男子也附和道："是啊。我们不能先下断语。凶手是谁，等到查明白了再说不迟。现在我再问一句。昨天他们夫妇俩的吵闹，究竟为的什么？"

老妇道："哎哟！说出来也丢脸！撷英近来越发不对了！每逢有刚不在家，伊便自由自在地出去。这里面的情形自然不必我说。可是有刚偶然说伊几句，伊就破口相骂，闹一个不亦乐乎。不但如此，伊自身虽不知检束，一听得有刚要纳妾，伊却反发足雌威，竭力反对。俗语说，养只母鸡会生蛋。一个女人结婚了三年，自己没有出息，又不守妇道，却偏偏仗着母家的势力，瞧不起我们。侦探先生，你想气人不气人，可恶不可恶？"

"这样说，你儿子曾经想要纳妾——"

我正听到这里，忽觉有一个细小的飞虫飞进了我的鼻孔。鼻孔中的神经一受刺激，便禁不住打起喷嚏来。这无意中的一喷嚏竟惊动了憩坐室中的人们，里面的谈话声音便立刻停止。

尸室中

无意中的一个喷嚏造成了这样的后果，我觉得很窘。霍桑也知道事情已弄僵，势不能再偷听下去。他向我皱皱眉，不发一言，便立直了身子，大踏步跨上正屋的石级走进去。我也懊恼地在后面跟着。

正屋的中间是一个客堂，排列着一组蒙着紫色丝绸的沙发椅座。地上铺着一条灰白色的地毯，靠壁有一张红木的半桌，供着许多古瓷古董，陈设非常富丽。这客堂面积很大，似乎除了特别宴会，寻常是不用的。

那时憩坐室的门"呀"地开了，走出一个穿栗壳色花呢长夹袍的中年男子来。霍桑本来认得他。彼此就点了一点头。后面还有一个穿袍褂留短须的矮胖子，却不认识霍桑，只顾向我们打量。后来我知道那个和霍桑打招呼的是北区警署里的侦探长姚国英，就是先前在室中主持问话的人。他近来连破几件盗案，很有些声誉。还有那个矮胖子是本区的巡官汪熙年。我们在窗外听得的一次粗壮声音，便是这位巡官先生。

姚国英把汪巡官和我们介绍了几句，便一同走进憩坐室中。里面有两个妇人，一老一少，就是死者张有刚的母亲和妹妹，装束都很朴素。那老的年纪已有五十六七，皱纹满额，肤色糙黄，双目却圆黑而有威光。少女的年纪约在二十四五，蛋圆形的面庞，灵活的眸子，脸上却白得没有血色。伊穿一件灰青素绸的薄棉袄，玄色的套裙，脚上是蓝缎的绣花鞋。这时伊的左手执着一块白巾，正在揉伊的眼睛。母女俩面对面坐着，相对凄然，显然都被悲哀之神所控制着。旁边还站着一个五十上下的老妈子，低沉了头，好像牙齿在打战，越发助长了这室中的阴凄恐怖气氛。

霍桑恭敬地鞠了一个躬，便向那年老的妇人说："张太太，我们是令媳颜撷英女士请来的。不过我们的职务是替死者雪冤，求良心和法律上的公道，不是替任何人做辩护来的。这一点请你别误会才好。"

老妇向霍桑瞪了一眼，眼光中显然有些敌意。霍桑却装作看不见的样子，并不和伊的视线相接。

老妇慢吞吞地说："先生，你们如果为有刚申冤，那是再好没有。我告诉你们，有刚是二房里嗣过来的，今年二十八岁，是我张氏两房的兼祧子。他讨老婆已经三年，可是我的好媳妇还不曾给他生一个儿子。此番他遭了这样的惨死，我张氏从此绝了嗣。你们若能够替他申冤，张氏的老祖宗也要感恩的。"

霍桑皱着眉，略略点了点头，回头向姚国英说："方才你们的谈话，我已经约略听得几句。这一着我是为顺便省事起见，请你原谅。现在我要先看一看尸首。你们是不是已经验过了？"

"是的，我和姚探长一同验过了。据我看，张有刚一定是给人杀死的。"

我听了他的话，不觉暗暗好笑。我知道我有口快的弱点，霍桑常说我近乎鲁莽。现在这位汪巡官的鲁莽的资格似乎还要高我一级。

霍桑神色如常，闲闲地答道："喔，当真是被杀的？你可曾得到凶器？"

"没有。但从他胸口的伤痕看起来，显见是被尖刀致命的。"

"那么这一件是谋杀案，是不是？"

"当然！我们找了好久，找不到凶器。即此一着，已显见是被杀无疑。"

"好。我们姑且瞧一瞧再说。"

那胖子很起劲地首先引导，出了憩坐室，穿过客堂，便去开东边的书室门。

"性急口快"的确可以做这位巡官先生的考语。姚国英问话的时候，他没有开口的份儿。我只听得他开了一句口，委实已给冷落了多时。此刻他见了我们，分明要乘机发泄和卖弄一下。霍桑又故意敷衍着他，他就越发得意扬扬地起劲起来。

书室中有一种凌乱可怖的景状。距室门两三步外，横着那张有刚的尸体，头东而足西。他身上穿一件淡棕色哔叽夹袍，原色毛细呢马褂，下身穿着一条淡咖啡色华丝葛夹裤，足上丝袜和纯锦缎的鞋子，都是新的，式样也特别考究。这时不但他胸口的衣纽已经解开，下身的衣服也皱褶不齐，似乎临死时在地上打滚扭转过。尸身旁边有一只倾倒的橡木椅子和一只雕花的茶几。还有一个破碎的花瓶，瓶水泼了满地，痕迹还显然可见。尸身头部的一端，向着第一个面向花圃的窗口。一扇窗还开着，但白纱的条子窗帘却沉沉地下垂。室中的器具都是很精致华贵的，而且大半是舶来品，不过给予我的印象是庸俗和凌乱。

我正在向四周察看，霍桑已取出放大镜来，屈着一足，蹲下去仔细检验。他的面色非常庄肃，眼睛中也满现着好奇的异光，似暗示这件案子果真很耐寻味。那死人的面色灰白中带青，瞳孔大，狰狞可怕。青黑的嘴唇向上卷着，露出一排惨白的牙齿，齿缝中还嵌着两条金丝。这形状在白昼中看见了，也够使人毛竖，若是在冷夜静寂的当儿，自然更不必说。

霍桑仰起头来，叫道："姚探长，汪巡官，请瞧，这个伤痕不是很稀奇吗？"

我俯身下去瞧时，见那伤痕偏在胸口的左向，白色的衬衣上已染了一小堆血渍，可是血色很淡。

姚国英答道："果真很奇怪。刚才我们只约略瞧了一瞧，还没有仔细验过。霍先生，你可有什么高见？"

霍桑指着伤口，说："你们瞧，这伤痕果然是被尖刀所刺的，可是伤口平齐，四周又没一些血痕花纹。因此我觉得这一刀不能说就是致命的伤。"

矮胖的汪巡官张大了眼睛，又皱着眉峰，两只手交握着，仿佛这一点出乎他的意料。

姚国英也怀疑似的说："你的意思可是说另外还有致命的伤？"

霍桑先指着死者的嘴唇和鼻孔，又指了指创口四周的肌肉，说："这里都现着特殊的颜色，你们可瞧见？"

"见过的，都有青黑色。霍先生，你可是说他是——"

霍桑不等姚国英说下去，接着说："正是，这分明是中毒的迹象。你们可曾请过医生？"

姚国英答道："我们从厅里出来时已经打电话去请许医官，大概即刻就要来了。"

汪巡官洋洋得意的神态改变了。他目瞪口呆地说："这真奇怪！他还中毒？如果如此，岂不是两重谋杀？"

我也不觉打了一个寒噤。一重谋杀，尚觉得一团漆黑，难于着手，假使果真是双重谋杀，内幕中的隐秘复杂，岂非更加棘手了？

霍桑斜眼瞧着我，似答非答地说："我早料这是件非同寻常的疑案，现在果然不幸成了事实！"他又回头问姚国英道："死者马褂上的钮子本来的情形怎样？是开着的，还是扣着？"

姚探长说："钮子本来是一粒粒都扣上的。但那时马褂上的刀口痕很细，粗看几乎看不出。我们发现以后，才把钮子解开来验的。"

"你解钮子的时候，你的手指上可有什么血渍？"

"没有。我的手指很洁净。"

"那么，你瞧。这两粒钮子上还染着些微血迹。但这血迹不是直接沾染的，是间接从手指上转染上去的。不过这痕迹很细小，必须用放大镜才能瞧见。"

霍桑立起身来，顺手将放大镜授给姚国英。姚国英接过了，也俯身下去瞧察，一会儿他仰起身子，点点头。

他说："正是。这可见凶手行凶以后，曾经动过死者的衣纽。"

霍桑沉吟了一下，应道："不错。你姑且在马褂袋里摸一摸，可还有什么东西。我看那人之所以要解动衣纽，一定是为了要在死者身上搜索什么东西。"

姚国英解开了马褂的钮子，伸手到袋里去摸索，一会儿，他摸出一只式样玲珑的小金表和一个钥匙。他更向夹袍袋中摸摸，却只有一块白巾和一只银质烟盒。

霍桑将表接过，开了盖瞧了一瞧，说："唉，这只表还在走呢。……这钥匙是什么地方的？"他的眼光不住向室的四周瞧着。

汪巡官说："唔，那边窗口不是有一只铁箱吗？这钥匙莫非就是铁箱上的？"他向一个窗口指一指。

霍桑正也向着铁箱走去，一边走，一边应道："也许是的。姑且试一下子。"他就将钥匙投进铁箱的锁孔中去，果然相配。他把箱门旋开，向箱中瞧了一会儿，忽然又失望："铁箱里是空的。"他又低头想想，接着道："虽然，这情形也可以给我们一种启示。"

姚国英问道："怎么样？你以为凶手的目的就为着图财？"

霍桑说："我们姑且不必说定凶手的目的是谋财，但至少总有过盗窃的举动。"

汪巡官似乎又忍耐不住："如果财物算不得是凶手的主要目的，那么那人抱了什么目的才来行凶？"

霍桑似乎没有听得，走过来取了放大镜，重新回到铁箱面前。姚国英立在旁边，向汪巡官眨了一个白眼，默然不响。

我乘机向室中四瞧。这书室和方才的憩坐室大小和位置都相同，不过憩坐室居会客室之西，书室居会客室之东。朝南向花圃的一面，有两个一样窗口。在第一个窗口和那通会客室的一扇门之间，就是那尸体横陈的所在。那铁箱放在靠壁第一扇窗和第二扇窗的中间。从铁箱更向东一步，就是第二扇窗的窗口。靠窗放一只红木写字台，窗帘垂下，玻璃窗也紧紧闭着。

朝东一面的窗也同样关着。我正向四面瞧察，忽听得霍桑失声惊呼，不禁使我回过头去。

霍桑说："国英兄，我看这铁箱里面一定放过财物，却被什么人乘机偷去了。"

"果真？你从什么上见到这层？"

霍桑指着铁箱的门，说："你瞧，这不是有人用什么东西在箱门上抹拭过的痕迹吗？"

姚国英点头道："不错。大概是凶手故意抹拭，要消灭手印。是吗？"

"正是。我正想寻得些手印，不料那人是个老手，竟预先抹干净了。"

"这样说，凶手倒是个有经验的家伙！"

霍桑应道："对，是一个精细多智的人。我们确不能轻视。"他又指着铁箱的内部，说："瞧这箱板上的痕迹，似乎死者所存放的不是银洋，却是钞票。你瞧，箱板上薄薄有一层灰尘，那里不是有几条指尖所划的乱纹吗？"

汪巡官又搀言道："那么被盗的数目约有多少？"

霍桑摇摇头："这问题我不能答复，停一会儿问问死者的母亲再说。"他顺手把铁箱的门闭上，又对姚国英道："瞧这形迹，似乎那人向有刚刺了一刀，随即解开他的衣纽，摸出这钥匙，开了铁箱，把箱中所有钞票取出，然后仍旧将铁箱锁上，更将钥匙还在衣袋里面，最后又扣上纽扣。这种种可以想见那人的从容不迫。事毕以后，那人还能将箱门上的手印抹拭干净，更足见那人的临事不乱和布置的周密。"

姚国英点头道："霍先生，你的见解真不错。因此我又得到一个印证。你瞧，那第一扇窗的窗帘的右角不是给剪去一角了吗？"

我的目光随着姚国英的手指瞧向那窗帘去。窗帘的右下角果真已给剪去了一个尖角，约莫有二三寸宽。

霍桑耸耸肩，道："唉，国英兄，你的观察力真不错。"他回身走到第一个窗口的面前去："这窗帘的剪痕，我方才已经见过，以为是偶然的。但现在看来，我先前的见解是错误的。"他又取了放大镜，俯着身子，在窗帘的剪角上细察。一会儿，他又说："这窗帘的角确实是新近用剪刀剪去的。那被剪去的白纱下阔而上尖，恰成一个三角形。我瞧剪的时候，剪刀的锋口分明是自下而上的。很奇怪。……国英兄，你说的印证，可是指消灭手印说的？"

"是啊。那人染血的手指谅必曾经掀动过这个窗帘，后来自己觉察了，就用剪刀剪去。霍先生，你说是不是？"

霍桑沉吟了一下，点点头："对。这一层的用意，和在铁箱面上的抹拭，当然没有两样。唔，这个人真细心。"他用右手抚摩着他的下颔，眼睛不住地向四面流转。他又缓缓地问道："那剪下来的纱帘的一角你们可曾看见？"

姚国英摇头道："纱角我没有瞧见。"他又举起手来指一指书桌："剪刀倒看见过。那边不是一把小剪刀？——"

"哼！"

霍桑的一声"哼"，打断了姚国英的语尾。原来他的眼光早已射到写字台上，仿佛他在无意中瞧见了什么紧要的证物。

察　勘

在三个人的愕怡之中，霍桑敏捷的脚步，霎眼早已走到了写字台旁。我们三个人都急急地跟过去。霍桑的一只手按在书桌面前的椅子背上，目光炯炯地凝注在书桌上面。我一时不知他瞧见了什么，心中暗自纳闷。因为姚国英所说的那把小巧尖头的小剪刀，明明在书桌的左旁，然而霍桑所注意的，似乎并不在剪刀上面。我细瞧书桌上面的东西。桌的中央有一方吸水纸的纸版，四角包着黑皮，纸版上有一支毛笔，笔的一端搁在砚台上面，砚池中还有余水。桌的左旁有一把西式金花茶壶和一只金边白瓷茶杯，此外还有几张新闻纸和几本小说。我觉得并没有什么特别的东西，不知道霍桑为什么张大了眼睛，瞧得这样子出神。

一会儿，霍桑突地旋过头来："国英兄，这桌面你可曾瞧过？"

姚国英讷讷地答道："瞧是瞧过一次的，可是没有瞧得仔细。"

"那么你姑且再仔细瞧瞧可有什么可以注意的地方。"霍桑又回头向我说，"包朗，你也来瞧瞧。这是一个很好的实验观察力的机会。"

我偷眼瞧瞧姚国英，他咬着嘴唇，紧蹙着双眉，神色很窘，显见他对于霍桑的话完全没有把握。我也重新向书桌上细瞧，竭力要想争一口气。可是桌子上实在没有什么特殊的东西足以吸引我的视线。除了刚才叙述的几种东西以外，还有一个白瓷笔筒，一个黄铜笔套，一只紫色水盂，大半锭六角形的松烟墨和一枚镂篆文的白铜镇纸。这几种原来是书桌上应有的用品。哪一种是霍桑所认为可以注意的呢？难道霍桑的眼光竟能透过木板，瞧见了桌子肚里的东西？

姚国英说："我瞧那支笔搁在砚子上面，并且去了笔套，

砚池中又有余水，可知是有人写过字的。霍先生，这可就是你
所说的应当注意的一点？"

"不错。这不过是一点，还有更要紧的一点。"

我再度用我的目力。我的眼光从毛笔上移接到渗墨纸版上
面，仔细一瞧，不由不失声大叫。

我道："霍桑，我瞧出来了！这纸版上的吸水纸，粗看果
然是一色纯白的，其实中间却有一条分界———一半是雪白而新
的，一半却微微带一些灰色，显见已受过几天灰尘。分明上面
的一张旧吸水纸已给撕去了半张，只剩了半张了。"

霍桑忽大声道："包朗，你的观察力果真有惊人的进步！
从今以后，我不怕没有得力的助手哩！"

我不知道怎样回答，反而有些不好意思。

霍桑又向姚国英道："国英兄，你明白了吗？瞧这情形，
似乎有人在这里写过字；写好以后，就在这张吸水纸上印过
一印。这样，那字迹当然要留在吸水纸上。后来这上面的一
张吸水纸，就因着有字迹的缘故，被人撕去了一半，所以才
露出下面一层的新吸水纸。不过那上面的一层也算得很旧。
新旧的颜色相差至微，粗看自然不容易注意。"

姚国英红了一阵脸，说："这吸水纸的新旧，我原也瞧见
的。可是我愚蠢的头脑一时不觉得有什么作用，所以不曾注
意。……霍先生，你想这吸水纸是谁撕去的？"

"这虽还是个疑问，但据常理揣测，撕纸目的必是要保守
什么不可告人的秘密。那么与其说是死者自己撕的，还不如说
行刺的人撕去的更加近情些。"

"吸水纸虽然已被凶手撕去，还有那张原纸可是也落到了
凶手的手中去了吗？"

"是，照眼前说，大概也已被那人取去。不过我们究竟没有仔细搜检过，还不能说定。"

汪巡官又忍不住地说："但那张原纸可是死者所写的？所写的又是什么样的性质？霍先生，你可也知道？"

"我不知道。我们必须先查明了死者平日的行径和他的职业，然后才能够推想。"

姚国英道："张有刚很有些遗产。据他的母亲说，他在新新面粉公司里当一个职员。"

霍桑点点头，顺手在书桌上把几张报纸取起："这是昨日的新闻报。唉，还有两张专载戏剧和花界新闻的小型报。这可以想见他平日生活的一斑。"报纸取起了，下面还有一张粉红的小笺。霍桑又急忙将小笺取起："一张新式的请帖。我念给你们听：'阳历十一月三日，为小儿伯熊与孟凤凤女士，在本宅行结婚典礼。即晚敬治喜筵，恭候光临。钱家里鞠躬。席设本宅汉口路永乐里五号。'"霍桑念完了，凝目想了一想："国英兄，方才你问话的时候，那张太太不是说伊的儿子昨晚上吃过喜酒吗？"

"是的，今天是四日。昨天他一定就是吃钱家的喜酒。这样看，也许可以合得上你中毒的见解。这请帖确有重视的价值。"

我暗想有刚果真是中毒吗？如果如此，加着行刺的确证，分明真是双重谋杀。这又怎么办？这两重谋杀是不是一人所为？或者有两个凶手？若使是一个凶手，既已下了毒，为什么还要行刺？倘若是两个凶手，那就疑团重重，更加难办。霍桑对于这案能否胜任，也就说不定了。

霍桑像在竭力运用他的嗅觉。他低下头去，在写字桌旁瞧了一瞧。

他呼道："他还呕吐过呢！这痰盂中就是他呕吐的东西。你们可觉得吗？"

痰盂是一种可憎的器皿，我本不愿意瞧，但因霍桑间接的暗示，自然而然地有一股难受的酒酸气味冲进我的鼻孔。

姚国英说："中毒的见解又多了一种印证哩。"

霍桑抬起头来，向窗口外一望，叫道："国英兄，有一辆汽车。大概是你们厅里的许济人医官来了。"

姚国英应了一声，便匆匆出去迎接。一会儿他领着一个身材短小穿西装的中年人进来。彼此招呼了一声，便一同到尸旁来察看。许医官放下了带来的一只皮包，偻着身子在尸身上验看。一会儿他才慢慢地立直。姚国英又把方才和霍桑所谈的意见约略地向他说了一遍。

许医官说："就外表看，这个人十分之八已有中毒的痕迹。但究竟怎样，还得等检察官到来后，经过仔细的检验，才能断定。"

霍桑道："我还得请许先生证明一个疑点。死者如果是中毒，是不是因毒致命，还是被尖刀所杀，这一点要请你指教。"

"霍先生，太客气。等我检验之后，一定把结果报告你。"

医官立直了，向书室四周瞧看，似乎要寻什么东西。

霍桑问道："许先生是不是要寻些检验的材料？"

"是啊。凡查验中毒的人，同时必须搜罗些饮料，食物和茶壶酒杯之类的应用器具，以便可以追究毒物的来由。"

"我早替你寻得一种了。在这里呢。"霍桑微笑地说着，引他走到书桌面前，指着那只黄铜痰盂给他瞧。

医官说："唉，他曾呕过的。这真是重要的东西，应当带回去。"他回过头来，瞧见了书桌的茶壶，随手揭开了茶壶的盖："这还是满满的一壶茶呢。大概是红茶吧？"

霍桑和我也伸过头去看。我细瞧那浮着的厚厚一层茶叶，果真是红茶。

医官又说："无论如何，我总得带些去检验。"

许医官从衣袋中摸出一个小玻璃瓶来，随即取起茶壶，在茶杯中注了半杯，又从茶杯中装入玻璃瓶里。接着他把玻璃瓶塞紧了纳入袋中。

他说："姚探长，我先回去报告，以便检察官早些来，我可以帮同查验。这个痰盂请你派个弟兄送回署里去。查验的结果怎么样，我再通知你。"

姚国英应道："很好。我等你的信息。"

许医官拿了皮包，回身要出去，霍桑忽止住他：

"许先生，对不起。还有一点，尸身上如果有什么可以注意的地方，也请你通知一声。我们只在他的外面瞧过一瞧，还没有仔细验看过哩。"

分　工

许济人医官出去之后，霍桑提议，我们四个人分头工作。姚国英再去问问死者的母亲，所问的题目有四：一，伊儿子的银箱中存贮的银钱有多少？二，伊说过，死者曾经有过纳妾的意思，这事的情形究竟如何？三，伊儿子所交的朋友最熟悉的约有几个？四，当凶案发觉以后，金寿既往靶子路颜家去报信，那时候她们母女俩和女仆王妈等在什么地方？并且书室和大门是否另有看守的人？霍桑自己担任的是到门房里去查问金寿。因为据他的意见，金寿在这件案中实处于重要的地位。我和汪巡官负责在屋的内外仔细查验，以便寻得些线索，或发现什么凶手的来踪去迹。商议既定，四个人便立即分头去干。

我等霍桑和姚国英走了出去，又和汪熙年巡官再分一分。汪巡官去察看屋的外部，我却在尸室中搜检。汪巡官赞同了走出去，我就也在室中动手。

尸室中的地板虽然是广漆的，但这时候足印纵横，休想辨得清楚。我在墙隅边角仔细瞧了一会儿，没有可疑的东西。我猜想中的窗帘上剪下来的纱角、撕下来的渗墨纸和凶刀等等，更是没有踪影。我又瞧那三个窗口。朝南第一个窗口开着一扇窗，窗帘剪去了一角，我已经说过；第二扇写字台前的窗，窗栓紧紧地闩着，毫无疑迹；还有第三扇朝东的窗，虽然关着，却虚合着没有下栓。这窗口可曾是凶手出入的通道？可是更一细察，又自笑我的鲁莽。这窗口是沿通路的，设备也和朝南的两扇不同。那玻璃窗外还隔着铁条，凶手当然不能出进。我开了窗摸摸铁条，根根都不能摇动。我便仰起头来瞧瞧，窗外是一条小弄，对窗有一垛白色的砖墙，墙里面似乎是人家的天井。无论如何，这窗口决计不能认作通道。

三扇窗都没有发展的余地，我就再从书桌上着眼。桌面上的东西，霍桑等已经验过，无须我再去研究了。我将书桌靠左的一只抽屉抽开，翻了一会儿，没有什么重要的东西；又伸手去开右边一只，不料锁着。这当儿若要寻钥匙开，未免费事，并且也不容易办到。因为这抽屉的钥匙也许在死者的身上，方才霍桑既因检察官没有到场，不能擅自搜索，我自然更不便去翻动死尸。于是我取出便用刀来，着手撬那抽屉的锁。不费多大的力，抽屉就给撬开了，便见有一个银行存折和几本风行的所谓艳情小说。此外还有不少跑马票和大小不等的照片。照片都是时装的少女。我把小说取出来顺手一翻,忽见书中另外夹着一张用透明纸裹着的照片。照片上也是一个女子,年纪还不满二十,装束像一个小家碧玉,相貌也还不错。我暗想这照片既然特别重视,一定是有关系的。我又发现别一本书中有一张中式海月信笺,上面写着几行墨笔的草字。

我急忙取出信笺来,念道:"我写这封信给你,本来是很冒昧的。但你我同是商界中人,而且你又是很体面的,所以我特地通告你一声。你夫人的行动近来似乎不很正经,跳舞场和游戏场里时时见伊的踪迹。昨天晚上,我看见伊和一个男子一同在大华戏院里瞧戏。这是我眼见的。你应得留意些才是。如果再放出去,那就——"

信写到这里忽然中断了。信上的字迹很草,并且有两个字经过涂改。我一时想不出那信有什么作用。是草稿吗?还是录下来的副本?又是谁写的?信中所说的夫人,是不是死者有刚的夫人?或是有刚称呼他人的?我正在痴想的时候,忽听得汪巡官在窗外招呼:

"包先生,请出来瞧。这里有一个紧要的证迹呢!"

他的报告相当郑重,大概他已经发现了什么。我忙着拿了照片信稿走到外面,看见汪巡官在第一个窗口外面。他的惊异的眼光正凝注着窗口下面的草地。

他捻了捻他的短须,很得意地说:"包先生,你瞧,这不是半个足印吗?"

我走近瞧时,果然有半个很深的足印。

我说:"正是,这个发现很重要。唔,这是个男子的足印,像有一个人仰跂着足尖,向窗内窥探,所以他全身的重量都偏在他的足尖上面,印就也留得特别深。"

汪巡官越发得意，连连点着头，表示很赞同我的意见。他还假定那足印就是凶手所留下的。我对于这一点还不敢附和，但把发现的照片和信纸告诉他听。他也非常惊喜，以为这些都是破案的要证。这时我们的职司大体完毕，就一同去找寻霍桑。

霍桑还在门房里和金寿问答。我不便进去惊扰，就拉住了汪巡官一同站在门外，听里面的谈话。

霍桑问道："你说你主人好似有害怕什么人的情形。可是到了昨天晚上，才有这样的表示？"

金寿道："不是。这模样已经有了三四个礼拜。不过昨天晚上他回来得特别早，并且仔细叮嘱我将前后门关好。他的畏惧状态更觉得显露一些。"

"你说他回来之后，一脚走进书房。你怎么知道？"

"我在大门上下锁的时候，瞧见书室中电灯扳亮。其实他夜夜如此，回来后总要在书房里看一会儿报，然后才上去睡。"

"他的卧室在哪一面？可是在正屋的中楼上？"

"不是。中楼是太太的卧房。西楼是小姐的房。少爷的房就在东边的书房楼上。"

"昨天晚上，他可曾上过楼？"

"我不知道。我关了大门，就回进来睡了。"

"你睡的时候可曾听得过什么声音？"

"听得的，是少爷的声音。"

"怎么样的声音？"

"起先只有些拍桌骂人的话，后来好似喝呼起来。"

"你听得骂什么人？"

"我没有听清楚。不过少爷常常一个人会骂人，骂起来又是粗恶得很，我也学不出口。"

室中忽然静寂了。汪巡官向我点点头，暗示这一番话对于案情上也有开展，感到高兴。我用同样的方式答复他，依旧屏息地站着。一会儿门房中的语声又继续了。

霍桑说："金寿，你应当实说。我瞧你的面色，明明有什么事隐瞒着不告诉我。如果如此，你不但误人家的事，还要误你自己哩。"

金寿期期地说："我……我还听得一种喊声……仿佛少爷……他……他曾叫过我。"

"唉，你怎么样？可曾答应他？"

"没有。我……我……已经睡在床上。"

"什么？主人叫你，你为什么不答应？"

又静一静。这时门房中的空气一定很紧张。我和汪熙年仍默然相对。

霍桑说："说啊。你可是明明知道你主人正被人谋害，故而害怕不起来？要不然你也太懒惰了。"

金寿粗壮的语声忽似带着颤动："先生，不……不是我懒惰。我……我……"

"唔？不是懒惰是什么？你怎么吞吞吐吐？"

"先生，有缘故的。少爷喝酒之后往往如此。有一次，他在书房里乱叫乱骂，还打碎了一块玻璃和一把茶壶。我吃了一吓，奔进去瞧，原来他一个人在那里发酒疯。我给他打了一拳。我吓怕了，所以昨夜里也不敢随便进去。后来我快要睡着了，忽然听得小姐的呼声，才爬起来奔进去。少爷已经倒在地上了。"

"那时候你就知道你主人已经被人杀死了？"

"杀死不杀死，我没有觉得。我只走近去一摸，觉得他的呼吸已断。我们慌得没有办法。后来我叫王妈把小姐和太太送上了楼去，接着我便到少奶家去报信。但那时候太太吩咐我，不许说明白，只说少爷醉倒了。"

"你去报信的时候，是从这大门出去的？"

"是的。"

"你出去后大门怎么样？可有人代你看守？"

"没有。我只把门虚掩着。我刚才已告诉先生，包车夫魁林在上月里辞歇了，打杂的阿荣又因着他的妈害病，在昨天傍晚回家去，所以没有人可以代我。"

"你回来时大门又怎么样？"

"依旧虚掩着，没有两样。"

霍桑略顿一顿，又问："昨晚你主人什么时候回来？后来又到什么时候发案？"

"我只记得少爷回来时在十点钟左右。后来我到少奶家里去报信，没有留意时刻。但从少奶家出门回转的时候已经打十二点钟。"

问答停搁了。我听得霍桑在门房里用手指弹着桌面。秋阳的余威还不弱，我浑身浸在它的溶液中，觉得有些热。汪熙年也在用手巾抹他肥润的额角。

一会儿，霍桑又换了一个题目："你主人的朋友一定不少，是不是？"

金寿毫不留顿地答道："是，真不少。以前姜少爷常在这里出进。还有虞少爷，郑少爷，还有个叫小马，一个叫老刘，还有个女戏子叫小金花——"

霍桑岔口说："喔，一个女戏子？伊常来这里？"

"是，不过近来这班人都不来了。最近几个礼拜简直没有人上门。"

"那么这几个星期中，你可曾见有什么可疑的人在你家门前走动？"

"这个……这个很难说。若说行路的人在门口探探望望，那是不时有的。"

"我的意思，要知道可有什么人逗留在附近，或曾向你探听口气。"

金寿停一停，好像追想什么，接着答道："唉，我记得大前天下午，有一个人进来问我少爷可在家里。我回答他不在。他又问少爷什么时候回来，我说不一定，大概总在夜半。那人好像很不高兴。"

霍桑的声调仿佛增加些注意："那个人怎么样打扮？你可认识？"

"不，我从前没有看见过。衣服是穿中装的，我已记不清楚。我觉得那人戴一副凸晶的眼镜，不像是下流人。"

"你事后可曾告诉你主人？"

"没有。因为我当时并不在意，过后便忘怀了。"

"那么你白天一直在这门房里吗？还是时常要走开的？"

"不，我一直在这里，只有吃饭的时候，我到里面厨房里去搬饭，但时候也不多。此外除非有客人来，我进去通报，暂时离开门房。"

"昨天午后，可有来客叫你到里边去通报过？"

"没有……唔，有的。"

"什么？"

"昨天下午四点钟光景，有个穿西装的高个来问少爷在不在。我没有给他通报。"

"为什么？你主人不在家？"

"不，少爷在家里，可是我听得他正在跟少奶吵嘴。我有些怕，所以……所以我回答那客人不在家，没有进去通报。"

"后来你也没有告诉你主人？"

"没有……我……我实在怕他。"

"这个客人你认识吗？"

"不认识，不过我看见过他一次。上礼拜他来看过少爷，少爷陪着他一块儿出去。我不知道他姓什么、叫什么。"

"昨天还有别的客人吗？"

"没有了。不过在晚饭的当儿，我照例往厨房中去了一次。"

"那时候你主人可在家里？"

"不在。他又出去了。"

"我听说傍晚时分，你家少奶曾和你主人吵闹过，怎么会不在？"

"吵嘴是在四点钟后。少爷在四点光景回来，不知怎的，又和少奶吵起来，吵了一场，他又匆匆出去。接着，少奶也回伊的母家去。所以在傍黑的时候，少爷又不在家。"

"你可知道那时候你主人往哪里去的？"

"知道的。太太早一天说过，昨晚上少爷要到汉口路钱家去吃喜酒。他出去时穿的也是新衣裳。"

"但你主人晚上回来时，你可知道他是不是确实吃过喜酒？"

"是，他确实喝过酒。因为他叮嘱我把前后门关好的时候，我还觉得他的嘴里酒气直冲。"

霍桑停了一停，说道："好了。现在你好好地看守大门。如果有别的事回头再问你。"

霍桑走出门房的时候，汪巡官便挺挺腰走近去点头招呼。他分明认为他发觉的足印在全案上占着重要的地位，故而刻不容缓地要把他所发现的成绩报告霍桑。可是事不凑巧，这时候姚国英正也从里面匆匆出来。他一见霍桑，便抢先开口，陈说他问话的结果。他已问过死者的母亲，据说有刚的朋友很多，但绝少冤家，若要仔细，可去问面粉公司里的朋友。关于纳妾的事，虽然谈过一回，可是因着他的妻舅做过县知事的颜小山的反对和他的妻子颜撷英的阻挡，没有成功。昨晚发案以后，张母和效琴到了楼上，都吓得什么似的，各自归房，直到金寿领了颜撷英回来，母女俩才同王妈下楼。至于铁箱内的银钱数目，他母亲完全不知道。因为有刚的嗣父张世勋在临死时，除了张母的一部分养老费以外，已将遗产平均分给兄妹两个。所以有刚分内的财产，只有他一个人掌管，家中人都不知道底细。

霍桑听姚国英说完，说："那么，银钱的数目在这里是问不出的了。"

我并不是有意和汪熙年争先，但谈话的题目已关涉我的任务，便再度剥夺了他的发言机会。

我插口说："我知道。至少是一千五百元。"

汪熙年向我眨着白眼。姚国英也抬起他诧异的眼光，向我呆瞧。

霍桑立即问道："包朗，你可是发现了什么证迹？"

"是。我寻得一个银行存折。他昨天在沪江银行里提出了一千五百元。"

我就将在书桌抽屉里得到的存折和照片信笺等物，都拿出来给霍桑和姚国英看。他们都承认照片和信笺非常重要。姚国英将这证物收藏好。这当儿急坏了汪熙年巡官。他在忍无可忍之后，终于不甘缄默。

他大声说："那边还有一个凶手的足印呢！"

他的报告是用着郑重方式发表的，虽曾引起姚国英的惊异的一瞬，但霍桑却只淡淡地点一点头，似乎不以为意。我倒反替汪巡官有些难堪。

霍桑旋过头来，答道："那足印不是在那发案室的第一个窗口外面吗？这个刚才我也已瞧见，是的，确很重要。不过汪先生就认作是凶手的足印，如果没有别的证明，似乎还嫌太早些。"

自然，这批评会使那胖子大大地扫兴。但解救他的两眼交替眨而口吃无言的窘态的，也还是霍桑。

他说："好吧。我们回进去坐一坐，商量一个办法，才可以着手侦缉凶手。"

两重谋杀

我们在会客室中把彼此的成绩交换过以后，又商议了一会儿，就假定这是一件复杂幻秘的谋杀案，而且是两重谋杀——一是中毒，一是刀刺。凶手有两个，动机也许是各别。据霍桑单独的见解，有刚不但中毒，还是因毒而死的。为着法律上的佐证，故而他曾请许济人医官特别重视这一点。至于有刚被害的原因，就毒与刀两方面推测，有如下几种可能：

下毒的，屋内人屋外人都有可能。屋外人的注意点，自然在吃喜酒的钱家方面。屋内人，除了仆役们因着死者的脾气太坏受了怨屈阴损报复以外，他的妻子颜撷英最有嫌疑。据我们所知，夫妻间并不和睦，并且伊的装饰非常时髦，行动又的确是非常自由的。还有书桌抽屉中发现的那一封信，很像是有人写给有刚的匿名信，有刚特地录出一份，准备有什么作用。第二，论行刺一点，瞧了有刚的打扮和他书桌上的小报，他和女伶的来往，加着抽屉里书中夹着的那些女子照片，显见他是一个好色之徒。同时他又是个酗酒的赌徒。他近来又有畏惧什么人的表示，若使假定他因着争风吃醋，外面有什么冤家或情敌，那也是有可能性的。此外或是有什么人因财起意。例如那辞歇的魁林，会不会偶然回来？或是和金寿有某种勾通？还有那打杂差的阿荣在昨天晚饭之前，忽然有人来报告他母亲有病，因此告假回去，似乎也不能不认为凑巧可疑。

我们凭着这三种理由，就依照旧例，彼此分工办事。霍桑自己到靶子路颜家去探听。因为这一着最关紧要，并且颜撷英又是我们的委托人，所以霍桑不得不亲自去走一遭。姚国英担任往汉口路钱家去，调查有刚昨晚上吃喜酒时的情形，和有刚同席的是哪几个人。我一个人往南市去找阿荣，查问他昨天晚上是否当真回家里去。内中要算汪巡官所担任的最省便，只在本区中调查近几天来张家附近有没有可疑的人。

计议妥定，我们四个人便都从张家出来。我一个人先自回寓。因为那天早晨，我穿的衣服不少，这时候骄阳临空，气候转热，我不能不回去换一身较轻便的衣服。

我到了寓中，就上楼去更衣，一边推想这案子的情节。这种二重谋杀的案子，我们探案以来，还是破题儿第一遭。这案子从情节上看，显然有两个凶手：一个下毒，一个行刺。霍桑曾假定那醉汉的死因是由于中毒，刃刺倒不是主因。那么下毒的人是谁？是屋外人，还是屋内人？若是屋内人，可就是有刚的妻子颜撷英？照目下的情势揣测，伊的嫌疑负得最重。但伊既谋杀了伊的丈夫，怎么竟还敢登门请教我们？自己做了贼，帮同着呼叫捉贼，原是一种很普通而有效的卸罪方法。也许伊来请教我们，只是伊的一种烟幕，目的在利用霍桑做一个避嫌疑的幌子。如果如此，霍桑又怎么样应付？他可会庇护伊吗？不，不，霍桑是主持公道的人，公和私的界限分别得最严格。我相信他决不会毫无理由而徇一人的私谊，干违法的勾当。但假使伊谋杀有刚，或者竟是有刚不义的反响，那么霍桑将怎样结束这件凶案？又怎样处置伊呢？

我换好了衣服，又在办公室中吸一支纸烟，休息片刻，等到纸烟烧尽了，正待拿了帽子往南市去，忽见霍桑气息咻咻地走进来。

他一见我，很诧异地问道："你还没有往王家码头去？"

我点点头："我正要动身去。"

"既然如此，你姑且再坐一会儿。我同你一块儿去。"

"你从哪里来？可有什么端倪？"

我放下帽子坐下来。霍桑取出一支白金龙，燃着了坐在藤椅上，舒适地吸几口。

他答道："我在颜家的邻居人家探访过一会儿。据说那颜撷英回母家之后，时常和年轻的女伴们出去逛游戏场。这确是事实。"

"那么匿名信中的话不像是虚构的了。"

"是，一部分总已实在。"

"别的呢？"

"我还见过颜撷英和伊的哥哥颜小山。"

"他怎么样说？"

"他自然是竭力袒护他的妹妹，请求我把这件事弄明白。他说有刚是个登徒子，确曾有过纳妾的提议，因着他的反对，才不敢实行。又据颜撷英说，有刚又曾借着没有子嗣为由，露过离婚的意思，可是也为着畏惧伊的哥哥，说不出充分的理由，到底不敢出口。"

"照你想，颜撷英有没有谋害丈夫的嫌疑？"

霍桑连续吸着烟，还没有答复，忽而电话铃响。他忙起身去接。一会儿，他回进来兴冲冲地向我报告：

"电话是汪熙年巡官打来的。他虽很想努力，可惜总是吃力不讨好。这一次却已有些效果。"

"什么效果？有什么新发现？"

"他说他已把全区的警士们一个个都仔细问过。在昨夜里十一点三刻的时候，有一班巡逻的警士们经过虬江路张家的洋房门前。他们都看见一个穿黑衣的男子从张家的铁条大门里出来。这是多数警士都瞧见的，当然不会错误。这一个发现在案子上不能不算是很重要的。"

"唔。你想这个人可就是我们猜想中的那个刺客？"

"也许是的。据金寿说，昨夜他和颜撷英走出颜家门口的时候恰正打十二点钟。从虬江路到靶子路敏德里，坐黄包车至少得十多分钟。他到了颜家，又等他的主母从床上起来，梳洗好动身，也得再耽搁十多分钟。这样合证起来，可知金寿从张家出去，应得在十一点半左右。当十一点三刻时分，警士们所见的那个从张家出来的黑衣男子，分明不是金寿，却是另一个人。这一点我相信已没有疑义。"

"不错。昨晚上张家里除了金寿，没有第二个男子。那人一定是行刺的凶手无疑。但你想这个人在什么时候进张家去的？"

"金寿说过，当晚饭的时候，他曾经到里面厨房里去搬晚饭。那时候大门上当然空虚没有人。在这个当儿，若使有人混了进去，匿伏在树荫后面，或是躲在后面的小园中，等待机会动手，自然是人不知鬼不觉的。或者在金寿十一点半出去报信的时候，屋子里反而静了，那人以为机会成熟才悄悄地进屋子里去，也未可知。"

我反辩道："你第一个理由还近情。第二个理由，我不敢赞成，我看你还有些矛盾哩。"

他很疑讶似的说："矛盾？你指什么说的？我不明白。"他张大了两眼向我望着。

我说："金寿出去报信是在有刚死之后。你怎么说凶手进屋子里去反在金寿出去以后？"

霍桑仍瞧着我："唔，这就是你所谓矛盾点吗？其实你自己太粗心了。你得知道这是一件两重谋杀案啊！"

我呆了一呆，一时不能回答，就用纸烟掩护我的惶惑。

霍桑继续说："虽然，你也许有你的见解。现在姑且把你想象中对于那人的举动说说看。"

我对于这个人果然有一种假定的见解。霍桑既然叫我说，不妨就乘机和他商酌一下。

我吐了一口烟，说："我也假定那人在晚饭时潜进了大门，伏在树后。这一点和你的见解相同。直到十点钟后，有刚从外面回来，进了书房。那人先到窗口外面，跂足向书室内探望，因此窗下的草地上就留着半个很深的足印。接着他就走进书房，和有刚会面。那人是否为着寻仇而来，或是向有刚索什么东西，我不知道。但瞧他们俩争吵的声音和痕迹，显见彼此起初曾用过武的。后来有刚不胜，就被那人刺死。那人又取了钥匙，偷开铁箱，窃取了银钱，然后再悄悄地出去。你以为对吗？"

霍桑蹙着双眉，两眼直瞧着地毯，摇头说："不对。你我的设想，唯一的不同点，就在致命的缘由。"

"你可是说有刚一定是因毒致命，不是因刀致命的？"

"是。我相信如此。我敢说他们并没有用武。但瞧有刚身上的一只金表丝毫没有损伤，便是一个明证。我料他一定是因毒致命。"

"不过许医官还没有证明啊。"

"他的证明只是一种法律上的手续。其实这一点我早已确定了。……唔，你是不是笑我夸口？我说给你听。有刚的伤痕，你也瞧见的。他的伤口平齐，四周又没有血渍，显见当刀刺的时候，他身上的血运已经停止，肌肉的皮肤也都已失却了弹性，所以伤口周缘没有一点儿卷缩的痕迹。这原是普通的生理反应。并且他的衬衫上也只有些血水，并不是鲜红的血液。这还不能算死后行刺的证明吗？凭这一层，就可见行刺的凶手进去一定是在金寿出外以后。你不能说我矛盾。况且金寿当时只知道有刚气绝，那时有刚身上是否已有刀痕，金寿却没有瞧。所以我料那人的行刺定是在金寿出外报信和有刚的母妹都在楼上的当儿；甚至假定那人混进大门就在这个时候，也未必一定不可能。"

"那么争吵声又怎样解释？难道那凶手先和有刚争执过一会儿，接着又退出来，等金寿出外后再行进去？"

"不，这不近情理。要是真有人和有刚争吵——你记得他是往往会自个儿发酒疯的——这定是另一个人。总之，我相信争吵和行刺绝不是在同一时候，也不是同一个人。"

这一番解释在情势上确有可能，我不由不暗暗点头。不过论情势，除了下毒行刺的以外，又多了一个争吵的人的可能，更复杂了些。同时我也自认我的察看伤势不及他的精细。

霍桑吸了几口烟，又说："如此，我们可以下一个结论，那行刺的人是这案中的次犯，并不是主犯；主犯却是那下毒的人。"

我应道："唔，假使如此，你想这行刺的人是个什么样人？"

霍桑辇蹙地说："这个还待侦查。譬如金寿所说的戴凸晶眼镜的那个近视眼家伙、那个穿西装的高个子，还有仆人阿荣魁林等，都得加以调查。至少我们得听听姚探长的调查结果，再打算进行。"

"那么那个下毒的主犯是谁，你可已有些眉目？"

霍桑摇摇头："这个人究竟是谁，我也还没有把握。我觉得这课题很复杂。"

我提示说："有刚昨晚是吃过喜酒的。他会不会就在钱家中的毒？"

"这只是一方面的疑问，不能就此说定。"

"还有别一方面？"

"是。还有屋内方面也不能忽视。"

我诧异地问道："喔，你以为是屋内人干的？有根据吗？"

霍桑揉熄了烟尾，说："根据自然有，而且很现成。你大概也瞧见的。"

"唔，什么？"我委实有些模糊。

霍桑简洁地答道："那书桌上的一把茶壶——"

铃铃铃……铃铃铃……

电话的铃声打断了霍桑的话。我见霍桑正伸着足躺着，就起身代他去接。电话是许济人医官打来的。他已把痰盂中呕吐的东西验过，死者确实饮过多量的汾酒，酒中又的确含着砒毒。那茶壶中的红茶也已仔细验过，却丝毫没有毒迹。因着霍桑曾叮嘱他注意毒死还是杀死问题，所以他先把化验的结果，通知霍桑。尸身的检验，检察官还迟迟没有到场，所以还没有助手。

我把这话传给霍桑听了。霍桑忽烧了另一支烟，皱着双眉，兀自低着头一言不发。我不知道他想些什么。这通知对于他的中毒见解分明已有了一种确定的印证。他怎么反而失望？

我问道："霍桑，你想什么？"

"我正在想汾酒的性最猛烈，所以毒性发作得这么样快。"

"不错。现在我们听了许医官的话，对于中毒的假定终算已经把范围收缩些，得到了一条较捷的径途，是不是？"

霍桑忽拿下了烟，抬起头来："包朗，你的意思，可是说酒和毒既然发生了关系，我们若要追究毒的来因，只需注意钱家的喜酒？"

"是啊。你的意思怎么样？"我觉得他的问句太突兀，似乎另有含意。

霍桑不答，他的头忽又低沉，把纸烟重新送进嘴唇间去，恢复了先前的皱眉深思状态。

我又说："刚才你说起茶壶。现在已经证明茶里面没有毒，毒在酒中。你还有什么疑问？"

霍桑缓缓抬起些头，略略点一点，但他的双眉依然深锁着。

我又问道："无论如何，往钱家去探查的任务一定是很重要的。你想姚国英可担任得了？"

霍桑仍低垂了头，缓缓答道："我从前已经和他会过几次，觉得他还虚心。所以他此番和我共事，还不至闹什么岔子。可惜他的观察力还不十分精确，学识上也差些，这就是他的不足的地方。"

"那么你想这件事，他可能愉快胜任？"

"我希望他能够成功。照目前的情势看，他所负的责任确很重要。……唉，外边有什么人来了。"

我果然听得门前有问答声，接着便见施桂执着一张名刺走进来。

阿　荣

来客就是我们盼望中的姚国英。他的光临给予我揭破疑团的希望，我们当然是很欢迎的。姚国英走进了我们的办公室，彼此招呼了几句，就坐在我们对面的藤椅上。

霍桑抢着说："国英兄，你此刻可是从汉口路钱家来？我想张有刚昨晚上并没有往钱家去吃喜酒，是不是？"

姚国英的眼中现出惊异的神气："霍先生，你有什么根据，竟这么样想？"

霍桑呆一呆："怎么？我料错了？"

姚国英点点头："我问过那新郎钱伯熊，张有刚昨晚的确去过的。"

霍桑的双目转了几转，突然把身子坐直起来，好像这一着出乎他的意料，有些失望。

他说："去过的？……唔，那么我料他没有在钱家喝过喜酒，这可也料错？"

姚国英的眼睛张得更大了："这倒不错！他在钱家坐了不久就走，果真没有喝酒。……霍先生，你怎么知道的？莫非你已经往钱家里去——"

霍桑舒了一口气，摇摇手，说："不是，不是。张有刚不曾在钱家喝酒的想法，我在数分钟前刚拟成。我不曾到钱家去过。"

姚探长的眼眶收敛些，但仍不住地眨着。他向我瞧瞧。我和他交换了一瞥，也无从轻减他的疑团，因为霍桑的料想的根据是什么，我也莫名其妙。

一会儿，姚国英说："霍先生，你既然知道他不曾饮酒，那么你也许和我有一个相同的见解。"

"你有什么见解？"

"有刚既没有喝酒，昨晚上的举动显见不是酒疯。并且金寿所说，他觉得他主人讲话时酒气直冲的话分明也并不实在。这样，这里面就很有研究的价值。霍先生你可同意？"

霍桑微微一笑，说："国英兄，对不起，我不能同意。"

"唔？"失望的神情移到了国英的脸上。

"我知道有刚虽没有在钱家饮酒，但在别的地方却曾喝过酒。你大概还没有查明白。"

姚国英涨红了脸，期期地说："是……我……我只知道他在六点钟时到过钱家。后来他忽然接得一个电话，就辞了主人出去。他从钱家出去以后有没有喝过酒，我的确还没有弄明白。霍先生，你怎么知道的？"

霍桑淡淡地说："有刚饮酒不饮酒的问题，我们刚才嗅了痰盂中的气味，早已知道。但他饮酒的地方不在钱家，却在别处，我刚才接到了许济人的电话，方才确定。据许医官的查验，有刚曾饮过多量的汾酒。汾酒是白酒——高粱酒一类中最强烈的白酒。你总也知道上海的风俗，丧事才用白酒，婚庆喜节，总是用绍兴酒的。有刚所饮的既然是白酒，可见他一定不是在钱家喝醉的。"

霍桑的解释一箭双雕地打破了姚国英和我的疑团。我才知他方才突兀的问句也不是凭空而发的。

霍桑问姚国英道："这样说，有刚昨天先到钱家，后来又从钱家被那电话叫出去，是不是？"

"正是。那打电话叫有刚的人是谁，我也问过钱伯熊的，但有刚当时并没有说明，只说有紧要的约会，不得不去。所以有刚出了钱家以后，和什么人约会，约会的地方在哪里和所谈论的是什么事，我都还没有查明。"

"那么那电话的约会是否在有刚预料之中，或是偶然发生的？你可曾问过钱伯熊？"

"像是偶然发生的，因为有刚临别时曾向主人道歉。他说他本是特地去吃喜酒的，却不料有这意外的约会。这可见那约会不在他的预料之中。"

霍桑闭着眼睛想了一想，说："论情，这约会的人和这一件凶案当然有关系。现在我们虽不知道那人是谁，但要寻究那人的足迹，似乎也不能算是十二分难事。"

姚国英欢喜地说："这就好！霍先生，你可是已有什么入手方法？"

"我料想那人不但和有刚相识，并且也是钱伯熊的朋友。但瞧他知道钱家的电话号数，又知道昨天是伯熊的婚期，预料张有刚一定去吃喜酒，所以打电话到钱家去找他，就很明显。我又料想他们约会的地方一定是在专供小酌的酒铺子里。他们所饮的都是汾酒。汾酒是专卖酒的酒铺中才有，又是善于饮酒的人饮的，显见那约有刚的人也是一个老酒客。凭着这两点线索去探听，也许可以容易些。至于所谈的事情，我虽不能凭空猜测，但大概总是不可告人的秘密事。"

"既然如此，我只要到这种酒铺子里去探听好了。"

"不错。现在较大的酒铺里大概都装着电话。你不妨先往那些酒铺里去问问，也许可以得到些端倪。此外你可曾得到什么别的消息？"

"我又曾到新新面粉公司里去问过，证明了那匿名信是有刚的手笔。我又知道有刚名义上虽然在公司里服务，其实他并没有规定的时间在公司里办事。因为公司经理沈某原是有刚嗣父的老朋友，平日有些放任有刚，所以有刚可以自由地在外面挥霍胡闹。"

"我看他的交游一定很广。你可曾调查他的朋友之中有没有和他怀怨作对的？"

姚国英应道："我问过的，有好几个，据他的一个姓杨的同事说，有刚的脾气太坏，不时会跟人家翻脸。公司里的一个管仓员——唔——叫傅敬三——曾为着捧女伶的事和有刚打过架；又有一个有刚的老同学姓虞的，也曾为了赌钱的事到公司中去大吵。不过内中有个姓姜名叫志廉的好似和有刚有什么更深的仇恨。"

霍桑似乎被这句话打动了神："喔，你可知道是怎么一回事？"

"我也打听过，可是问不出详情。我只知道他们起先一度是邻居，彼此很交好。姜志廉还在什么大学里读书，时常在有刚家里出入，往来很密切。后来不知因着什么，有刚在背后常说姜志廉的坏话。不但如此，有刚还流露一种畏惧志廉的态度，仿佛怕他寻仇似的。但内幕中的真相怎样，不但那姓杨的不明白，别的人也没有一个知道。"

"这个姜志廉现在在哪里？"

姚国英瞪目道："我不知道。据说姜志廉已在一个月前失踪了！"

扫兴！不但霍桑又重新皱眉低头，我也空欢喜了一场。真像在黑夜迷途的时候，忽然远远地看见一丝灯光闪了一闪，心中自然快乐；可是正待追奔前去，走上正途，一刹那间那灯光消失不见，重新陷于黑暗之中！这时我忽然记起了金寿所说的那两个问信的人。

我问道："姚探长，那姜志廉的状貌怎么样？"

姚国英道："据说是一个常穿西装的人，约莫有二十六七岁。"

"是个高个子？"

"不。我也问过，个子瘦小，比我还矮些。"

"可是戴凸晶眼镜的近视眼？"

"也不是。姓杨的说，他不戴眼镜，是个漂亮的少年。"

两个炮仗都泄气。我感到些烦闷。

霍桑忽仰起头来："包朗，你怎么这样健忘？金寿所说的那个戴凸晶眼镜的男子，他从前没有见过；那个穿西装的高个子，也只见过一次。但据国英兄所知，那姜志廉却是时常在张家出入的。这分明是另一个人，并不是金寿所说的那两个人了。"

指摘并不是无的放矢，我只有自认粗心。姚国英利用我沉默的机会，也向霍桑询问在颜家方面调查的结果。霍桑便把探得的情形和汪巡官、许医生等的报告，仔细向姚国英说了一遍。姚国英也认为巡逻警士们在半夜时发现的那一个从张家出来的人至关紧要。但他以为除了失踪的姜志廉、戴眼镜问信的陌生客、昨天下午去访问有刚的西装长子以外，那仆人阿荣和已经离歇的包车夫魁林，也都在可疑之列。霍桑也很以为然，议定先从打听阿荣的行动着手。姚国英答应再去探访昨晚和张有刚饮酒的人。商议既妥，姚国英就作别出去，我也就继续我原有的任务，和霍桑一块儿动身往南市王家码头去访问阿荣。

据金寿说，昨天阿荣回家去在傍晚时分。那时候有刚已经在银行里提取了款项回家。因为霍桑曾经打电话向沪江银行问过，知道有刚提款的时刻恰在午后四点钟前，所提取的是一千五百元钞票，因此阿荣的忽然告假回去，事实上未免有些嫌疑。

到达了王家码头，我和霍桑依着金寿所说的住址找寻，果然在一条小巷里面寻得了阿荣的住宅。阿荣是崇明人，有一个母亲，和他的哥哥嫂嫂等住在一起。他们住的房屋是一所很卑陋的平屋，已十分破旧。那时那一扇被风雨吹打得半烂半黑的小门静悄悄地关着。霍桑在门口打量了一会儿，不即进去。他瞧见斜对门有一个老婆子正伏在阶石边洗衣，便走上前去搭讪。

霍桑道："老婆婆，忙啊？唔，你洗的衣多么白呀！……对不起，我要问一句话。这斜对门的是不是阿荣的家？"

那老妇人抬头一瞧，看见我们都穿着整洁的西装，就也含笑答话。真的，在都市里衣服是具有微妙作用的。

伊道："先生，是不是问阿喜家？……唉，是的。唉，不错！阿喜还有一个弟弟阿荣呢。"

"正是。他们的母亲可在家里？"

"唔，伊怎么能出去？前几天王嫂子病得很重，今天才好一些。昨晚上伊的小儿子也特地回来过。他就叫阿荣。"

"昨晚上你看见过阿荣？"

老妇似已引起了闲谈的兴趣，立直了身子，把着自己身上补缀的青布团身抹干手。

伊说："怎么不见？我还瞧见他回去。那时候已很晚了。"

霍桑的目光微微一闪，接着忙旋过头去，向巷口瞧了一瞧，似乎借此掩蔽他的眼光，不使他的惊异的神色给老妇瞧见。我也觉得这一问果然问出了破绽。昨晚上阿荣竟没有住在他自己的家里！但是他也明明没有回到主人家里去啊。他往哪里去了呢？

霍桑继续问道："唉，老婆婆，阿荣回去时你瞧见的？那时约在什么时候，你可还记得？"

老妇道："昨晚我知道王嫂子病得很厉害，家里人手又不多，所以我过去陪过半夜。先生，'金乡邻，银亲戚'。我们穷人有了事，只有靠邻居帮忙啊。"

"唔，你真是热心肠！你可知道阿荣怎么会回来的？"

"唉，先生，你总晓得阿喜是在码头上吃饭的，一天不做，一天不活。可是人倒是很孝顺规矩的。他看见他妈的寒热不退，有些慌。所以昨天他托一个朋友，顺便带个口信给他的弟弟阿荣。晚饭时候阿荣果然回来了，我也看见他。他还跟我聊过一会儿天。阿荣也跟他哥哥一样，是个规矩人。他说他主人家里正缺少仆人，不能不连夜回去。所以到了……到了……大约二更过后吧，他就重新回去。那时候我还没有走呢。"

霍桑听了这一席话，不再问下去，谢了一声，回身来叩阿荣家的门。一会儿，里边有一个穿油光光破衣的蓬头中年妇人走出来招呼。

霍桑婉声道："我们从虹口来，顺便带一个口信给你们。"他说了这句，便呆瞪瞪地向那妇人瞧着，似乎要察看伊的颜色有没有惊异。

那妇人忙赔着笑脸，应道："先生们可是给叔叔带信来？可要里面来坐坐？"

霍桑仍注视着伊的脸，答道："不，谢谢，我们不进来了。阿荣叫我们问一声，你婆婆今天可好一些？"

妇人道："多谢先生，婆婆的发烧今天好多了。替我回一个信，请叔叔放心吧。"

霍桑点点头，乘势向里面一望。我看见一间黑漆漆的小室，中间用芦席隔着，有几张破旧的椅桌和家用的桶盆之类纵横地罗列着。这景状足以显示阿荣家的境况实在非常穷困。

我们回身出小巷的时候，霍桑忽附着我的耳朵说："包朗，这一趟真有意思。我们的案子又进一步了。"

凶　刀

在中饭时分电车上的乘客最是拥挤不堪。我上了电车，本想和霍桑谈论阿荣的问题，可是人多耳杂，谈起来究竟不便。阿荣昨晚的不归，在霍桑看来，仿佛已确定他和凶案有关。我的意思却略略有些不同。因为阿荣的回家确实是因着他母亲的患病，可见我们当初所假定的，他也许见财起意而托故回家的理由已不成立了。不过他又明明是当夜就应回主人家的，何以至今不见他的踪迹？他遇到了什么意外事吗？或是他果真有过行刺主人的举动，因而避匿不敢露面吗？从各方面看，有刚的性情本是刚愎而暴躁的，当然容易和人家结怨。阿荣和他的主人，难道也有什么不解的怨嫌，竟至行刺报复？如果如此，他这时既已藏匿无踪，势必也不容易找寻。那么霍桑所说的案子上的进步，又是指什么说的呢？

我们回到寓中的时候，施桂慌忙报告。

他道："刚才姚探长有电话来，说他已经查明那个喝酒的人姓贾，是章东明酒店的老主顾，天天晚上在那儿的。姚探长今晚上就要去看他。"

霍桑点点头，就吩咐预备吃饭。我们忙了半天，此刻才得坐定。但我因着案子还没有头绪，心思不定，胸膛间好像筑了个坝，饭兀自吃不下去。霍桑仍镇静如常，可是他只管吃喝，并没有半句话提及案事。饭罢后我忍耐不住，就趁着吸烟休息的当儿，向霍桑讨论。

我说："你方才说这案子又进了一步。可是指阿荣的踪迹不明说的？"

霍桑点头道："正是。我认为阿荣的一夜不归是全案中唯一的线索。"

"何以见得？"

"他昨天一听得他母亲的病耗，便赶紧告假回去，可见他倒是一个孝顺的儿子。因此就可以推想他平素的操行。他到了家中，又因着主人家的职务，竟至连夜赶回，不敢留顿，又可以见得他是一个安分守己的人。瞧这两点，我们就可推知他昨夜不归，当然不会有什么宿娼胡闹的举动。那是什么呢？自然是和案事有关系了。"

"这样说，他倒是一个好人，但怎么又会干这样的勾当？"

"这也难定。他家里很穷，母亲又病在床上，钱当然是很需要的。一个没受教育或是意志薄弱的人，遭到了引诱力强烈的环境，后果是说不定的。阿荣也许因此受了诱引，见利忘害，那也不能说一定不可能。"

"虽然，他即使需要钱，但行凶杀人，竟把他的性命作代价，似乎也不至出此愚策。"

霍桑把烟灰弹去了些，瞧着我笑道："包朗，你怎么还口口声声说定他行凶？我早已说过，有刚的致命在毒不在刀。难道你还不相信？况且我只说阿荣是全案中的线索，不曾说他是行刺的凶手。你莫非没有听清楚？"

我也笑道："好，好。我误会了。现在你打算怎样进行？"

"现在我打算休息一会儿，静待时机的演化。"

"什么？这样的疑案，你还不打算急急进行？"

霍桑缓缓喷了一口烟，安闲地说："包朗，你别性急。我希望这案子急速了结，不下于你急切的期望。可是你也应当知道我们的侦探工作，有缓急的分别。宜于急的，固然一秒钟都不能迟缓；宜于缓的，却也不能着急，急了反而会坏事。这一件案子，我已经胸有成竹。照此刻的情形看，就是宜缓而不宜急的。"

他这一番议论，好似含着些说教的意味，我未免有些不耐，但末了一句"胸有成竹"的话却含有浓厚的吸引力。

我问道："你以为这案子宜缓不宜急吗？有什么理由？"

霍桑想了一想，便道："也好。我敢说这一件案子中的凶犯都是和死者相识的人，不比得道途劫杀，稍一迟缓，凶手就不免要远飏漏网。并且这案子发觉既迟，案情又这样复杂幻秘，凶手尽可以安逸放心，没有急急逃脱的必要。这样我们也不妨按步进行，用不着手忙脚乱。还有一层理由，此刻我们既然探得了两个疑点，在没有完全解释之前，当然也不能够越级进行。"

"哪两个疑点？"

"第一，姚国英既然访得了那个和张有刚同饮的贾某，这个人一定有关系，必须先问个明白。第二，那阿荣也得设法把他寻到，然后才可以明白案中的真相，这两件事都是只能静待发展而不能急进的。你说是不是？"

"要见那姓贾的人，果然不能不等到晚上，但要找寻阿荣，怎见得也不能急速进行？"

"阿荣的踪迹，我虽然急于要知道，但急也没用，只能等他自己露面。若使防他逃走，那么昨晚上他尽多机会，此刻即使要追寻，也来不及了。"

"你只坐着等他，他会自己露面？"

"是。我相信如此。不过我也准备埋伏一着棋子。我得打一个电话给汪熙年巡官，请他派一个人到阿荣的家里去，多一双眼睛——唉！外面可是汪巡官吗？唔，真巧极了！"

我果然听得前门响，回头一望，汪巡官已经匆匆地推门踱进来。他肥胖的头颅昂得很高，仿佛他的颈项间新装置了一条钢骨，他粗壮的腰肢也挺得笔直，态度上有一种撩人眼目的吸引力。

霍桑招呼道："汪先生，我正要和你谈话。你来了，再好——"那"没有"两个字还没有吐出来，他突然住口。他的眼珠急转几转，面色忽然变异。他呆瞪瞪地瞧在汪熙年的脸上，显一种诧异的神气："汪巡官，你……你可是又有什么新的发现？"

汪巡官连连点了几点头，一边摸摸短须，伸手在衣袋里摸出一个长形的小纸包来，一边喘吁吁地答话："是啊！霍先生，你瞧，这东西能不能算一种重要的发现？"

霍桑急忙将纸包接过，打开来一瞧，是一把雪亮的乌木柄小刀！那刀连柄有四五寸长，锋利而尖锐，两面又磨得很亮，丝毫没有锈迹。霍桑瞧了一瞧，急急站起来取出一面放大镜。他把刀仔细查验，又放在鼻孔上嗅了一嗅。他的眼睛里射出兴奋的光彩。

他说："唉！这果然是一把凶刀！可惜指纹给混乱了。汪巡官，你从哪里发现的？"

汪巡官道："那尸室的东面，不是有一个靠小巷的窗口吗？离窗口的北面不到三尺，有一只积垃圾的木桶。这把刀就是在小巷中的垃圾桶旁拾起来的。"

"什么时候拾得的？"

"约在一个钟头以前。那时我因着检验官将要到场检验，预先带了几个警士去照料，顺便在小巷中察看一会儿，就发现这一把刀。"

"你在垃圾旁边发现的？"

"是。"

"在垃圾桶的哪一边？"

"在南面，靠近窗口下面。"

霍桑摸着下颌寻思了一下，又问："但贵区境界内的垃圾桶，不是天天早晨有人收拾的吗？如果如此，今早扫垃圾的清道夫怎么没有瞧见这一把刀？莫非在垃圾扫过以后，才有人把这刀丢在那里的？"

江巡官道："不。扫垃圾的时间固然规定在每天早晨九点钟以前，但这把刀在垃圾桶的旁边，相去约有一尺，并且那里有些乱草，不容易引起注意，还有一张破新闻纸掩住了一半，似乎是被风吹在上面的。若是不留心，当然瞧不见。霍先生，你知道我是特地到那里去察看的，自然应当别论。所以你若一定说这刀是今天早晨九点钟后丢在那里的，未免有些说不通。"他的语调中流露出自满的得意，他的胖头也不自主地晃了几晃。

霍桑点头道："唔，原来如此。既然有这样的情节，我这想法自然不能成立。这样，我们不妨假定这把刀大概是凶人在行刺以后，开了东窗，从窗口里丢下去的。"他又回头问我道："包朗，那东窗不是本来虚掩着没有下栓吗？你总也瞧见的吧？"

他的观察能力真是巨细不捐。我点了点头。

我答道："是的。我当初还曾把那扇窗仔细验过，窗上的铁条丝毫没有移动的痕迹。我就断定它不能做凶手的通道。但我的眼光，给铁条阻隔住，窗口下面的凶刀当然瞧不见。"

霍桑道："这不能怪你。你也不必辩白。我的视线也一样不可能屈折。"他又把那刀细细瞧了一会儿，重新还给汪巡官："汪巡官，你能够发现这一把刀，足见你精细过人。这刀对于案子的进行多少总有些助益。现在你应急速回去，吩咐那监守张家前门的警士们，如果有什么形迹可疑的人走近门前，应当暗暗注意，不要放走，也不要贸贸然去惊动。说得明白些，应当相机行事，偷察可疑人的行动。我所说的可疑人中间，那打离差的阿荣是最紧要的一个，应得特别注意。最好你另外派一个人到他家里附近去守候一下。"

"只有阿荣应得特别注意吗？我看那个看门的金寿也像是案中要紧人。霍先生，你可同意？"

"金寿的地位果然很重要，但我早晨向他问话，觉得他的话条理不乱，不像是他假造得出的。"

"可是我刚才问他，他却吞吞吐吐，不由不叫人生疑。"

霍桑微笑道："我想你若能换一副面孔对他，他也许不会吞吞吐吐了。"

他又慰勉了几句，就送汪熙年出去。我等霍桑重新回进了办公室中，又提出我的疑团来：

"霍桑，你从这一把刀上可能得到什么线索？"

霍桑道："我瞧那刀是寻常的水果刀。刀虽是新的，却已经磨过几回，没有一点儿锈斑。这可以想见那人的一种'摩厉以须'的姿态。进一步又可以想见那人怀怨已经好久了。"

我道："还有别的见解吗？"

霍桑似乎不听得，仰起些身子迟疑地说："我打算再到张家去——"

意外的挫折打扰了我的问句和霍桑的表示。电话室中的铃声又玲玲地响起来。

意外发现

这一次电话中的消息差不多像晴空中的霹雳，实在太出人意料。打电话的是许济人医官，除了称呼，只有三句话，干脆而简短。那三句话是：

"这案子的真凶我已经得到了！你们等一等！我立刻就来！"

这消息给予霍桑的刺激也相当大，显见它是突如其来的，也不是他意料所及。他把两手插在裤袋中，皱着眉头，不住地在室中踱来踱去，口中还喃喃地咕噜着：

"奇怪！真想不到！他的职务是检验，怎么会得到真凶？我们尽了四个人的力，忙碌了半天，还没有到达成功的地步，他却越俎代庖，一举手间便坐享其成！太奇怪！"

我说："你总也相信'世事万变'，往往有出乎情理的。"

"但这一着究竟太奇诡！"霍桑停了脚步，仰起头来，"包朗，你听他的报告，是不是只有这三句话？"

我笑道："是啊。若是你因着推想不出来由，要教我加添几句，我可捏造不出呢。"

霍桑不理会。他背负着手，继续地踱步。他的目光下垂，似在那里欣赏地毯上的花纹。

一会儿他又立定了，问道："包朗，许医官第一次打来的电话，你可也听清楚？"

他的问句如果不算突兀，也近乎无聊，分明因着推索不出内中的情由，有些东拉西扯。我不禁暗暗地好笑。

我答道："怎么不清楚？那时候他的话也没有几句。你可要我再说一遍吗？——他说有刚呕吐的东西，含着汾酒和砒毒；茶里面却完全没有毒。他又说检察官——"

霍桑忙摇手止住我："好了，好了！你别无理取闹！"

我大笑道："那么你自己也得忍耐些。你方才还说这一件案子宜缓不宜急，怎么一会儿就这样子刻不容缓？"

霍桑道："我不也说时机是有转变的吗？此刻转变已经实现了，所以我说的缓急当然也不能不更替一下哩。"他依旧在打旋。

我道："虽然，许医官说即刻就来。等他一到，疑团就可以明白，那时再打算进行不迟。无论如何，你也用不着如此慌乱。"

霍桑似乎不听得，举起手表来一瞧，说："唔，至多还有十分钟，他大概可以到这里了！"

我又笑道："你还是这样急！莫非你心中有无线电？"

霍桑自言自语地说："我料他的意外发现一定是在张家验尸的时候得到的。张家屋子里没有电话，可知他打电话时已离了张家。即使从张家到这里，乘汽车只需一刻钟，现在已经过了五分钟，不是再过十分，他就可以到了吗？"

我应道："我也但愿他能够马上就到，才可以把我们从迷城里解放出来。你姑且吸一支烟静静吧。"

霍桑应变时的镇静精神是我素来佩服的。可是这一次他竟会这样子焦急不耐，我自然不免要觉得可异。他之所以如此，也许有某种特别原因吧？大概这一个消息，不但他从未料到，并且如果属实，还可能把他脑中所有的设想完全打消。他在诧异之余，就不自觉地不能自制哩。

霍桑果真坐下了，摸出纸烟盒来。我们吸了一会儿烟，彼此都静悄悄的。我从烟雾弥漫中瞧霍桑的面容，庄肃而沉静，睫毛下垂，眼睛却不住地在眨动。他显然在竭力运思。若使能够把他思想的历程引申开来，我相信它尽可以渡越太平洋而有余！

忽然间霍桑仰起头来："哼！许医官来了！"

我敛神一听，并没有任何声音。莫非他想得出神了？霍桑已从椅子上跳起身来，推开了办公室的门走出去。我跟到办公室的门口，才听得大门外有汽车声音。果真有人来了。

一会儿许济人已走进来，霍桑便略去了应有的客套，忙着发问。

他道："许先生，你不是说凶手已经得到了？"

许济人一边点头，一边伸手去摸他胸口的衣袋。

他答道："正是。"

霍桑又问："可是阿荣已经回来了？"

许济人摇摇头。他已取了一本记事册出来。霍桑失望地重复他的问句：

"阿荣没有回来？"

"没有。"

"那么，你说的凶手又是谁？"

"在这里。凶手的名字叫作贾子卿。"

许济人在翻检他的手册。霍桑目不转睛地注视他。我也不禁怔了一怔。凶手是贾子卿？可就是姚国英所查明的那个和有刚饮酒的姓贾的？或是另外有一个姓贾的人？

霍桑定了定神，问道："叫贾子卿？许先生，你怎么知道的？"

许济人早已从记事册中取出一张白色的吸水纸来。

他答道："你们瞧吧。"

霍桑将那纸接过，展开来瞧。我赶紧把头凑过去。那纸上写着两行墨笔写的草书："我如果中毒，毒我的一定是贾子卿！"旁边还有一行小字："新桥街，吉庆里，二号。"字迹有些像那张我从死者书桌抽屉中捡得的没尾信笺上的草书。

霍桑瞧了一遍，他诧讶的眼光又移到了地毯上面，似乎一时不明白内中的情由。

一会儿，他继续问道："你只得到这一张纸？"

许济人道："是啊。难道这一张纸没有价值？"

他的语气显然失望。他虽不像汪巡官那么喜功，但他自认为重大的发现，却只换到霍桑这一句话，自然不免扫兴。平心而论，他这一个发现，若说是无价值，确也太觉苛刻。

霍桑变了语声说："不，这纸当然有价值。许先生，你从哪里找得来的？"

许济人道："我在检验张有刚的尸身时，从他身上的天津裤带里得到的。纸上的字迹已经给有刚的妻子和妹妹看过，我自己也和他的亲笔对证过。这的确是有刚自己写的。"他兴奋的情绪又恢复了。

霍桑点点头，瞧着我道："这两行字，和你所发现的那封没有结尾的匿名信，笔迹果然相同。不错，这果真是死者的手笔。"

我也说："这半张吸水纸，分明就是从他的书桌面上的吸水纸上撕下来的。"

霍桑道："是。我起初还以为那吸水纸之所以被撕去，或是因着纸面上留着反印的字迹，不料他竟是直接写在上面的。我料想他之所以如此，一定是因着仓促间没有别的纸，就顺手写在吸水纸上。"

我道："他写这几个字，可是要人家知道谋害他的真凶？"

霍桑道："那自然。"

许医官也问道："霍先生，你想他什么时候写的这张纸？"

霍桑思索了一下，答道："据我推想，大概他回家之后，忽然觉得身体上感受某种痛苦，就疑心到自己已经中毒。他又推想那毒他的人是谁，所以就把那人的姓名写出来，藏在身上，以防万一他毒发猝倒，不至于灭口无证。他当时曾叫过金寿，想必也因着毒发难熬的缘故，想要叫金寿请医生。可惜金寿误会他发酒狂，竟没有答应。"

许济人连连点头道："霍先生，你的解释很近情。现在怎么样进行？"

霍桑道："这纸上既然写明了姓名住址，我们自然应得立刻走一遭。这贾子卿假使果真是下毒的人，那就是这案中的主凶。我们当然不可放松他。"

许济人应道："不错。刚才我已和检验吏仔细将尸体验过，的确是因毒致命。那刀伤只是有刚死后给人刺进去的。所以我相信这贾子卿是真凶无疑。"

许济人又列举几个伤口的证迹，竟和霍桑先前所说的没有两样。霍桑请求留下那半张纸，又向许济人谢了一声，便送他出去。

临末他又道："许先生，我们立刻去访问贾子卿。如果他没有逃走，今天晚上当然可以破案。我一定报告你。"

许济人既去，霍桑就开始整装。

他向我说："包朗，这就所谓宜急不宜缓了。快预备。"

我应道："好。你想今晚上就可以破案？"

"是。我们若和姚国英比较，也许可以捷足先登。"

"怎么？我们和姚国英走上了一条路？"

"是。"

"你认为他所说的章东明的老顾客就是这一个贾子卿？"

"大概就是一个人。你想姓贾的并不像张王李陈那么普遍。他和张有刚饮过酒，砒毒又和酒混在一起，显见不会是另一个人。"

一个兜得转的人

新桥街的地点本来算不得热闹，但电车在这街上经过，交通很方便。我们寻到了吉庆里，里内都是一上一下的石库门，房屋已很陈旧。家家门口的墙上都用竹竿晒衣裳，纵横杂乱地使人厌烦。几个小孩子在潮湿积潦的地上打滚，他们的衣服和面孔都和这弄里的景状谐和得脏得厉害。一阵阵的异臭刺鼻难受；耳朵中又充满了女子的诟谇声和呼叫声。这现象显示出每一个石库门中，都塞满了人，足够使户口调查员感到头痛。在这种拥挤、喧扰、杂乱、龌龊的环境中，真不知道他们怎么样生活！可是尽有许多高楼大厦却被少数人占有空放着！

我们走进了里内，瞧见第二个石库门上就标着第二号门牌。霍桑推进门去，有一个小小的天井——不，不再是天井了，它已失却了本来的作用，一部分堆满许多破旧竹箩板箱一类的器物，一部分却盖了一张旧铅皮，下面排着几只行灶，分明已改作了一个灶间。那正间也改变了应有的姿态，一边排了两只小榻，形成了折角形，榻上的被褥当然不会太洁白，另一边又点缀着几张折足断背的椅桌，只留下一条小小的通道。总之，这里是一片没有客堂的样子。

一个老年的妇人，一手抱着孩子，一手提一只铅桶，嘴里唧唧哝哝地哝叽着，正从正间后面走到这变相的厨房中来。

霍桑赔着笑脸问道："老婆婆，请问这里可有一位贾子卿先生？"

老妇放下了铅桶，抬头向我们打量了一会儿，才慢吞吞作答。

伊反问道："可是后楼上的贾先生？他刚才起身呢。"

这时已交四点了。这位贾先生怎么刚才起身？要是估量这人是一个没有职业的懒汉，大概错误不了多少。霍桑又柔声地说了几句，老妇便回身进去唤。约莫等了五六分钟的光景我便听得楼梯上急急走动的声音。有一个男子走出来。

那人的打扮见了也觉得奇怪——其实是不称。他身上的夹袍子是铁灰色的毛织品，足上是黄纹皮皮鞋，也许还是来路货。他的年纪还不到三十，面目也还算得端正，看上去分明是一个资产阶级——至少是高薪给的漂亮少年。一个经验欠缺些的人，在别处遇见了他，一定要把他当作一个贵家公子。若使有人说他的住居是一个卑田院式的黑窟，谁也不会相信。上海这个都市真是太神秘。像这样一类的"浪人"不知有多少。他们并没有正当的生产职业，或是靠着一班"小开牌头"，或是干些偷偷掩掩的非法勾当，照样可以舒适地过他们的胡调生活。因此他们的衣着总是特别讲究的，袋里有了钱用起来又特别阔绰。一个外乡来的不明白他们真相的人看见了，谁是无赖，谁是阔少，再也辨别不清。

他见了霍桑，很熟悉似的点了点头，赔笑相迎。这又是这种人的一副特有的派头。

霍桑凑近些，低声说："贾先生，我姓霍。伯熊兄叫我带一封信在这里，有一件事要请你办。"

贾子卿呆了一呆，随即含笑道："哎哟！昨天不是伯熊兄的婚期吗？我因着有些小事，竟没有去道喜，真抱歉！他有信给我吗？我们到外边去。"

我们跟着他退出来，一同走出里外。我的呼吸才觉得自由了些。

贾子卿说："我们去喝一碗茶吧。大家可以谈谈。"

霍桑道："这里近边没有好茶馆。我们去喝一杯酒，好不好？"

贾子卿道："很好。我们往章东明去。那里清静些。先生可赞成？"

这是霍桑求之不得的，因为昨晚有刚和姓贾的饮酒的地点就是章东明。此刻他自己开口，我们自然乐得赞成。一会儿，我们走进了章东明酒店。那时还没有到上市的时候，楼上楼下都是静悄悄的。一个中年堂倌一见贾子卿，连忙上前来招呼，证实了他果真是一个老酒客。

堂倌说："贾先生，今天早晨有一位朋友来寻过你。"

贾子卿道："喔，他姓什么？"

堂倌道："我没有问。他晚上还要来呢。"

贾子卿点点头，彼此就坐下。我向霍桑丢一个眼色，告诉他那个访问的人一定就是姚国英。

贾子卿问道："二位喜欢什么酒？京庄，花雕，还是竹叶青？"

霍桑道："不，我们常喝白酒。"

贾子卿笑道："那真巧极！我本来也是喜欢白酒的。"他就吩咐堂倌道："拿三壶汾酒来。"接着他又点了几样酒菜。

我斜睨贾子卿的颜色，非常起劲，似乎他听得了有什么事要他办，总有些油水，所以丝毫不怀疑我们。其实他的罪名一部分已经证实，他虽是个鬼精灵，却还看不透这一层。霍桑也暗暗地瞧着贾子卿，默然无语。我知道他对于贾子卿的应付方法，心中必早有成算。贾子卿摸出纸烟来敬客，居然是大炮台。霍桑却谢绝了，掏出自己的白金龙来。

贾子卿问道："霍先生，伯熊兄有什么事要找我办？"

霍桑答道："这件事相当麻烦，非找一个'兜得转'的人办不了，因此才想到你老哥。"

贾子卿得意地说："唉，兜得转说不上，我也不过在外面混混。霍先生，究竟是件什么样的事？"

霍桑装作要从衣袋中摸出信来的模样，看见堂倌将酒壶送进来，便又故意停手。贾子卿抢着向我们斟了两杯。霍桑谢了一句，接过杯子，凑到嘴边嗅一嗅，忽定了目光仔细向杯子内瞧着，呆呆地不说话。

贾子卿也停了杯子,诧异地问道:"霍先生,瞧什么?"

霍桑似笑非笑地答道:"我瞧瞧酒里有没有砒霜!"他的两只锐利的眼睛早从酒杯上仰起来,盯在贾子卿的脸上。

贾子卿反笑了一笑,答道:"嘿嘿嘿,霍先生,你倒是个滑稽大家!嘿嘿嘿!"

他的脸色很自然,笑声也响亮。他的掩饰功夫竟这样厉害?!霍桑的嘴角嘻一嘻,仍凝视着他。他向我们俩瞧瞧,开始有些窘。

他又问道:"霍先生,伯熊兄的信呢?"他减低些声音:"他有什么事要找我办?"

霍桑再度伸手,到衣袋中去摸出一封信来,冷冷地答道:"他要请你谋杀一个人!"

贾子卿一听这话,又瞧瞧霍桑的脸色,才微微震了一震。他接过了那个封套,他的手指有些发抖。他的眼光凝注在霍桑的脸上,将那信封拆开来。里面并没有信笺,只有一张名片。

他喃喃地念道:"私家侦探……霍桑……办事处爱文路七十七号。电话九九零九九。"

这位在外面混混的贾子卿这时也不由不变了面色,张着双滚圆的大眼,显得十二分惊骇。他不像是个怕事的人,可是这回事儿来得太突兀,他分明毫无准备,而且霍桑的一双炯炯的眼睛也有些使他吃不消。

他期期地问道:"霍……霍先生,这到底是什么一回事?我……我实在弄不懂!"

霍桑道:"不懂?你自己干的事,怎么会不懂?"

"我干了什么事?"

"你一定要我说?你可认识张有刚?"

贾子卿顿了一顿，答道："认识的。怎么样？"

霍桑道："昨天晚上，你可曾打电话到钱伯熊家去，把张有刚叫到这里来和你约会？"

贾子卿照样迟疑了一会儿，才点头道："是的，这也是实在的。可是和朋友喝一回酒并没有犯法啊。"

"喝酒固然不是犯法的事，可是酒里面放了砒霜，那似乎应当换一句话了。"

"什么？砒霜？这是什么话？"他的手在桌子上一拍，一支才烧着的大炮台便给击落在地上。

霍桑吐了一口烟，安闲地说："看起来我不能不给你解说一下了。你昨晚上在张有刚的酒杯里面偷放了一些砒霜，蓄意谋死他，是不是？"

贾子卿跳起身来，双目突出了，脸上也泛出青白色。

他道："这……这……这是什么事？你怎么随便冤枉我？"

霍桑仍从容地说："冤枉你？那么昨晚上你悄悄地约他到这里来，总不是冤枉你吧？"

"约会是有的，我并不赖。你怎么说我谋杀他？"

"你如果没有谋杀的意思，为什么又这样子行动诡秘？"

"我……我约他商量一件事。"

"唔，这件事总含些秘密性质吧？"

"是……是的。我应许他守秘密的。"

"那么，现在你得说明白了。如果再秘密下去，也许会误累你自己。喂，坐下来说啊。"

贾子卿取出一方白巾来，在额角上抹了一抹。他重新坐下，惊骇的眼睛瞧瞧我们，略一疑滞，便点点头，似乎已理会了这不能不说的局势。

他期期地道："就是……就是为有刚讨小老婆的事。"

霍桑道："喔？请你说得详细些。"

贾子卿说："这件事我虽然担个介绍人的名目，其实我并不会拉拢，完全是有刚自己看中的。那女子姓胡，叫葆洁，今年只有十八岁，以前和我做过邻居。伊家里虽然穷，有个哥哥胡诚初，是在小学校里当教员的。有刚看上了葆洁以后，叫我去说亲。葆洁的母亲本来是允许的，给我一张肖照。可是诚初不赞成，因此就不能不秘密进行。"

我在抽屉中发现的那张用透明纸包的小家碧玉的照片，大概就是这位胡葆洁。不过他所表白的不会拉拢，也许包办拉拢的就是他。因为我看这样一类的勾当才是他的正常职业。

霍桑问道："伊的哥哥有没有反抗的举动？"

"据有刚说，诚初曾向他明白地说过，他一定不愿意让他的妹子做人家的妾。"

"诚初可曾有过什么威胁的表示？譬如有刚要是一定要干，他将有什么举动之类？"

"这……这个我不知道。有刚没有跟我说。"

"唔，你们当然不肯就此中止的，是不是？"

"是——不过这完全是有刚的意思。他的心热得像火上浇了油，哪里肯停止？他一面教我向胡老太婆直接进行，一面又应许我设法弄些把柄，塞住他妻舅颜小山的嘴，以便和他的夫人离婚。等到时机成熟，葆洁用不着再做妾，诚初也不至于再反抗。因这一来，两方面都有顾忌，这件事便不能不特别秘密。"

"你们的秘密勾当到底成功了没有？"

"起初胡母经我一说，果然答应了，约定明天先交半数一千五百元。不料这消息不够秘密，被胡诚初知道了。他赶来寻我，来势倒很凶。他说我若是做成了这一件亲事，他一定控我诱骗罪。其实这是冤枉的，他找错了人。可是事情弄僵了，我也没有办法。我觉得这回事干不了，至少得搁一搁，避避风头，因此昨晚上我特地约有刚到此地来，把内中的情形告诉他，劝他将这一件婚事暂作罢论。这就是我们昨晚约会的情由。哪里有什么谋杀不谋杀的事？"

"你的话说完了？可还有什么隐藏的地方？"

"没有！光棍不打谎。我的话句句实在，不相信尽可以调查。"

姓贾的举起右手在胸膛上拍一下，他的声调也相当响亮，做出一种白相人"闲话一句"的姿态。霍桑依旧静穆得像一个入定的和尚。他向对方瞧着，口中似在自言自语：

"这就太奇怪！你既然替他'拉拢'，其功非小，他对于你当然是有好感的。怎么他反而说你毒杀他？"

贾子卿又惊怪地跳起来："什么？有刚自己说我毒杀他？"

霍桑点点头。

"他还会说话？"

霍桑不答，又伸手到衣袋里去取出那半张吸水纸来。

他答道："有刚死了，不能再说话，但是他写明在这张纸上。你自己瞧吧。"

贾子卿将纸取过瞧了一瞧，忽然自己咬着嘴唇，瞧瞧霍桑，又瞧瞧我，呆怔怔地直立着，没有说话。

霍桑吐着烟，说："你看这字迹可是有刚的亲笔？"

贾子卿用力点一点头："唔，是的——像是亲笔。"

"你还有什么话说？"

"他……他咬我！……他诬陷我！……对，一定对！"

"什么？诬陷你？不是又矛盾吗？我说过，你是他的功臣啊。"

贾子卿的火气平了些，他的脑子因着冷静而恢复了思考作用。他重行坐下。

他说："霍先生，我明白了。他要咬我，也有缘故。对，并不矛盾。"

"怎么样？"

"这叫作狗咬吕洞宾，不识好人心！"

"唔？"

"昨晚他听了我的失败的信息，就和我翻脸，不但说我不够朋友，不忠心，反而咬我和胡诚初通同了捉弄他。所以昨夜里我们原是大家红了脸散的。"

他的"狗咬吕洞宾……"的吴谚自动招认了他的包办"拉马"，同时又证实了我的假定并没错。不过我揣度他的声音状态好像并不是假话，否则他的表演天才是出乎意外地优越了。

霍桑沉吟了一下，又问道："你这话也实在？"

贾子卿道："完全实在。霍先生，你尽可以叫阿四——那堂倌来问一问。昨晚我受不住他的怄气，也曾跟他争过几句。大家弄得面红颈赤，几乎动手，所以阿四也听得的。"

"虽然，照你的说法，有刚似乎太不讲情理了。你既然好意替他做媒，事体不成，也是常事，而且还只是暂时搁一搁。他怎么竟忍心诬陷你？"

"唉，霍先生，你还不知道有刚的性子哩！他本来是非常刁钻刻薄的，一不合意，往往会反面无情。这话你也尽可以向他的朋友们中去证明。"

"那么他一定有许多仇人了。"

"是啊。他有多少冤家，我虽不能一个个指出来，但朋友中和他有好感的，我敢说实在很少，很少！"

"你对于他的冤家，多少总能够指出几个吧？"

贾子卿低头想了一想，答道："别的人我不敢说，那姜志廉是有刚自己告诉过我的。"

霍桑的眉毛掀一掀："姜志廉？他是什么人？"

"他是有刚的朋友，曾做过邻居，以前一直在一起，后来志廉和有刚的妹妹效琴同过学，忽然搭上了，还自由地订了婚约。不知怎的，有刚偏不赞成，就和他翻脸断交。志廉也忽然失踪，已经一个多月没有信息。自从姜志廉失踪以后，有刚时常露出害怕的样子，仿佛防他报仇。所以我确实知道他们俩是有怨仇的。"

霍桑缓缓地举起酒杯，饮了第一口。他的目光不住地在转动。贾子卿没有酒兴，只自瞧着他，像在等他的判断。

霍桑又问道："那姜志廉的家世怎么样，你也说个明白。"

贾子卿说："姜志廉的老子是一个酸秀才，很厉害，虽然也有些积蓄，但志廉对于财产是没有主权的。他在沪江大学里读书，快要毕业了。"

"他的面貌呢？"

"说到面貌，唔，白白的脸，红红的嘴唇，可以算得漂亮。他是常穿西装的，个子不高，而且文绉绉的有些女人腔。"

霍桑又呷一口酒，顿一顿："志廉失踪以后，他家里的人有没有出去寻过？可有什么消息？"

贾子卿第一次陪了一口，摇摇头："没有消息。他家中人寻不寻，我不知道。因为志廉的弟弟志高，自从他的哥哥失踪以后，也绝不和有刚来往。所以他家的信息隔绝了。"

霍桑丢了烟尾，让身体向椅背上靠一靠。谈话已可以告一个段落。空气比先前缓和得多。酒客们也已在络绎登楼。霍桑乘机问明了姜志廉和胡诚初的住址，贾子卿也毫不留难地说明了。

他又说："霍先生，你若要去寻胡诚初，必须在五点过后，这时他才回家。他的个子很矮小，戴一副近视眼镜，很容易辨认。"

霍桑点点头，又向我瞧瞧。我才知道这胡诚初不是别人，就是金寿所说探听有刚踪迹的那个人。那么有刚的死，他也有关系吗？

霍桑向手表上瞧一瞧，立起身来："贾先生，你说的一番话，我姑且相信是实在的，现在我不能多谈了。但你得明白，此番的事，若是没有我，你此刻再不能自由了。所以你以后的生活应当换一条比较光明的路，否则你这样子'混'到底不会有好结局。"

贾子卿弯弯腰，诺诺连声。我看见他额角上的汗珠又缀满了，显出很感激的样子。霍桑付了酒钞，就同我走出章东明。

我问他道："你怎么竟轻轻放了他？难道他果真没有罪？"

霍桑摇摇头："在我的眼光中，他并没有正当的职业，显然是社会上的一个罪人。但他对于有刚的死，我相信他不会有关系。"

"那么许医生的发现只是教人空欢喜？我们不是白白地走了一趟？"

"怎么说白走？这一步已给我揭去了一重疑障。现在我们要走上正路了。"

"正路？在哪里？"

"你跟我走就是。"

"哪里去？"

"虹江路张家去。"

还是一个闷葫芦

暮秋的日晷比较短，我们离开章东明时，街上的电灯都已亮了。等到我们的车子到达虹江路张家门前，人家都正在忙着吃晚饭。霍桑远远地向着那铁条的大门一望，便轻轻地向我说：

"大门开着呢。我们姑且不必进去。"

"那么，你来干什么？"

霍桑不答，走到门口，向门房中瞧瞧，有灯光透露出来，料想有人在内。他走过铁门，沿着西边的青砖短墙，缓缓前进。一会儿，他停了足步，仰起了足尖，靠着短墙向里面瞭望。他忽又向我招招手：

"包朗，瞧。他们正在进晚餐。"

我也扳着短墙，瞧进屋子里去。我见西边的一间憩坐室中，灯光明亮，一扇窗开着，窗帘也恰巧拉开。里面的方桌上有人在吃晚饭。面南坐的是死者的母亲，左边是有刚的妹妹效琴，却不见死者的妻子颜撷英，谅必还不曾回来。餐桌旁还立着一个老妈子和一个小使女。这两个主人的脸上都是冷冰冰的，显示一种悲郁阴暗的神气。因此那两个女仆也都默默无语。

霍桑低声说："我们的委托人还没有回来。"

我应道："是。丈夫给人谋杀了，伊还是在外边，似乎说不过去。"

霍桑不答，仍旧猫儿捕鼠般地注视灯光耀灼的憩坐室。我不知道他要瞧什么，他在等颜撷英回来吗？还是等别的人——像阿荣之类？

"哼！"

一声低低的惊呼从霍桑的喉咙中发出，接着他又忍住了。

我回头问他："怎么？"

霍桑不答，目光炯炯地向屋子里注视。

我又说："那个小使女，我们起先没有听人说起过啊。"

霍桑道："不错，伊大概是新雇来的。当昨晚发案的时候，伊还没有进门，当然没有人说起伊。"

"你怎么知道的？"

"你不见伊的举动处处显得生疏吗？这就知道阿荣还没有回来，伊是特地来补缺的。"他拉拉我的肘骨，"瞧！张效琴又在举筷子哩！"

他的语声低沉而颤动。我有些奇怪。吃饭用筷是件异常的事吗？霍桑何以如此震动？正在这个当儿，猛觉得我的背心上有人轻轻拍我一记。我不禁一凛，急忙回头瞧时，一个穿黑长袍子的男子正目炯炯地瞧我。那人虽穿着便服，但一种挺胸凸肚的神气，一望而知是一个便衣警探。

他问道："你们瞧什么？"

我答道："我是包朗。他就是霍——"

我的"桑"字还没有出口，霍桑忙回身过来，在那人的肩上拍一拍，又取出一张名片给他。

霍桑低声道："朋友，误会了，别多说。这是我的名片，包朗，我的肚子饿得很。我们快回去，等明天破案吧。"

他回头就走，我也只得跟着，那探伙似在道歉，我听不清楚。我们到了靶子路，他跳上车子，竟绝口不说一句话。

他真的有把握了吗？他既然说要等明天破案，今天晚上当然是没有希望的。读者们谅必也深知道他有一种脾气。每逢在案子将破未破的当儿，要是他不自动地剖解，若想向他问几句话，准不会教你满意。所以我虽然满腹疑团，不知道他的葫芦中卖些什么药，却也只能暂时忍耐，不愿意平白地讨没趣。

我们到了寓中，霍桑立刻教苏妈备饭，吃饭时他仍旧保守着缄默态度。我的脑室中却盘踞着种种疑问：凶手一共有几个？下毒的是谁？行刺的又是谁？胡诚初吗？姜志廉吗？那个穿西装不知姓名的高个子吗？还是阿荣和魁林？或者竟就是他的妻子颜撷英？这几个问句，好似在咽喉间起了障碍，我的夜饭再也吃不下去。

在夜饭将近终了时，汪巡官来了一个电话，总算多少有些发展。他已查明那辞歇的车夫魁林，在一星期前已经回他的老家句容去。又从钱伯熊那边查出有个西装高个子叫何炮熙，也是那天的贺客。他在那天下午走过张家门口，顺便去约有刚一块去。他是有刚的新朋友，所以交谊还是很睦洽。汪巡官还提及一件抱歉的事，他派的一个探伙到达王家码头阿荣家时，听得阿荣已回家过一次，可是又走了。我对于最后一点相当兴奋，因为阿荣出现了，追踪起来总比较有些把握。可是霍桑很淡漠。他不加批评，似乎别有所想的样子。

饭罢以后是我们循例的吸烟时间。这晚上我们吸烟时的姿态神情是彼此不同的。霍桑的烟，吐吸匀整而有次序，身子靠着藤椅的背，伸直了两腿，闭了眼睛，足见他心中的安定。我的纸烟却忽吐忽纳，杂乱无章，掩不住我心理上的烦乱状态。静寂中只有钟摆振动的嘀嗒声和远远的电车声。

电话又响了。我站起来时，霍桑早抢了先着。我就站住了旁听。

他说："我是霍桑……唔，你是金永椿？……姚探长派你在张家门外的？……唔，唔，怎么样？有个穿黑色短衣的人进去了？……光头，身材很短小？……进去了已经好久？……好！……怎样？姚探长不在署里吗？……那不妨事，回头我来通知他。……好，好。你别惊动他，我就来。……"

事情连续地开展。霍桑刚将电话筒搁好，我还没有开口，我听到一辆车子停在我们的寓前。这时候还有来客？不一会儿，施桂果然引进一个身材高大的人来，就是张家看门兼种花的金寿。霍桑一见他，不禁显出惊怪状来。

他忙问道："金寿，你来干什么？"

金寿手中执着一封信，便将那信递过来。霍桑将信接过去时，我也急急走过去瞧。那是一个洋纸信封，上面写着"霍桑先生"四个字，钢笔写的，非常娟秀。霍桑将信拆开的时候，我见他的目光炯炯，呼吸似乎急促了些，连他的手指都颤动了。他一边将信笺授给我瞧，一边回头向金寿问话：

"这是你家小姐差你送来的？"

我早把眼光注射到信笺上去，上面写着一行细楷："凶手已经拿住。请先生们速来！"下面的具名是"效琴手上"。

太奇怪！这报告是真的？或是仍像先前那样出于误会？如果是真的，那凶手是谁？又怎么会自己送上门去，给这女子拿住？在这几秒钟间，我的思维的运动真是说不出的昏迷凌乱。恍惚间，我不知道霍桑又问过什么话，但听得金寿回答："是的，阿荣和少奶都已经回来了！"

霍桑又活跃了。他打了个电话给龙大车行，不再说别的话，忙着穿上外衣，戴上帽子。装束既毕，他听听门外，向我点点头，首先往外就走。我和金寿急忙跟着，走到门外，正要上车，忽见又有一辆汽车停下来。那人还没有下车，霍桑便高声招呼：

"国英兄，你可是从章东明来？我想那个姓贾的人，你一定没有碰见。"

停车的人正是姚国英，忙答道："是啊，我扑了一个空。不过我又得到一个消息。他今天下午去得特别早，四点钟左右就到，又和两个生客喝过酒。他们三个人酒简直没有喝，话可说了一大堆。"

霍桑忙止住他道："好了。他是没有关系的。现在别多说，你也不必下车，快跟我去捕凶手！"

他不等姚国英答话，便跳上车子，向我和金寿招招手，车子就立刻上路。车子行进得本已很快。可是我因着急于要知道这案子的真正结果，还不知足，恨不得一步就到。好容易忍耐到十分钟光景，车子才在张家的洋房门前煞住。我第一个跳下车来。

那时大门外面又多了一个便衣侦探，远远地分散守伺着。霍桑向最近的一个，就是先前拍我的，也许就叫金永椿，附耳说了几句，便不待通报，第一个抢步走进里面去。他回头向我们摇摇手，似乎叫我们不要作声。我看见憩坐室中的灯光仍旧明亮。我跟霍桑走到窗前，也偷偷地瞧了一瞧。里面有三个人正静悄悄地谈话。一个站立的男的穿一套黑色短衣，是个瘦削黄面的光头少年，大概就是阿荣。这时他低垂了头，又像畏怯又像懊丧的样子。居中坐着两个女子，就是有刚的妹妹效琴，和他的妻子颜撷英。

霍桑向跟随在后面的金寿演演手势，似乎教他去通知。我看见客堂中张着一幅白幔，供桌上有一张有刚的照片，一对白烛，有些阴风凄凄。我知道有刚的尸体已经移送到验尸所去，这预备的白幔在旧俗上也近乎僭越，因为他还有母亲在堂啊。一会儿金寿出来回报，小姐在书室中会见。霍桑向姚国英咬了一句耳朵，就引着我穿过客堂，走进书室里去。

我们进了书室，霍桑顺手将室门关上。书室中尸体虽已没有，电灯也很亮，可是仍有一种阴沉沉的感觉。这大概是心理作用。效琴一个人坐在一张沙发上。伊的面貌，早晨我本来见过的，可是在电灯下瞧来，伊的颧骨高耸，眼珠失却了灵活，面色也越觉得惨白可怜，仿佛数小时的间隔，伊忽然患了一场大病。我默念这女人竟会捉破凶手，委实太出意料。伊此刻为什么还不干脆地把凶手交给我们？照眼前的情势而论，凶手若不是阿荣，一定是我们的委托人颜撷英了。

效琴站起来，向我们鞠了一个躬，左手捧着伊的胸膛，右手移两把椅子给我们坐。

伊先说："霍先生，包先生，你们是不是来拘捕凶手？"

霍桑也鞠躬道："是。我们是奉了张小姐的命令来的。"

伊点点头："好。请坐。"伊自己也坐下了："现在可要我把那凶手给你们介绍一下？"

霍桑摇摇手："不必了。我已经知道这个人是谁。此刻我所希望的，只请你把凶手在昨晚上的举动说一个明白，以便我在阅历上可以增进一些。"

伊笑一笑——是一种毫无欢意的苦笑。什么意思？

效琴说："很好。我也早料你知道了。霍先生，你果真是名不虚传！"

霍桑微微弯一弯腰，并不答话。效琴的左手仍按在胸口，好像吁出了一口气。室中静一静。我还是在闷葫芦中！

一会儿，那女子说："现在你听着，有刚是毒死的；毒是砒素，置毒的器皿是茶壶。原来那人预知昨晚上有刚要去吃喜酒，料定他酒后回来一定口渴。所以在有刚回来之前，茶壶里面早已放下了砒毒。"

真的？怎么许医官说茶中没有毒？我的疑处没有解答，那女子的剖解早又继续下去：

"等到有刚回来时，那人只是悄悄地静待。他读了一会儿报，喝了一满杯茶。过了一会儿，那毒性在他里面发作，他呕吐了。那人仍伏在这一扇室门的外面，等待所谋的成功。那人发觉有刚顿足拍桌地喧闹了一刻，又喊了几声，却终没有人来答应。那人自然暗暗地庆幸，但还防有刚忍不住痛楚，会从室中出去，所以把书室门在外面反锁着。后来有刚果然想出去，可是推不开门。接着有刚忽然静下来，那人听得有一种铜笔套丢在桌面上的声音，好像他在写什么。不一会儿呼喊声又响起来，继续的是呻吟声，茶几椅子翻倒声，花瓶碎裂声，听了很怕人！他挣扎了一会儿，终于跌倒了。那时他还在地上牵动了好久。那行凶的人在外面也感觉到，心中也有些不忍，可是一念及所感受的痛苦和怨仇，便也勉强忍制着。末后有刚已静止不动了，那人才开进门来；但一瞧见有刚张大的眼睛，还以为他没有死，立即把手中执着的小刀，又猛力地在他的胸口刺一下。"

"唉！这一着却出我所料！我不知道下毒和行刺竟是一个人！"

这是霍桑不自觉的插口。惊异吗？当然！霍桑尚且这样子，何况我？

效琴继续道："那人恨仇已好久了，身上常带着一把刀，本预备乘间行刺。可是那人虽然得了好几次机会，究竟身弱胆小，恐防敌不过他，终于不敢下手。后来那人为谨慎起见，就设法弄得了些砒霜，定意舍刀而下毒，谁知到了最后，到底还用着了刀。这大概是有刚的罪恶太深重，不能不受一刀！"

效琴的说话略略停顿，又低垂了粉颈。伊的双手都按在自己的胸口上去了。

霍桑催着道："以后怎样？张小姐，请说下去。"

效琴仍低沉着头，不即回答，伊的呼吸也急促了。这还是一个半明半昧的闷葫芦！我再也按耐不住。

我立起身来，大声说："霍桑，你听下去吧！我先走了！"

同归于尽

读者们对于我这突然离去的举动，也许要表示不满意吧？其实我在这个当儿忽然声言要先走，原只为着要激激霍桑，并不是真个要出去。因为我忙了一天，目的在于求凶案的结果，满足我的好奇心。现在案子既然到了将近收结的时候，我又怎肯舍弃？不过效琴所说的故事，只用着"那人""那人"代替着凶手，使人捉不住，放不下，实在觉得难熬。因此之故，我就禁不住有这负气的表示，当我缓步走近室门的时候，霍桑果然立起来阻止：

"包朗，别性急啊！这件事你如果认为有记载的价值，就不能不在这里旁听。你现在不是急于要知道那个真凶是谁吗？其实这人也称不得凶手，大概可以叫作正义的裁判者。好吧，我来给你介绍。那就是这一位张效琴小姐！"

我的脚受了拘束，顿时住了步回身转来。那女子也立起来，却仍镇静如常，但微微点了点头。

伊向我说："包先生，你还不知道？杀死有刚的就是我啊。现在你请坐，让我讲下去。"

霍桑重新归座。我像个傀儡，默然地模仿着伊和霍桑的动作。伊的难以置信的故事又续下去。

伊说："我起初的意思，只想刺杀有刚，报我的宿仇，其他什么都没顾到。但一等到有刚死了之后，我忽然想到抵罪的问题，发生一种恐怖心，就想怎么样能够逃罪了。我想有刚的死固然是中毒，但他胸口上又刺了一刀。刀伤不像是女子的能力所能刺的。我如果把毒迹消灭了，教人只注目在刀伤上，那我就可以脱罪了。

"于是我将有刚的鼻孔和嘴唇上涌出来的血迹都抹干净，不让人知道他是中砒毒的。正在那时，我仿佛觉得窗外有脚步声音。我就立起来，掀着纱帘，向外面偷瞧，却仍黑魆魆地不见一个人，只是我自己心虚罢了。

"接着我又把凶刀从东窗口里丢了出去，以便人家疑作是外来的人干的。那时我心中满含着恐怖，再不能顾虑到别的；就点了一支洋烛，走到这书房门外，高喊了一声，就跌在地上，装着晕过去。"

一个瘦怯怯的女子竟会这么样厉害，实在想不到！伊竟忍心杀害了伊的哥哥，这里面总有什么深怨宿恨吧？

效琴继续道："以后的一幕，我早晨已经说过，先生们都已经知道了。后来王妈把我送到房中，金寿随即出去报信了。我在自己房中，定神一想，便想出了两个破绽。我想茶壶中还有余茶，他当然不会喝尽的；即使饮尽，剩余的毒浮当然也会化验得出。其次，我的手指上染过血迹。我记得我曾经掀动过那白纱窗帘，帘角上也许留着我的指印。这两点都可以证明我的谋害，不能不设法消灭。于是我又悄悄地下楼，重新到这尸室中来。"

霍桑忽点头接口道："你第二次到这里来的举动，我已经约略知道了。你将茶壶中的余毒倾去了，重新取了些茶叶，急切间没有沸水，就注满了一壶冷水，是不是？此外你为消灭血迹，又将那窗帘的右角剪去；并且剪的时候，我知道你是用左手的。张小姐，你不是习惯使用左手的吗？"

那女子灰白的脸上忽然微微一红，又张大了伊的含愁的双目。伊向霍桑点点头，显示一种惊奇和叹服的神色。

伊答道："霍先生，你真像瞧见我似的！这可见我现在的自供实在并不是愚蠢。"

霍桑微笑道："这并没有什么稀罕，也值得你称赞？我还知道你剪窗帘的那把剪刀，也许是你从楼上带下来的哩。"

效琴道："正是呢。那剪刀本来是我刺绣时用的。但仓促之中，我没有把它带回楼上去。那实在是我的失着。但我之所以如此粗忽，也就由于阿荣的缘故。"

"那时候可是阿荣回来了？"

"是啊。我在剪窗帘的时候，忽然看见有一个人立在窗口外。我吓得一跳，几乎喊出来。我仔细一瞧，才知是阿荣。在那个当儿，他好像还没有瞧见这书室中的事。我当然是不愿意教他知道的。我就叫他出去，在门房里略等一会儿。我想起行刺的时候，觉得有刚的马褂袋中藏着那钱箱的钥匙。如果钱箱中有什么钱，不如拿些出来，送给阿荣，叫他守着秘密暂时出去，我的计谋也就不至于再怕破露。我就跪在尸旁，预备取他马褂袋中的钥匙，忽见有刚的鼻孔中还有些余血渗出来。这仍是中毒的征象，我自然不能不顺手将血抹去。我随即解开衣纽取钥匙。我开了钱箱，箱中果然有一大卷钞票。我不管多少，一把都取了出来，重新锁上钱箱，又将我自己的衣角在箱门上抹了一抹，仍旧把钥匙藏在他的袋里。然后我走到门房，将钞票完全交给阿荣，急急叫他出去，暂时不要回来。阿荣拿了钱走后，我也就匆匆上楼去了。"

效琴的语声逐渐减低，不住地把两只手抚摸伊的胸口，脸色也越发惨白。霍桑向关着的书房门瞧瞧，忽地立起身来，眼光凝瞧在伊的脸上，想要发问。

效琴忽摇摇手，又说："霍先生，请再等一等，别打岔。我还有几句话。我此刻所以自供罪状，也有几层理由：第一，我干了这件事，虽说复仇，良心上终不能安宁。第二，阿荣是个忠实的人。他受了钱，明知我干了违法的事情。他又知道有人已到他的家中去查问过，他的哥哥深恐连累，催他回来把钱还给我。第三，这件事我的嫂子实在处于嫌疑地位，我未免对不起伊。有刚是这样无情无义，妈的观念又太旧，还是重男轻女，嫂子也没有过得好日子。要是这件事再让伊受冤屈，我的良心也不允许。所以刚才我特地请伊回来，给伊完全说明白了。况且霍先生既然担任了这件事，我虚伪的掩饰，迟早到底是瞒不过的。我知道刚才我们吃晚饭的时候，你们曾在墙外私探过，是不是？因着这几种原因，我知道我的计划终于不免有破露的一日，还不如爽快些自己宣布了。"

霍桑目光灼灼，走近一步，作惊骇声道："张小姐，你不是已经服过——"

效琴的右手摇着作势，左手从伊的衣袋中摸出一封信来，授给霍桑。

伊道："霍先生，别问我。我谋杀有刚的缘由，你瞧了这一封信，大概终可以明白。我……我不能多说话了！他……他直接杀了志廉，间接也杀了我！他……他实在是一个狠毒、残忍的人——不！他实在不能算人，是一头恶毒的怪兽！……"

伊说到这里，双眉紧蹙着，两只手都紧捧了心。伊的身子坐不直，便渐渐地横倒在椅子上。我站起来扶住伊。书室门突然给推开。颜撷英惶怖地站在门口，后面随着焦黄面孔的阿荣，张大了嘴眼在发愕。

霍桑不理会他们，抢步走到窗口，大声呼叫：

"国英兄，快进来！这女子已经服了毒，应得立刻送医院，再迟怕来不及了！"

★ ★ ★ ★

这件案子终于结束了。效琴授给霍桑的一封信，也是有结束作用的，我现在把它披露在下面。

那信道：

效琴妹爱鉴：

这封信我知道你是不愿意读的，可是我也出于万万不得已，请你原谅我吧。我幸而获得了你的爱，又蒙你允许了婚约，那原是万分幸福的。不料你的哥哥有刚，不知因着什么，竟存着破坏的心，无论如何不应许你出嫁。当初我曾亲口向他解释过，请求他的同意。他一概不理会，一定要我取消婚约。后来他用污辱的话诽谤你，我自然不听他。他忽而又变计了。唉！他那杀人不见血的阴毒的计划真厉害，可惜我早先不觉悟啊！

原来他套上假面，忽而重新和我亲近起来，天天约着我一块儿玩。我没有成见，不防他怀着恶意。他竟引我进了赌场，又教我入赌局；我自己也太愚，竟进了他的圈套。我赌了几个星期，输掉不少；他又劝我翻本，并由他的介绍，用重利借到了七千元，不久也完全输去了！我原是在求学时代，没有财产权，又不知再向哪里去借贷。可是债主逼得紧，我的名誉将近破产了！这时候我正走投无路，有刚就强迫我做一种不名誉的行动，那就是'偷'！

唉！我真惭愧啊！我听了他的话，偷了我母亲的一对珠花，又加上我妹妹的一只钻戒，方才清偿了赌债。但债虽清偿了，我偷盗的罪却已被我父亲发觉了！

琴妹，你知道的，我父亲是怎样一个严厉的人。他起初要送我往法庭上去，后来因我母亲的劝阻，才把我驱逐了。其实我干了这样的事，无论再不能置身于社会，就是我亲爱的爸和妹妹都不将我看作人，我在家庭里，也没有面目立足了！我此刻已成了没人格的人，再也不能见你，更不配做你的爱人了！现在只有一条出路——那长江里的清流也许能洗掉我的污迹，恢复我的清白！

唉！琴妹，是的，我太懦弱！我觉得没有勇气再见你，请你宽恕我！你读这一封信时，我的身体早已安葬在江波中了！

　　　　　　　　　　　　姜志廉绝笔　十月九日

这封信解释了这惨剧的因果。我曾问过霍桑，有刚和他的妹妹究竟有什么样的怨仇，竟忍心用卑鄙的阴谋，破坏他们的婚姻。

霍桑叹息道："有刚是二房里承继过来的。他的愿望也许想一个人单独承袭全部的产业。可是张老太告诉我，效琴的父亲在临死的时候，竟把遗产让兄妹俩均分了。这就是结怨的主因。有刚是个贪婪残忍的人，效琴又不是他嫡亲的妹妹，自然无所不用其极了。他大概认为只要效琴不出嫁，伊名下的财产总逃不出他的手掌。但瞧效琴的年龄已近花信，还迟迟不出阁，可见伊的婚事被阻扰也许已不止一次。你也听得，有刚借着酒醉曾殴打过效琴，这也可见兄妹间的怨嫌的一斑。唉！"

我也不禁叹了一口气。这一件事的主因还是中了遗产私有制度的遗毒。那宗法社会的渣滓——无聊的同血统的男性嗣族观念——也推波助澜地造成了这一幕惨剧。（当时女子承继法还没颁行）可是新教育的力量太薄弱，一般人的眼光还都被那传统的魔障所阻隔，到底瞧不破。于是怨海中的风波也就永远汹涌，没有宁息的一日了！

照例，我要请霍桑说明侦查这一件凶案的过程。

他说："我在这件事上留下了一个不可恕的错误。因为这是一件双重谋死案，一是下毒，一是刀刺。下毒的是主犯，刀刺的是次犯，我以为是两个人。谁知竟是一个女人所包办！"

我说："这委实是意想不到的，你也用不着自咎。但案中的主犯，你在什么时候知道的？"

霍桑道："我在张家查验之后早就知道了。"

我诧异道："这么早？你怎么样知道的？"

他说："我第一点着眼，就在有刚的死由于中毒，不是刀

刺，我凭着观察所得，就知道下毒的是他自己家里的人。因为
我瞧见死者鼻孔和唇嘴上面还微微留着些血迹，显见是流血
以后经人抹去的。你想凶手为什么要抹去血迹？不是要灭迹乱
人的视线吗？这样，若是外人，何必多此一举？并且事实上也
未免太从容。我当时曾指给姚国英瞧，他却没有注意到。还有
那窗帘的剪角也是灭迹的一证。不过最主要的证物，还是那把
茶壶中的余茶。你难道没有觉得？"

我点头道："现在我明白了。茶壶中是满满的一壶，见得
有刚饮酒回家后并没有喝过茶。这原是出于情理的，但当时我
竟想不到。"

"是，这是一个反常点。还有一点哩，你也明明瞧见。"

"唔？什么？"

"那茶壶中的茶叶不是都浮在面上吗？这也是反常的。正
常的现象，茶叶都应沉在底上，即使泡茶的水不曾沸透，浮起
的叶也不过少数。可是那时你看见的，全部茶叶差不多都浮在
面上，可见茶叶已给换过了，而且换的时候没有沸热的水，因
此茶叶泡发不开，就自然而然地浮在面上。你若能注意到这一
层，就可以进一步推想，那所以换茶叶的内幕也是自然'洞若
观火'了。"

"唔，我的观察力本来比不上你啊。但你既然早就知道，
为什么不爽爽快快地宣布了？"

"包朗，这句话，又显得你躁急鲁莽了！你想当时有种种
疑点都没有着落，怎么就可以武断？况且我虽知道下毒的人是
家里人，但还不知是哪一个。因为那时候他的妻子颜撷英最有
嫌疑。并且尸体上又刺上了一刀，是件双重谋杀案；铁箱中又
失去了钱，又像夹杂着盗窃。于是我假定案中至少有两个罪

人。我想主凶既然是家里人，那么行凶的目的决不会单为着区区的钱。我又料定这两个人都是和死者相熟的。那么去手印的痕迹显示了那人行事以后，只准备灭迹，却并不想急急逃走。所以我就也从容不迫地一步一步进行了。"

"你在什么时候才确实知道那主凶就是效琴？"

"我直到瞧见了她们吃晚饭以后，方才完全证实。我起初也觉得颜撷英很可疑，后来据调查所得，才觉伊没有行凶的必要。因为他们夫妇俩固然不和睦，但有刚既然企图另娶，有过离婚的意思，又在假造证据——那张毁谤女人的信稿——准备做离婚的把柄，可见这一方面已没有什么拘束。如果颜撷英不满意他，到了不能容忍的地步，恰好是双方愿意。何况现在离婚又是很稀松平常的事，伊的哥哥也不能反对到底，伊何必冒险行凶？解除了这个疑障，我的眼光就转到效琴身上去。

"效琴是有刚的堂妹，感情素来坏，但瞧伊吃过两次亏，便可见一斑；产业又是均分的，这里面更有因果可寻。

"更从事实上推想：效琴说伊听得了重物倒地的声音，才走下楼来。但想书室是在东边的楼下，效琴的卧室却在西边憩坐室的楼上。伊怎么能够听得这样清楚？并且据伊的母亲和金寿说，当他们听得伊的呼声的时候，都在将近睡着的蒙眬中。这可知他们起先被有刚的吵闹声所惊扰，大家都睡不着；但后来竟能够蒙眬睡去，显见那时候有刚的吵声一定已停止了。就在这个声音静寂的当儿，你想效琴又在干些什么事呢？

"从物证上说，那把剪刀太小巧，不像是书桌上剪信封的东西，却像是刺绣用品。谁在刺绣？张老太？不是。伊的年龄太老了，像是个享福人。是颜撷英吗？伊常在外面跑，当然坐不定。那么只有效琴最近情了。剪刀既然是伊的，剪窗帘的也是伊吗？那是值得进一步考虑的。你总也瞧见，窗帘上剪掉的右角是自下而上的，可以想见剪的人用的是左手。

"因此种种，我就想从这条线路进行。后来事实开展，汪巡官发现了那把凶刀，给予我行刺的也是屋中人的影子。我正要赶到张家去证实我的猜想，忽然许济人来了一个岔子，几乎把我拟成的主要猜想根本推翻！"

"是不是那张有刚写的渗墨纸，使你相信下毒的是贾子卿？"

"是啊。这纸既然是有刚的亲笔，我怎能不相信？直到和贾子卿谈过之后，我才回向正路，看见了效琴确是用左手执剪的，我猜想的基础才稳稳地奠定。"

"但有刚怎么会写这张纸？你可也能推想得出？"

霍桑思索了一下，才说："那也容易明白。他不懂得女子的心理，以为效琴是柔弱可欺的，绝不防伊会反抗。不知一个女子到了青春之火旺炽的求偶时期，如果恋爱或婚姻上受到妨碍，伊的有形或无形的反抗力量是非常可怕的。此外有刚不知道毒在茶中，而以为是在酒中，所以他就认作子卿谋害他。"他顿一顿，又说："不过这一次和贾子卿的晤谈，也给我一种启示。他告诉我有刚曾阻止效琴和志廉的婚事，在动机上又多了一种成分。"

我又提出他对于行刺人的推索的经过。

霍桑说："我对于这一着的出发点是错误的。我以为那行刺的次犯是另一个人，因着衔怨有刚，凑巧在同一时候行凶。当时我假定那人也许守候已久，在那天晚饭时，抓着了机会混进里面去；或者竟是在金寿出外报信的当儿混进去。现在我们已知道阿荣就是在这个时候溜进溜出的。我料想那人在匆忙慌乱中看见有刚倒在地上，就刺了一刀逃出。至于行刺的动机，因着有刚的食狠苛刻，无论朋友佣仆都有结怨的可能，所以凡案中的有关系人，都在可疑之列。不过我所特别注目的一人就是阿荣。"

"不错。不过你似乎并不认为阿荣是行刺的次犯，是不是？"

"是。我认为他是乘间行窃的人，而且也许是目睹凶案实施的人。因为他的暂时失踪绝不是偶然的。从时间上估量，他回到张家的时候，大概正是凶案发作的时候。或者他眼见那凶手正在动手，凶手就用钱贿赂他；或者他看见凶案已经发作，却触动了乘机行窃的意念，就开了铁箱偷窃。所以我认为这个人是案中的一条重要线索。"

"你当时曾假定他会自己露面，有什么理由？"

"我知道他是个孝子，从他连夜赶回张家去的一点上看，又知道他对于主人不见得有深怨切恨。所以他的失踪至多是为了钱的问题。他的母亲正害着病，阿荣有了钱，不是有拿回去做医药费的可能性吗？所以我请汪巡官派人到他家里去守伺，可惜迟了一步。不过我的料想没有错，他到底做了这案中的一条重要线索。"

我点头道："对。要是阿荣不回来，你想效琴可会自动揭发吗？"

霍桑沉吟道："我不知道。不过这只是时间问题，没有多大关系。"

案情的剖解到这里似乎已没有任何遗漏了。最后我又把那位委托人颜撷英的行径询问霍桑。因为伊是时常出外的，踪迹又常在游戏场所中出现，伊本身的操守似乎也有疑问。

霍桑叹口气说："这一层我不曾仔细调查过，恕我不能回答。不过有了这样一个荒荡的丈夫和一个偏私的恶姑，也难乎其为媳妇。所以即使伊的行径有什么长短，也不足深责。"他顿一顿："包朗，我想你的头脑还不算落伍，总不会认为贞操是女子片面的义务吧？"

最后的结束，我似乎还得提一提效琴进医院后的结果。不过我觉得太凄楚，还是让读者们运用一下想象力吧。很抱歉！

一个绅士

我在结婚以后，同佩芹做过一度环游东南名胜的新婚旅行，和霍桑隔离了好久。在这个当儿，霍桑虽单身独马，但他探案的任务仍继续不息，所以有许多案件，我都不曾亲身经历。这里所记的一篇就是他单独侦查的成绩之一，是他在事后告诉我的，故而记叙的体裁，也不能不变更一下子。

调　换

那位绅士模样的男子走到了远东旅社的转角，停了脚步，伸手在他的马褂袋中摸一摸，接着他的嘴唇微微地牵一牵，露出一种似笑非笑的表情。原来他的马褂袋中藏着一粒精圆的珍珠，足有黄豆般大，但是因着年代的关系，珠中所含的水分渐渐地枯涸，光泽便也暗淡了些。这粒珠子的价值，若和同样大小而光彩鲜艳的比较，自然也相差很远。

绅士并不将珠取出来，整一整衣襟，重新举步，大踏步向远东旅社的大门里踱进去。他未进门时，他的锐利的眼光先向左右溜过一下，看见两三个司机站在门外闲谈；进了门，他挺挺胸，就直接走到旁边的账柜上去问话：

"有个从北平来的姓姜的，住在哪一号？"

那柜上坐着一个脸形像猢狲的司事，年纪已近五十。他停了笔，抬起头来，向问讯的来客上下打量，一时并不回答。来人像很心急，早又从他的袍子袋中摸出一张报来，随即用手指给那司事瞧：

"瞧，这是他登的广告，明明说住在你们旅馆里。"

司事凑近些，瞧那报纸，果然看见上面印着两行二号字的广告，上端是"珍珠廉让"四个头号黑体字的标题。

那广告道：

……现有大批精圆白光珍珠，从北平运沪，愿廉价出让，有意采办者请到远东旅社向姜耕荪接洽。

司事点点头，忙堆着笑脸，说："唉，你早说那位珠子掮客，我就告诉你了。是，有的，他住在二层楼七十一号。先生，你可是要——"

绅士接口道："是，我来做成他的生意。对不起，你用不着派人领，我自己会上楼去寻。"他点一点头，大摇大摆地走向楼梯去。

他走到了楼梯转弯的停留处，又略略停步。那里有一面大镜。他故意在镜子面前站住。镜中照出一个身材高大而结实的中年人，头上戴着黑呢的软帽，身穿一件玄色团花的狐皮马褂，下面是深青色花毛葛的灰鼠皮袍。他的脸形是长方的，下颌很阔，上嘴唇上留着燕尾式的黑须。他的眼光本来很凶锐，这时却给一副墨晶眼镜罩住了，别的人就也不很注意。从他的打扮上估量，他固然像一个官僚式的绅士，但是他的举步的姿态有些牵强，至少也足以显示他平日是不习惯这种装束的。

他再度在他的团花马褂的袋口外面摸一摸，又向镜子里的自己嘻一嘻，才继续上楼。他到得楼上，看见一个矮胖而穿白色制服的侍者，便一边捋着他的黑须，一边高声打着官话发问：

"七十一号在哪里？"

那个胖侍者早已深深地上海化，越是见那绅士模样的人的架子十足，就也越不敢怠慢。

他鞠躬似的弯弯腰，很殷勤地答道："嗯，在这里。"

侍者不但用手指示，还讨好地走在前面引导，转了一个弯，进入一条甬道。

七十一号里的寓客的听觉显然具有特殊的灵敏性。他好像一直警惕地在等候登门的来客，这时他听到了脚步声音，不等到绅士走近，便早已开门出迎。那绅士点了一点头，昂然直入。胖侍者的殷勤到这里也暂时告一个段落。

这是一间憩坐室而兼卧室的房间，面积相当宽大，里面布置也很精致，每天的租金大约非十五六元不可。室的正中有一只圆桌，围着三四只直背椅子，靠壁安着铜床，一口玻璃衣橱，一只镂刻的梳妆桌，近窗是一只丝绒垫的长椅，左面挂一方青色的呢幕，似乎另有一扇门。

那寓客请来人在圆桌旁坐定，忙赔笑招呼：

"先生，贵姓？要办些珠子？"

绅士斜着眼睛向他打了一个照面。这珠宝掮客身材瘦小，枯损的面颊显着黄蜡色，身穿一件淡灰色厚呢袍子，还是瘦怯怯的，好似有病样子。但他招待时的那副功架，却足见得他在交接上是很老练的。

绅士反问道："你就是登广告的姜耕莘？"

"是。"寓客赔笑地应着，又问一句，"先生，贵姓？"

绅士仍不答，点一点头，从马褂袋中摸出一张片子来给他。姜耕莘接过一瞧，忽而失声惊喜，接着是两手拱一拱：

"唉，王厅长！失敬！失敬！难得光临！"

黄脸的忙着开了圆桌上的一只烟罐，抽出一支纸烟来敬客。那被称王厅长的显着不耐烦的样子，挥挥手，自己从袍子袋中摸出皮盒，抽出一支雪茄。

他说："别客套。我这里有雪茄。"

姜耕莘知趣地应道："是，是。"

他连忙擦着了一支火柴递过去。王厅长毫不客气地点着了雪茄，吸了两口，便直接表示来意：

"我家三太太要扎一朵珠花，还缺少十三粒珠子。你挑几粒最大的出来瞧瞧。"

姜耕莘点头不迭地应道："是，是，很好，很好。"他把头凑近些，减低些声浪："王厅长，不瞒你说，我的珠子是京城里浪贝勒的东西，都是最最好的上品。你太太要扎珠花，那最配没有。昨天何太太来办了四十二粒去，崔行长的三小姐也买了五十粒，据说也都是扎珠花用的。"

绅士皱着眉头，道："喂，别啰唆，你快拿出来。"他摸出一只金表来瞧一瞧："喂！三点多了。我还有事呢。"

珠宝捎客连连答应着，便回身向那只铜床走去，从床的一端提出一只皮包，小心地打开来。这时候那绅士也有动作。当他把金表放进马褂的表袋里去时，顺手将下面的第三粒纽扣松开了，似乎预备取摸时便利些。姜耕莘取了三包珠子；回过来，放在圆桌上，先打开了一包。

绅士略略一瞥，便摇摇手："不行，这个太小，不用瞧！快把大的给我瞧。别耽搁我的工夫。"

捎客应道："好，好，大的在这里。"他将第二包打开来。

绅士接过了，取了四五粒，放在手掌中细瞧。

"王厅长，怎么样？合意吗？"

"唔，光色还不差，但是还太小一些。"

绅士说话时他的右手在他的马褂袋的外面摸一摸。姜耕莘的眼睛的活灵自然也不输他的听觉。姓王的这一种有意无意的举动已经被他瞧见。

他说："更大的还有。王厅长，你可曾带样子来？"

这一问似乎使姓王的有些不好意思。他略一迟疑，便索性伸手到马褂袋里去，摸出了那粒藏着的珠子来。珠子没有装绒匣，也不用纸包，故而一摸就出。

他应道："唔，不错，我有一粒样子在这里。你瞧，不是比这几粒大些吗？"

姜耕莘将珠子接在手里，瞧了一会儿，答道："是，这一粒果真大一些，可是……可是……"

"什么？为什么吞吞吐吐？"绅士冷涩地问一句。

姜耕莘答道："王厅长，别见气。我说这一粒可惜光色……光色……"

绅士吐出一口烟，接嘴道："你不是说光彩差一些吗？……唔，是的。不过我看这一粒至少也还值五百元吧？"

姜耕陪急急赔笑道："唉，那足值，足值！据我估量，七百五十块也不算贵……王厅长，请你瞧瞧这一包里的。"

他分明要展开第三个包，可是他的嘴里虽这样说，却并不就把第三包打开。他先将绅士瞧过的四粒珠子归还在第二包里；又数了一数，包好了另放一旁；才把第三包打开来。这一包里共有九粒，大小比黄豆更大，并且粒粒精圆，光彩耀眼。被称王厅长的绅士把手中的雪茄放在烟灰盆里，顺手取起了两粒，运用他的敏锐的眼光，仔细地把玩着。他也不禁微微地点着头，显出一种欣赏赞美的神色。

姜耕莘道："王厅长，这几粒你大概总合意了吧？"

绅士吐吸着雪茄，似乎瞧得出神，没有听得。

"王厅长，你看怎么样？"珠宝商又追一句。

绅士才点头道："不错，这珠子的光泽果真很好，可惜比我的那粒又大了些。"他将自己的一粒放在一起，果然大小不同，光色的暗明更不消说相差很远。他又皱皱眉："把这几粒配上去，似乎又不相称。"

姜耕莘忙应道："对，不但大小上差些，光彩也两样……王厅长，要是你喜欢另外扎一朵新珠花，照这样的我还有现货，扎一朵珠蝴蝶尽够。"

绅士似乎有些狐疑不决，缓缓地问道："照这样大小，你要卖多少一粒？"

姜耕莘又偻近些，低声道："王厅长，珠花既然是老人家自己办，我不妨留个交情，就算一千五百元一粒吧。你说公道不公道？嗯，假使别的人来，这价钱决不肯。"

绅士犹豫地答道："唔，价钱的确便宜。不过我家三太太的脾气太坏，一不合意，就会发火。伊不但要同样大小，光色也要和原样差不多才好。"

姜耕莘皱一皱眉，似乎觉得他的兜揽没有效果，有些失望。

他道："那可难办哩。我这里都是新光珠，实在没有——"

绅士接口道："别多说。你姑且再拿几种出来拣拣。要是将就得过，略为差些也不妨。快些，别多耽搁。"

他挥挥手，似乎叫他再向床端的皮包里去取珠。他的掌心里的两粒仍不放下来。姜耕莘像要答辩，但被他催急了，又不敢开口，只得又回身向他的皮包所在走过去。

正在这时，王绅士重新将那只金表取出来，失声叫道："哎哟！约会的时间已经到了！喂，我不能再耽搁哩！"他一边说一边将金表放好，同时将手掌中的两粒新光珠的一粒塞在他的马褂袋里。

滴答！

他自己带来的一粒次色的珠子忽然落到地上，一直向一个壁角滚过去。姜耕莘早已旋转头来，眼见一粒珠子在地板上滚着，正要俯身去拾，那位绅士忙招手叫唤他：

"喂，你过来。我此刻要去会赵局长，外面有汽车等着，一来一回至多半个钟头。停会儿我再来和你交易。你数一数。这里一共是八粒，还有一粒已经滚在壁角里。喏，你瞧见了吧？回头见。"

他说到末一句时，早已拿起了烟灰盆中的雪茄，旋转身子，向室外急走。姜耕莘仍呆木木地站着，举起一只手，好似要招呼那客人慢些走，但是他的嘴唇仿佛给什么封闭了一般，说不出话。

绅士衔着熄灭了的雪茄，刚才走出室门，猛见一个穿酱色皮袍戴黑皮帽子的大汉站在门口，像要拦住他的去路。绅士微微一震，嘴唇间的雪茄落地了。他并不拾烟，只抬头瞧瞧那大汉。这人只向他恶狠狠地瞅一眼，并不拦阻他。他才一溜烟地穿出甬道。他到了楼梯头上，回头瞧一瞧，背后没有人追过来，他的心中才放下了一块石头，三脚两步地从梯上泻下去。

黑吃黑

绅士下了楼梯，放弃了摇摆的姿态，急步向那账柜进行。他似乎还不放心，又偷偷地回头瞧一瞧。他不禁又暗暗地吃一惊。他看见那个戴皮帽的黑脸大汉正也从楼梯上急步走下来！

他有些慌，但仍加紧些步子，一直向大门走出去；出了门，又拼命地向人丛中乱钻；直走到转弯角上，头也不回一回。他刚想转弯，猛觉得他的肩膊上有人拍一下。他回头瞧时，就是那个穿酱色袍子戴黑皮帽子的大汉。

大汉先开口："朋友，你的汽车呢？大概还没有来吧？你何必这样子急？"

绅士不由停了脚步，定定神，瞧着对方，问道："你是谁？……什么事？"

大汉的黑脸上嘻一嘻，低声说："朋友，你如果见机，还不如回到旅馆里去坐一下，大家谈几句。喂，现在就从这侧门里进去吧。"他说完了便拉着绅士的手，转弯向远东旅馆的侧门里进去。

那绅士似乎因着有碍体面，不便在路上抵抗，就跟着大汉，进了一间单独的小餐室。餐室中静寂没有人，进门时也没有人瞧见。大汉将餐室门推上了，自己先坐下来。

他说："朋友，你的玩意儿此刻大概已经穿破了，当然马上会有人出来追寻。不过人家既然看见你出了前门，想不到你再会在这里。这样比你在马路上走，不是更妥当些吗？"

绅士也照样坐下了，神情上有些慌张，可是并不太露骨。

他说："什么意思？我不懂。"

"嘿嘿！脚碰脚，你还装腔？"大汉轻轻地冷笑一声，又向绅士上下打量了一下：

"唔，你的模样着实不错，可是你的手法太不行了！"

绅士似乎耐不住，皱皱眉，又问："喂，到底什么意思？怎么说这种不伦不类的话？"

大汉又冷笑道："别假装痴呆哩。刚才的事，我都眼见。难道还要我自己动手，把你马褂袋里的那粒劳什子摸出来吗？"

绅士的态度虽还勉强镇定，一听这句，也禁不住愣一愣。他的右手在他的青色毛葛袍子上抚摩着，他的锐目从眼镜后面向对方瞧一瞧，才开口反问：

"你是谁？"

"你听得过霍桑没有？"

"霍桑？"绅士又吓一跳。

大汉的头点一点，他的黑脸上又露出一丝狞笑。

"你就是当侦探的霍桑？"绅士再问一句，他的眼珠在黑镜片后面转动，不过辨不出是惊惶还是诧讶。

大汉摇一摇头，唇角上又露着微笑："不是，我是霍桑的伙计。姓姜的带了大批珍珠到上海来，怕有人暗算，特地去请教霍桑保护。霍桑太忙了，才派我来。"

绅士作诧异声道："唔，你在哪里？我怎么没有看见你？"

大汉又嘻一嘻："我在七十二号里。你不看见姓姜的房里有一方青色呢幕吗？幕后面有一扇门，可以通七十二号。我躲在幕后，自然瞧得你清清楚楚。嘿嘿嘿！"他的阔嘴又张一张："朋友，你的手法实在太坏了。姓姜的当时所以没有看破你，大概是给你这模样吓倒的。喂，我看你还是新手吧？"

绅士勉强点点头："是。我……我今天还是第一次，不料就碰见你。当时你为什么不就捉破我？"

大汉道："你太老实了。姓姜的自己既然没有觉察，我何必讨好他？我告诉你，他这个人也很小气，不漂亮。谁愿意给他办什么清公事？所以此刻我叫你到这里来，你也早该明白了。"

绅士沉默了一下，似乎已经领会对方的意思。他顿一顿，方才发问：

"那么你打算怎么办？"

"怎么办？你说一句就行。"

"你要我把袋里的东西呕出来？"

"你放心。在外边走走的人总懂得有路大家走的那句老话。你既然费了一番心思，把东西弄到手，我要是一口吞没，那也说不过去。现在你分一半给我就算了。"

"分一半？嗯，这怎么分得开？"

"笨家伙！那东西他不是说可以值一千五百吗？其实这里面难免有些虚头。我们姑且算它值一千，你就给我——"

绅士不等他说完，忙接着道："给你五百吗？那不行！……嗯，这样吧，还是我把东西给你，你给我五百也好。"

大汉皱眉道："我没有钱。况且你冒险弄到这东西，当然有出路，我可没处销货。"

"我没有现钱。"

"多少总有些，即使没有足数，不妨把你身边所有的钱先给我，余多的等你销掉了再给。"

"老实说，我身上一个钱都没有！"

大汉突地立起身来，把皮帽向额角上推一推，张着铜铃似的眼睛，呼喝着。

他道："你真太不识相！难道要叫你老子动手？"

绅士的头低落了，似乎有些胆怯。他显然不愿意让这件事闹出来发生其他的枝节。他顿一顿，便改变了口气。

他带笑道："朋友，何必如此？我说的是真话。我身上当真没有一个钱。但是这里有一只表，也值得二三百块钱。"他从马褂袋中掏出了那只金表："表是我借来的。现在权且在你这里押一押，等我销掉了再来向你赎取。好不好？"

大汉起初似乎还不愿，皱了一皱眉，才悻悻地答道："那也只得通融一下了啊。"他将表接过了，很轻意地瞅了一眼，顺手纳在怀中。他又道："你就从这侧门里走吧。你要赎表，明天为限，过时可对不起你，我要派用的。"

"好，我懂得！"绅士奉了命令，站起来走出餐室，悄悄地趋向侧门。他没有出这小餐室门的时候，曾回头瞧一瞧，看见大汉伸着一只手：

"别忘记，这个数目，少了别怪我！"

一本万利

大汉回进了七十二号室，先把房门合上了，又从罩青色呢幕的侧门里穿到七十一号里去。

姜耕荪拿了方才王绅士遗留的一粒珠子，正在放大镜下面仔细察验。他抬头看见那戴皮帽穿酱色袍子的高个子揭开了呢幕踱进来，便含着笑容低声招呼。

他说："老二，我已经仔细验过。这一粒可值三百五六十块钱。他换了我们的五块钱成本的一粒去，正是偷鸡不着反蚀米了！"

大汉嘻一嘻："这家伙瞎了眼，老虎头上拍苍蝇！不给他吃一些苦给谁吃？"他除下了皮帽，丢在铜床上，也坐到圆桌边。

"着！你又怎样打发他的？"

"这厮吃不起惊吓，经我一吓，便将这东西呕了出来。"他摸出那只金表给姜耕莘瞧，"他说这劳什子可以值二三百块钱。你看值不值？"

姜耕莘摇摇头："你上了他的当哩。"

"怎么？上当？我们不是白白得来的吗？上什么当？"那叫作老二的有些诧异，一边用手巾抹他的额角。

姜耕莘的薄薄的蜡色面皮牵一牵，说："老二，我看你究竟还欠老练。"

"唔？什么意思？"

"他身上的那套袍褂，不是比这东西更值价吗？"

老二忽然伸出一只大手，拍着姜耕莘的瘦肩膀，答道："小姜，你也太狠了！这本是意外的。我们的玩意本来不在这上面啊。嘿嘿嘿！"

"嘿嘿嘿……"

瘦子也用笑声答复他，可是笑得很勉强，原因是他的肩胛上受到了一拍有些吃不消。他开始用手抚摩他的肩。大汉又言归正传地提出那还没解答的问句：

"喂，小姜，你估一估，这只表究竟值多少？"

"我看只值七八十——至多百来块。"

"只值百来块？"

"不止，不止！这是一只打簧表。你们别瞧错啊！"

这是第三人的声音，沉着而严冷，从室门的方向送过来。

姜耕莘和老二抬头瞧时，看见七十一号的室门推开了，先前那个绅士模样自称王厅长的人已悄悄地回进来。他先反身将门关上了，又下了插销，才回身向着两个人走近来。

两个伙伴都不提防，自然吃一惊。他们俩面面相觑地瞧那绅士摇摆地走过来，他们的身体像给椅子粘住了。

绅士从容不迫地说："喂，你们惊慌吗？用不着！你们的话，我虽然都听得了，但是你我既然是同道，我也决不会坏你们的事。"

他说话时带着笑脸，这时已经缓缓地走近中央的那只圆桌。姜耕莘已把金表放在桌面上。绅士便伸手取了起来。

他笑着说："这种打簧表要是损坏了，最不容易修，还是让我收拾好了吧。"

姜耕莘和大汉老二仍旧呆瞧着他，谁也不发话。他们都知道事情已经失了风，但是要想对策，不能不先审度一下情势。

绅士又说："我的那粒珠子呢？你们也得还我的啊……喏，你们的一粒在这里，我也奉还了吧。"

他从马褂袋中取出那粒珠子来，但并不立即还给他们，却承在手掌中，发表他的赞叹：

"唉，真好！我真佩服你们！像这样的东西，莫说超过那些宝素珠，赛珍珠，就是和真的放在一起，也断断瞧不出是假的！喂，这东西是你们自己造出来的？还是——"

他说到这里，瞥见那两个伙伴交换了一个眼色。大汉放在圆桌边上的手就不知不觉地握紧了拳头，似暗示将有什么举动。瘦子身上的那件灰呢袍子似乎太单薄了，像在打寒噤。绅士仍保持着镇静，并不畏惧。

他继续道："你们怎么不开口？我听说这东西的成本一粒只需五块钱，是不是？唉！这样一本万利的勾当，哪一个不想干？嘿嘿嘿！……喂，你们去年不是已经在这里做过一次生意吗？据外面传说，这东西样样都和真的一样，只是一经霉天便变色。故而你们此刻再来，实在有些冒险。我劝你们——"

"他妈的！"

老二开口了。接着的是一声嘭，那是他的拳头击着了桌面，他的身子也和椅子分离了。瘦小蜡面的姜耕莘也挺身立起来，板了面孔，厉声喝骂：

"好大胆的骗子！我们是诚实商人，有警察保护，不怕你撞骗！你将老光珠带来调包，现在真赃还在你的手里，你还凶？老二，快把他抓住，交给警察！"

那长大汉子果真瞪着眼睛，卷起些那酱色皮袍的衣袖，凶狠狠地要走过来动手。

绅士退一步，仍不慌不忙地发命令："老二，小心些，别乱动！防着你的背后的枪弹啊！"

两伙伴都不由自主地回转头去，果见呢幕背后的侧门已给推开，有两个人悄悄地走了进来。为首的一个身上罩着白色的侍者制服，身材很肥矮，后面另有一个戴黑呢帽穿黑色便衣的长子。他们俩各执着一支手枪，向室中的两个人凝注着。

胖子招呼说："霍先生，你干得真干脆！"

那绅士打扮的人笑一笑："银林兄，你说这出把戏玩得还不错吗？……唔，你的演技也不坏。好，现在你把这两位朋友拘起来吧！"

胖子把手中的手枪交给了他的背后的同伴，摸出两副雪亮的新式手镣来。

姜耕莘似乎更显得瘦小了些。他张开了失血的嘴唇，还莫名其妙，期期地问假绅士：

"喂……你……你到底是谁？捣……捣什么鬼？"

绅士不答，缓缓地取出一张名片来给他。

他道："这才是我的真姓名，你留着做个纪念吧。"

姜耕莘失声道："哎哟！你就是霍桑？"

旁边的大汉老二一看见银林的手镣，举起一只右手，像想要抗拒，但是后面长子手中的手枪仍顶住他，他到底不敢蠢动。汪银林把姜耕莘的两手一齐锁好了，姜耕莘仍显着疑惑不服的样子。

绅士装束的霍桑微笑地向他说："唔，你有些弄不清楚？是不是？老实说，你们的东西真是太好了，在短时期内谁也辨不出真假。可惜价钱太便宜了些，因此才引起人家的疑惑。但是一般人也只是疑惑罢了，到底还不能确定真假。所以这辨别真假的责任只能让你们自己来效劳了。

"我的那粒珠子既然光彩次一些，但究竟是真的，你也明明知道。所以在我调换的当儿，你虽然眼见，却故意装作不觉察，任我调换。你一定以为我偷鸡蚀米，暗暗地得意，可是你就进了我的圈套。因为这样一来，你已经明明告诉我，你的珠子果真是不值钱的假货；我们先前的怀疑也就完全证实了。不然，你明明看见我掉珠，怎么肯轻轻放我出去？"他旋转头去瞧大汉："朋友，刚才你和我开玩笑，你也一样不要珠子，反而要我的金表。那自然更显而易见了。"

老二不开口，只从眼睛里发泄他的怨恨。黄蜡脸的瘦子沉倒了头，兀自叹着气，那蜡色仿佛淡了些。霍桑除下墨凸眼镜，露出他的炯炯的双目。他又用手在自己的上唇上摸一摸，那两撇燕尾式的黑须便落下来。

他又回头向胖子道："银林兄，你在这姜老板的身上搜一搜。我的那粒珠子是向源昌里借来的，让我顺便带去交还了吧。"

搜索顺利地完成了。霍桑接受了珠子，将室门上的插销拔去，拉开了门，又回身向汪银林说话：

"我看他们俩绝不是懂得制造的人，这东西一定另有来路。回头你得问个明白。对不起，我先走一步。这套衣服委实穿不惯，我要赶紧回去换哩。"